文獻與詮釋研究論叢 1

東亞文獻研究資源論集

潘美月
鄭吉雄 主編

臺灣 學生書局 印行

本書所收錄之論文，為國立臺灣大學東亞文明研究中心（2002-2005）資助舉辦之研究計畫及學術活動的研究成果。謹此致謝。

導　言

潘美月、鄭吉雄

國立臺灣大學東亞文明研究中心（2002～2005）時期，東亞文獻研究室提出了好幾個整合性的研究課題，其中之一是東亞地區漢籍文獻的調查、整理與研究。這部論集是我們推動此一課題研究三年來的成果合集。

我們三年來的研究成果，可以概分爲三類：

第一類是「東亞文獻系列講座」，邀請海內外專家學者蒞臨本中心作專題演講的論文：第一篇〈從東亞文獻的保存談中國大陸漢籍的收藏、整理與利用〉是中心於 2003 年 6 月 26 日邀請國立臺灣大學中國文學系潘美月教授專題演講的講稿。本文介紹中國大陸五十個最著名的圖書館，具體說明各個館藏的特色，以及如何整理並利用這些漢籍。第二篇〈韓國漢文著作總目之編纂與研究——以集部典籍爲範圍的探討〉是中心於 2003 年 9 月 24 日邀請國立臺北大學古典文獻學研究所王國良教授專題演講的講稿。本文從漢文化的整體研究亦即「漢文化圈」的角度切入，考察作者以數年時間大致編輯完成韓國存藏的「集部」文獻，按總集、別集、尺牘、詞曲、詩文評五類進行考述，具體呈現各種作品的形式與內容。作者特別選擇了一些比較重要又具有代表性的典籍，略作解題；遠程目標，是就韓國歷代漢文著作做通盤調查，記錄各種書籍的撰者、卷本、存佚與收藏狀況，再按作品屬性，分其部類，編纂成著作《韓國漢文著作總目》。第三篇〈《四庫總目》《續目》未收清人經籍的經學史意義探微——以美國哈佛大學哈佛燕京圖書館藏本爲例〉是中心於 2003 年 12 月 15 日邀請上海華東師範大學古文獻研究所嚴佐之教授專題演講的講稿。作者在擔任美國哈佛大學哈佛燕京學社訪問學人期間，沈潛研讀哈佛燕京圖書館所藏清人所著之經部著作，發現其中多有《四庫全書總目》及《續目》所未收錄的訓釋闡發經義的和纂輯集成形式的經部著作，也有具有爲舉業科試編纂性質的制義講章、時藝選文。從這些著作，可以窺見清儒「以禮代理」、「理在情中」思想在社會實踐層面上的反映，以及康、雍、乾三朝宗朱學者對朱子《四書》學說的反思。作者也發現「經學和制舉取之皆宜」是清代經學發展的第三條路。從本文可證文獻學的新發現，往往能對清代經學、思想和社會史的研究提出新的觀點與思考角度。第四篇〈美國大學東亞圖書館的發展、現況及展望〉是中心於 2004 年 6 月 3 日邀請美國芝加哥大學東亞圖書館館長周原教授所做專題演講的講稿，作者從美國大學東亞藏書的整體規模與地區分佈談起，縷述美國大學東亞藏書草創、初始發展、壯大與繁榮。作者認爲，由於藏書觀念和技術不斷變革，美國朝野也需要更深入了解東亞，因此經過一個多世紀，特別是二十世紀後半期的建設，東亞藏書從總體上已發展成爲美國大學圖書館中最有規模、最具系統的外文圖書典藏。此可見一地區文獻收藏的狀態與發展，是時時刻刻受到歷史與時代背景影響的。此外，本書也收錄了兩篇論文：第一篇是國立臺灣大學中文系張寶三教授在 2005 年 5 月 28 日「臺灣儒學研討會」中發表的論文〈臺灣大學圖書館珍本臺灣研究資料之收藏、整理與利用〉。本文是作者在東亞文明中心期間主持之「臺灣大學所藏珍本東亞文獻目錄之編纂研究計畫」的成果之一。作者所考察的東亞文獻，包括中國古籍，和刻本、和抄本漢籍，日文古籍，韓國、琉球資料，臺灣資料等之珍本圖書資料，冀透過此計畫編纂出一套較完整之臺大所藏珍本東亞文獻目錄。其中日本和臺灣部分之資料已經出版。[1]第二篇是國立臺灣大學中文系鄭吉雄教授〈讀《留書》與《明夷待訪錄》隨劄〉，雖然並非研討會論文或講座發表論文，但也討論了新發現的遺佚文獻。《留書》和《明夷待訪錄》是黃梨洲先後在 1653 年和 1664 年發表的著作，前者佚失已久，後經浙江省儒學學會吳光教授發現並撰文介紹。作者藉由比對今本《待訪錄》與《留書》的遺文，發現《明夷待訪錄》是一部新見解與舊見解雜陳的著作。作者並據此推斷了梨洲的若干遺民心曲。

第二類是 2004 年 5 月 15、16 日我們主辦了「臺灣日本韓國東亞文獻資源與研究主題」學術研討會，東亞學者發表的研究心得。該次研討會的宗旨有三：其一、是從一般的角度切入，討論東亞文獻中某一特殊種類之文獻或某一館藏地之特殊收藏，包括其數量與性質，及其對於某一領域之研究而言，所具有之特殊價值。其二、是從個別的角度切入，討論某一件特殊

---

[1] 張寶三主編：《臺灣大學圖書館藏珍本東亞文獻目錄・日文臺灣資料篇》，臺北：臺大出版中心，2005 年。

之文獻，包括其來源、流傳與性質，及其對於某一領域之研究而言，所具有之特殊價値。其三、是從理論的層次切入，討論當前東亞文獻資源研究工作中，某一方面之特殊現象與問題，並提示其對於某一領域之研究而言，所產生之影響。本書所收錄研討會的論文，共包括連清吉〈日本近代以來出版的漢籍叢書〉、陳捷〈關於日本最古的印刷品《百萬塔陀羅尼》西傳中國的記錄〉、趙飛鵬〈傳播與回流——「和刻本」漢籍的淵源與價値〉及朴現圭〈清朝學者編撰的海東金石文集的種類和所藏現狀〉等共四篇。連清吉教授的論文認爲，井上哲次郎的《日本倫理彙編》是日本近代出版漢籍叢書的先聲，其後服部宇之吉主編的《漢文大系》，早稻田大學的《漢籍國字解全書》及大正至昭和初期的《日本詩話叢書》、《日本藝林叢書》、《崇文叢書》、《日本儒林叢書》陸續出版刊行。作者從學術史的角度，說明了日本近代漢籍叢書所反映明治以迄昭和初期之學術思潮流變的軌跡。陳捷教授的論文所討論的《百萬塔陀羅尼》，是指西元 770 年日本稱德天皇下命印造的「陀羅尼」經咒。它是日本現存最古的印刷品，對東亞印刷技術起源問題研究更具有重要意義。十九世紀八十年代楊守敬《留真譜》記錄過《百萬塔陀羅尼》，其後陳矩在日本購買到《百萬塔陀羅尼》並帶回中國。然而這一重要發現當時並未引起中國學界的重視，其曾經傳到中國的史實幾乎無人知曉。本文考察了楊守敬《留真譜》的記錄及陳矩將《百萬塔陀羅尼》購歸中國的故實，回顧十九世紀末以來中國學界對日本《百萬塔陀羅尼》的研究，試圖呼籲學術界在研究中國印刷史的起源與發展時，勿再遺忘了

《百萬塔陀羅尼》流傳的重大意義。趙飛鵬教授的論文引用了文化學研究中的傳播理論，說明「和刻本」固然源自中國古籍且從中世紀以來即不斷出現，其發展到了近代，卻形成一種「回流」的狀態，也就是許多在中國久已失傳或罕見的古籍，經由藏書家們的蒐集，重新輸入中國。最著名的案例就是楊守敬在日本的訪書活動，其結果並編纂爲《古逸叢書》及《日本訪書志》。本文也指出了「和刻本」漢籍，認爲具有文獻學、文化研究、學術史等三方面的學術價值。朴現圭教授論文所稱「海東金石文集」，是指把多種海東金石文收集整理編撰或研究分析的文獻。中韓兩國的學者很早以前就認爲海東金石文價值不菲。他們在研究古代文物、宗教、藝術、文學等各方面常引用海東金石文，尤其是研究韓國古代史，沒有海東金石文的就不可能做深度究。清乾嘉、道光年間，考證學之風盛行，學者收集金石文及於海外，其中最受關注的就屬朝鮮半島了。從他們編撰的早期海東金石文集的編撰過程看，憑藉朝鮮和清朝學者們之間的友好關係，在共同編撰和考證方面相互幫助的情況相當多。這是其他國家金石文研究中鮮有的有趣現象。

第三類是 2003 年至 2004 年東亞文獻研究室的研究計畫，由潘美月教授主持、由目前任教於韓國聖潔大學校中語中文科的金鎬博士共同主持完成的〈韓國存藏中國古籍調查初稿〉。朝鮮因與中國相連，自古交流頻繁，因此漢籍東傳朝鮮者爲數甚夥，其中頗有中土早已亡佚，幸賴東傳朝鮮而見存者。爲深入調查，潘教授親赴韓國，蒐輯相關文獻，至各館藏單位訪求善本。當前韓國收藏中國古籍的單位，比較重要的有：國立中央圖書館、奎章閣、韓國學中央研究院「藏書閣」、成均館大學「尊經閣」、高麗大學圖書館、延世大學圖書館及嶺南大學中央圖書館等。本文介紹以上七館收藏漢籍的來源、內容及特色，並說明各館對漢籍的整理及利用。在此計畫下，金鎬博士又撰寫了〈韓國「國寶」中的五種韓國刊本中國古籍——兼論韓國所藏中國古籍的特色與文獻價值〉，本文介紹韓國國寶級的五種韓國刊本中國古籍，並說明其文獻價值，此外並論述韓國存藏中國古籍的整理與研究之現況，且舉例說明韓國存藏中國古籍確實具有很高的文獻價值，對於研究東亞文明的形成和發展裨益良多。

世界文明發展之主要內容與進程，多藉文獻以資紀錄、流佈及傳承。中國奕世相傳的經典故籍，數百年來流播至臺灣、韓國、日本等地者甚多，對東亞地區學術文化發生重大影響，此為東亞文獻學專家學者素所深知。值二十一世紀之初，全球區域融合之意識逐漸興起之際，東亞文獻龐大之資源中，究竟蘊涵了哪些重要之前瞻性研究課題，可以激發文學、史學、哲學之研究，這是未曾深研文獻學的人文學者極為關心、而深研文獻學的人文學者必須提示，且為無可旁貸的責任。而今臺灣大學東亞文明研究中心雖然已經結束，但在全球化浪潮興起、資訊技術日新月異的今天，東亞文獻研究在新環境之中，正可以藉由利用新技術，而得到更深入和周延的研究成果。我們認為，本書所收錄的研究論文，對於提供東亞文獻學者未來的努力方向，是具有相當參考價值的。

2002～2005 年我們能有這個機緣邀集了當前東亞文獻學界那麼多優秀的學者一起研究東亞文獻的資源、分佈與利用等課題，並將他們的精彩研究成果集合出版，洵爲文獻學界的盛事。爲此我們感到極大的榮幸，也要向各篇作者和研討會及講論會的參加者，表達熱切的感謝之意。

2007 年 5 月 25 日潘美月、鄭吉雄合撰於臺灣大學
中國文學系第五研究室

東亞文獻研究資源論集

目　次

上篇：東亞文獻系列講座

中篇：臺灣日本韓國東亞文獻資源與研究

下篇：韓國存藏的中國古籍

從東亞文獻的保存談中國大陸漢籍的收藏、整理與利用

潘美月*

一、前言

「東亞文獻系列講座」是由「東亞文明研究中心」所設之「東亞文獻研究室」策劃的。根據研究室召集人鄭吉雄教授所撰〈東亞文獻系列講座緣起及概略〉一文，東亞地區應該包括中國大陸、臺灣、韓國、日本及越南。凡是與以上各區域相關之圖書資料，均可稱爲東亞文獻。二十世紀以來，漢學、東方研究、遠東、東亞等概念在全球逐漸興起。以東亞研究爲主題的著作也愈來愈多，不勝枚舉。因此，如何整理保存東亞文獻，成爲當今重要的課題。

漢籍是世界上最重要的文化資產之一，近數十年來，世界各國對於漢學研究，蔚成風氣，相關資料之搜集亦不遺餘力，此項漢學資源是東亞文獻不可或缺之一環，更是東亞人文社會學者從事學術研究的重要基礎。中國大陸是漢籍收藏的重鎮，近年來，我對漢學資源的調查，非常有興趣，於是我決定從中國大陸著手，花了幾年的時間，將研究成果編撰《中國大陸古

---

* 現任佛光大學文學系教授。

籍存藏概況》一書，[1]以下從收藏與整理利用兩方面加以說明。

二、中國大陸漢籍的收藏

根據《中國古籍善本書目》一書中所列藏書單位共分二十八區，將近八百個圖書館，全國藏書數量相當可觀，想對它做全面性的調查，可能需要十年以上的時間。因此我編撰《中國大陸古籍存藏概況》僅收錄比較著名或比較有特色的五十個館，其中有二十二個公共圖書館，二十三個大學圖書館及五個專門圖書館。以下分區加以介紹：

（一）北京

1. 北京圖書館（現改為中國國家圖書館）：

館藏古籍 82,571 種、1,957,544 冊，善本 23,225 種、約 30 萬冊。

館藏特色：

（1）善本中諸如宋、元、明、清各代之刻本，或是套印本、抄本、活字本，其數量和質量都是全國之冠。

（2）內容方面，該館收藏的地方志總數為 6,066 種 93,009 卷。為全國之冠。

（3）《永樂大典》現存於世界各地 370 餘冊，北館藏 161

---

[1] 臺北：國立編譯館，2002 年 12 月初版。

冊，其數量是現今所有收藏單位最多的。

（4）該館藏有鄭振鐸藏書 10 萬冊，其中歷代詩文別集、總集、詞曲、小說、彈詞、寶卷、版畫和各種有關政治、經濟史料等文獻，總數達 7,740 種。

（5）其他如清廷昇平署劇本 609 種，是研究近代戲曲史的重要文獻資料。

2. 首都圖書館：

館藏善本 2,301 種、247,931 冊。

館藏特色：

（1）小說、戲曲、俗文學的古籍較多，最著名是藏有「清蒙古車王府藏曲本」，是現今「曲本」收藏最多的圖書館，共 1,600 餘種、4,400 餘冊。

（2）首圖設有北京地方文獻部，專門從事北京地方文獻的收集、整理，設有專藏庫，收藏相關圖書 5,307 種、17,331 冊。

3. 北京大學圖書館：

館藏古籍 15 萬種、150 萬冊，善本 1 萬餘種、10 萬冊。

館藏特色：

（1）「馬氏專藏」，集馬廉不登大雅之堂藏書 928 種、59,691 冊；主要是戲曲小說，其中稀見的珍本祕籍甚多。

（2）「李氏專藏」，集李盛鐸木犀軒藏書 8,983 種、58,269 冊。

（3）善本中有大量清代名人的批校本及精抄本。

（4）地方志，有 4,000 餘種。

4. 清華大學圖書館：

館藏古籍 3 萬種、30 萬冊，善本 4,000 種。

館藏特色：

（1）《楚辭》的注釋解說達 7、80 種。

（2）有關《易經》方面的專著多達 118 種。

（3）歷代杜詩研究著作多達 80 種。

（4）「劉半農藏書」，其中多古代戲曲小說，尤以插圖本戲曲小說最爲精美，且有劉氏手寫題跋批注。

5. 中國人民大學圖書館：

館藏古籍 25,000 餘種、40 萬冊，善本 1,671 種、18,921 冊。

館藏特色：

（1）經部小學類，計 360 種。

（2）史部傳記類，計 3,000 餘種，其中總傳、家譜、年譜共 1,200 種。

（3）史部地理類，計 3,900 種，其中方志 2,400 餘種。

（4）集部明清別集類，計 2,500 餘種。

6. 故宮博物院圖書館：

館藏古籍 40 萬冊。

館藏特色：

（1）該館收藏清代內府刻本是全國數量最多、質量最好的單位。

（2）明清內府的寫本書，其中有一部唐人吳彩鸞寫本《刊謬補缺切韻》，乃稀世孤本，至今仍保留清代內府龍鱗裝原貌，是研究中國古代書籍裝幀的寶貴實物資料。

（3）故宮收藏的醫書古籍甚多，收入《中國醫書聯合目錄》者有 300 餘種。

（4）所藏《嘉興藏》，是傳世《嘉興藏》中最完好的一部。

（5）文集中有享譽海內外的傳世孤本《唐音統籤》，是一部唐代詩歌總集。

（6）值得特別一提的是故宮尚存有相當數量的「禁燬書」及「四庫存目書」。

（二）上海

1. 上海圖書館：

館藏善本 25,000 餘種、15 萬餘冊。

館藏特色：

（1）歷代明人手札，有 2,000 種、約 4,000 冊。

（2）地方志 5,400 種、9,000 餘冊。

（3）家譜 9,000 餘種、10 萬餘冊。

（4）年譜 2,000 餘種。

（5）名人檔案文獻 10 萬餘件。

（6）此外，上海圖書館還有許多專藏。

2. 復旦大學圖書館：

館藏古籍 36 萬餘冊，善本 7,000 餘種、6 萬餘冊。

館藏特色：

（1）《詩經》類圖書，包括各種版本及歷代各家評注共計 720 種。

（2）清人詩文集計 3,000 餘種。

（3）地方志 2,000 餘種。

（4）清代史原始史料相當豐富。

（5）彈詞約有 400 餘種。

（6）《淮南子》一書包括各種版本及各家校注共 40 餘種。

3. 華東師範大學圖書館：

館藏古籍27萬餘冊，善本3,000餘種、2萬餘冊。

館藏特色：

（1）目錄書總計1,450餘種。

（2）地方志計3,000餘部。

（3）「愚齋特藏」，除明版書約500餘部、地方志600多種外，還有不少清末歷史人物的著述，是研究中國近代史的重要資料。

4. 上海辭書出版社圖書館：

館藏古籍20萬冊。

館藏特色：

（1）地方志，約2,600餘部，2萬餘冊。

（2）別集2,000餘種。

（3）「西諦藏書」，其中《楚辭》各種評注本約90種。

（三）天津

1. 天津圖書館：

館藏古籍約3萬種、285,800餘冊，善本約7,000餘種。

館藏特色：

（1）地方志3,600餘種、近5,000餘部。

（2）明清詩文集近 3,000 種，其中頗多稀見之本。

（3）歷代活字印本書籍 700 餘種。

（4）明清刻本及抄本小說近 900 餘種，已設明清小說專庫保管。明清寶卷約 120 種、200 餘部，對研究明清歷史、民間宗教及俗文學等有特殊的價值。

2. 南開大學圖書館：

館藏古籍 16,000 種，善本 1,900 餘種、3 萬冊。

館藏特色：

（1）清人詩文集中，頗多罕見本。

（2）明清學者稿本 40 餘種，明清抄本 300 餘種。還有不少名人批校題識本。

3. 天津師範大學圖書館：

館藏古籍 1 萬餘種，善本 600 餘種。

館藏特色：

（1）清人別集約 1,200 種。

（2）明清小說近 200 種。

（3）天津鄉人著作近 100 種，還有天津的出版物及天津地方史料。

（四）內蒙古

1. 內蒙古自治區圖書館：

館藏古籍 16,000 種、10 萬冊。

館藏特色：

（1）醫書類約 1,000 餘種。

（2）佛學著作有 1,000 多種。

（3）清人文集近 2,000 種。

（4）館藏學術價值最高的地方文獻，有關內蒙古地方的古籍文獻有 600 餘種、5,000 餘冊。

2. 內蒙古大學圖書館：

館藏古籍 1,200 餘種、11 萬冊。

館藏特色：

（1）蒙古學古籍文獻。

（2）地方志的收藏達 1,000 餘種。

3. 內蒙古師範大學圖書館：

館藏古籍 6,000 餘種、8 萬冊。

館藏特色：

（1）俗文學作品，如寶卷 23 種、潮州歌冊 26 種及湖牽歌書戲文（湖南俗曲歌本）80 餘種。

（五）遼寧、吉林（東北）

1. 遼寧省圖書館：

館藏古籍 20 萬冊。

館藏特色：

（1）清殿本，與北京博物院圖書館是中國大陸收藏殿本最多的兩家圖書館。

（2）該館由於歷史及地理因素，收藏日本、朝鮮出版的漢文古籍較多。

（3）內容方面，收藏東北地方文獻最爲突出，質量較高，有許多珍貴版本，甚至是海內孤本。

2. 大連圖書館：

館藏古籍 15,000 餘種、20 餘萬冊。

館藏特色：

（1）地方志，共 2,000 餘種。

（2）明清小說，收藏在善本中就有 150 多種，已於 1986 年 5 月成立「明清小說研究中心」。

（3）以專題性、地區性的文獻資料體系而著稱於世，如「滿蒙文庫」、「猶太文庫」、「東洋文庫」等。

3. 遼寧大學圖書館：

館藏古籍 7,479 種、163,464 冊。

館藏特色：

（1）清代史料 300 餘種。

（2）滿洲八旗文獻。

（3）遼、瀋地方文獻，遼寧地方人物資料（族譜及詩文集）。

4. 吉林省圖書館：

館藏古籍 36 餘萬冊，善本 1,520 種、19,134 冊。

館藏特色：

（1）中醫古籍線裝書 1,498 種。

（2）寶卷 789 種，數量僅次於上海圖書館。

（3）唐人寫經本《佛說無量壽觀經》及《大乘無量壽經》兩種。

5. 吉林大學圖書館：

館藏古籍 35,000 種、40 餘萬冊，善本 3,500 種、33,000 餘冊。

館藏特色：

（1）地方志及鄉土資料計 4,060 種、28,374 冊。

（2）宗譜藏量大，計 1,038 種、8,913 冊。

（3）金石及考古方面古籍 1,046 種。

（4）佛藏古籍 250 餘種，道藏古籍 30 餘種。

（5）明清別集計 5,000 餘種。

（6）通俗小說 1,500 餘種。

（7）叢書近 2,000 種。

（8）清代禁燬書 36 種。

（六）陝西、甘肅（西北）

1. 陝西省圖書館：

館藏古籍 40 萬冊，善本 2,800 餘種、53,000 餘冊。

館藏特色：

（1）《磧砂藏經》（南宋紹定本）共 5,594 卷、46,761 冊，在全國各圖書館中收藏最富。

（2）地方志，特別是陝西地方志是館藏的另一特色，線裝地方志 1,530 餘部、12,400 餘冊，其中陝西地方志 270 餘種、710 餘部、約 1,500 冊。

2. 甘肅省圖書館：

館藏古籍 10,778 種、385,215 冊，善本 1,259 種、24,142 冊。

館藏特色：

（1）藏有相當數量的抄本、稿本及校本文獻。

（2）最有館藏特色者是陝西、甘肅、青海、寧夏、新疆五省的西北地方文獻，計 12,487 種、近 4 萬冊，成爲研究西北學的文獻基地。

（3）敦煌遺書及中外有名的敦煌學文獻，使該館成爲海內外研究敦煌學的資料中心之一。

（4）1966 年文溯閣《四庫全書》由瀋陽移至蘭州，現藏於該館。

（七）山東

1. 山東省圖書館：

館藏古籍 4 萬種、60 萬冊，善本 5,300 種、12 萬冊。

館藏特色：

（1）「海源閣書庫」2,540 部、33,600 餘冊，占海源閣總藏量的百分之七十。詳見《山東省圖書館藏海源閣書目》。

（2）「易盧《易》學圖書專藏」，盧松安的《易》學圖書，計 1,064 種、3,734 冊，詳見《易盧易學書目》。

（3）齊魯地方文獻，蒲松齡等人著作。

2. 山東大學圖書館：

館藏古籍 21,777 種、30 萬冊，善本 1,923 種、19,471 冊。

館藏特色：

（1）地方志 2,340 種。

（2）金石學古籍 857 種。

（3）清代文集 2,054 種。

（4）收購張鏡夫「千目廬」收藏的書目 1,040 種，其中以百餘種傳抄本最為珍貴，已建立專藏。

3. 山東省博物館：

館藏古籍 10 萬餘冊，善本 1,700 餘種。

館藏特色：

（1）山東地方文獻多，精品亦多，許多齊魯名賢遺著。

（2）海源閣精華遺珍。

（3）出土文獻：臨沂銀雀山漢代竹簡。

（4）宋代抄刻本佛經，乃海內罕見者。

（八）江蘇、浙江

1. 南京圖書館：

館藏古籍 150 萬餘冊，善本 1 萬種。

館藏特色：

（1）宋元刻本近 200 種，其中以集部為多。

（2）明刻本近 5,000 種。

（3）大量的明清稿本，名人批校題跋本。

2. 蘇州市古籍館：

館藏古籍 27 萬冊，善本 1,851 種、3 萬餘冊。

館藏特色：

（1）地方志中江蘇省的方志有百種以上。

（2）具有史料價值的抄稿本。

（3）家譜 138 種，已形成規模，編有家譜目錄。

（4）清人文集有 2,091 部、8,038 冊，近百部爲稿本。

（5）戲曲小說已成專藏。

3. 南京大學圖書館：

館藏古籍 3 萬部、30 萬冊，善本 1,671 種、18,921 冊。

館藏特色：

（1）地方志 4,437 種、計 40,828 冊，孤本有 40 種。

（2）抄本近 400 種。

4. 浙江圖書館：

館藏古籍 834,700 餘冊，善本 149,480 冊。

館藏特色：

（1）地方文獻：《明文案》黃宗羲編，列入《全燬書目》。

（2）浙江地方志 713 種。

（3）四庫存目、禁燬書目的史籍及明人詩文集。

（九）安徽、江西、福建

1. 安徽大學圖書館：

館藏古籍 1 萬種、12 萬餘冊，善本 500 餘種、7,000 餘冊。

館藏特色：

（1）稿本如（清）章夢卿輯《池上詩存》，池郡明清詩集傳世甚稀，賴此稿略存大概。

（2）善本中有少數孤本及稀見本。

2. 江西省圖書館：

館藏古籍 27,182 種、約 60 萬餘冊，善本 2,000 餘種、約 3 萬餘冊。

館藏特色：

（1）江西地方文獻：江西地方志 625 種、1,025 部，江西歷代人物著作及其研究著作共計 739 種、1,000 餘部，加上其他文獻，總計近 3,000 種，已構成特藏。

（2）家譜 400 餘種。

（3）清人文集 1,100 餘種、1,500 餘部。

3. 江西師範大學圖書館：

館藏古籍 5,000 餘種、1 萬餘冊，善本 369 種、9,046 冊。

館藏特色：

（1）地方文獻：地方文獻總集，如《江右古文選》、《皇明江西詩選》；地方文學別集：如《文山先生全集》、《臨川文集》。

（2）特種文獻：地方志、山水志、專志等。輿圖類圖書、族譜類圖書。

4. 廈門大學圖書館：

館藏古籍 15 萬冊，善本約 1,000 種、1 萬餘冊。

館藏特色：

（1）收藏不少有學術史料價值的稿本、抄本，特點是作者和作品內容多爲福建、臺灣兩省，頗具文獻價值。

（2）比較齊全的收藏了有關研究鄭成功和臺灣的線裝古籍。

（3）臺灣地區的方志有 85 種之多，且各種版本俱全。

（4）臺灣的清代刻本。

（十）湖北、湖南

1. 湖北省圖書館：

館藏古籍 46,000 種、45 萬冊，善本 2,800 餘種、約 3 萬冊。

館藏特色：

（1）地方志 5,300 餘種，有不少孤本、稿本或稀見本。

（2）清人文集近 4,000 種。

（3）文字、聲韻、訓詁古籍近 1,400 種，有不少稿本、抄本和批校本。

（4）中醫、中藥文獻多達 5,296 種。

2. 武漢大學圖書館：

館藏古籍 20 萬餘冊，善本 811 種、13,185 冊。

館藏特色：

（1）鎮館之寶：《文山先生文集》，爲《四庫全書》底本；《讀史方輿紀要》，國內孤本；《援韓野紀》爲手稿本，研究中日甲午戰爭之重要文獻。

3. 湖南省圖書館：

館藏古籍 62 萬餘冊，善本 5,000 餘種、5 萬餘冊。

館藏特色：

（1）湖南經學家著作，數百種之多。

（2）湖南史地著作約有千餘種。

（3）廣收湖南地方儒家著作 400 餘種。

（4）中醫藥著作 1,000 多餘種及湘籍名醫的抄稿本數十種。

（5）湖南各寺院僧人著作近百種。

（6）湘人詩文著作約有 2,000 種。

（7）清末民初湘人書札。

（8）湖南家族譜 1,128 種、1,269 部、4,000 餘冊。

（9）地方志 2,100 餘種、2,490 部、23,614 冊，湖南方志 410 種、1,090 餘部、14,800 餘冊。

（10）清人文集 4,550 餘部，21,635 冊、其中湘人詩文集約 1,500 種、1,600 部。

（十一）廣東、廣西

1. 中山圖書館：

館藏古籍約 52,000 餘種、386,000 餘冊，善本 2,314 種、22,660 冊。

館藏特色：

（1）廣東文獻專藏古籍線裝 7,811 種、37,868 冊，廣東地方志 454 種，族譜 470 種。

（2）清史專藏，有 550 種、11 萬餘冊。

（3）孫中山文獻專藏。

2. 中山大學圖書館：

館藏古籍 2 萬種、30 萬冊，善本 2,270 種、2 萬餘冊。

館藏特色：

（1）抄本《車王府曲本》。

（2）名家批校本，如康有爲批校《二程全書》。

（3）廣東地方文獻，經部 78 種、史部 463 種、子部 136 種、集部 1,200 多種。

3. 廣西師範大學圖書館：

館藏古籍 1 萬餘種、120 萬冊，善本 660 種、8,452 冊。

館藏特色：

（1）地方文獻，涉及 21 個省，共 510 種、7,108 冊。

（2）康有爲藏書，古籍 1,911 種、2 萬餘冊，善本有 204 種。

（十二）四川

1. 四川圖書館：

館藏古籍 50 萬餘冊，善本 2,300 餘種、5 萬餘冊。

館藏特色：

（1）四川地方文獻：歷代蜀人著述數千種、10 萬多冊；四川各種方志 600 餘種、3 萬多冊；四川地方戲曲唱本 500 餘種、近千冊。

（2）家譜、族譜共 460 多種、5000 餘冊，川譜占百分之九十。

（3）清人詞集共 2,000 多種、3,000 餘冊。

（4）中醫古籍約 1,500 多種、2 萬餘冊。

2. 重慶圖書館：

館藏古籍約 3 萬餘種、50 萬餘冊，善本 2,500 餘種、5 萬餘冊。

館藏特色：

（1）明代刊本相當可觀，爲四川省之冠，共 1,540 餘種、32,000 多冊。

（2）清初抄本、清代稿本，數量大、書品佳，頗有特色。

（3）清代著名學者批校、批點、題跋的本子。

（4）地方志共有 1000 多種、2 萬餘冊，其中四川方志有 400 餘種。

3. 四川大學圖書館：

館藏古籍 1 萬餘冊、30 萬餘冊，善本約 1,000 種、3 萬餘冊。

館藏特色：

（1）地方志 1,000 多種、3 萬餘冊，僅四川省的各種方志就有 500 多種、約 2 萬冊，其中清末抄、稿本鄉土志有 20 多種。

4. 四川師範大學圖書館：

館藏古籍 1 萬餘種、15 萬冊，善本 300 餘種、5,000 餘冊。

館藏特色：

（1）清抄本較有特色，約 40 種、100 多冊。

（2）清順治二年（1645）抄本《清初皇父攝政王起居注》，爲海內孤本。

（3）名人稿本及批校本。

5. 西南師範大學圖書館：

館藏古籍 1 萬餘種、約 13 萬冊，善本 200 餘種、4,000 餘冊。

館藏特色：

（1）明刻本較多，近 200 種、4000 冊。

（2）大部頭、多卷帙的古籍較多，如《藝文類聚》、《白孔六帖》等類書。

6. 成都杜甫草堂博物館：

館藏古籍 1,000 餘種、約 10 萬冊，善本約 180 種、約 2,000 餘冊。

館藏特色：

（1）收藏以唐代杜甫的詩文以及後人整理研究有關的古籍爲主，其中明刻杜詩之書名有 20 種，版本則超過 30 種。

7. 眉山三蘇祠文物管理所：

館藏古籍約 200 種、3 萬冊，善本 50 餘種、1,000 餘冊。

館藏特色：

（1）館藏大多是蘇氏父子的詩文集，僅蘇軾的詩文集便多達 30 餘種版本。

（2）三蘇合刻本。

（十三）貴州、雲南

1. 貴州省圖書館：

館藏古籍 15,228 種、20 萬餘冊。

館藏特色：

（1）貴州地方文獻 1,100 餘種，其中方志 200 種。

（2）最具特色的古兵書 29 種。

2. 雲南圖書館：

館藏古籍 19,267 種、50 萬冊，善本 1,626 種、38,426 冊。

館藏特色：

（1）南詔大理寫本佛經。

（2）雲南地區刻本。

（3）佛教典籍，歷代編印的《大藏經》及雲南單刻的佛經。

（4）地方志共 1,239 種，雲南方志 318 種。

3. 雲南大學圖書館：

館藏古籍 7,200 餘種、16 萬餘冊，善本 900 餘種。

館藏特色：

（1）外國刻本，除高麗本、和刻本外，還有兩種安南刻本《大越史約》（1906）及《越史要》（1914），二書版刻、行款、裝幀與中國刻書無異，仍保持了中國刻書風格。

（2）雲南地方文獻，有不少方樹海的著作，以稿、抄本傳世，其中有些是雲南地方名人的年譜。

三、中國大陸漢籍的整理與利用

（一）藏書目錄的編纂

1. 館藏目錄：

分善本目錄、普通線裝書目、地方志目錄、叢書目錄等。

（1）善本目錄：

《北京圖書館古籍善本書目》，1987 年書目文獻出版社鉛印本。

《首都圖書館館藏善本書目》，1983 年出版。

《北京大學圖書館館藏古籍善本書目》，1999 年北京大學出版社出版。

《清華大學圖書館善本書目》，2003 年清華大學出版社出版。

《中國人民大學圖書館古籍善本書目》，1991 年中國人民大學出版社出版。

《中國科學院圖書館藏中文古籍善本書目》，1994 年科學出版社出版。

《南開大學圖書館館藏古籍善本書目》，1986 年出版。

《天津師範大學圖書館館藏善本書目》，1979 年出版。

《大連圖書館古籍善本書目》，1986 年排印本。

《吉林省古籍善本書目》，1989 年學苑出版社出版。

《甘肅省圖書館善本書目》，1989 年出版。

《南京大學圖書館館藏古籍善本圖書目錄》，1980 年出版。

《浙江圖書館古籍善本書目》，2002 年浙江教育出版社。

《中山大學圖書館古籍善本書目》，1982 年出版。

《四川大學圖書館古籍善本書目錄》，1992 年出版。

《四川省古籍善本聯合目錄》，1990 年四川辭書出版社出版。

（2）普通線裝書目：

《北京圖書館北京古籍總目》，現已出版目錄類、古器物學門、文字學門、自然科學門。

《中國人民大學圖書館線裝書目錄》，1960 年鉛印本。

《南開大學圖書館藏線裝目錄》集部：別集分冊，1989 年出版。集部：中國古典分冊，1991 年出版。子部，1992 年出版。

《南京大學圖書館中文舊籍目錄續編》，1989 年出版。

（3）地方志目錄：

《中國人民大學圖書館地方志目錄》，1987 年鉛印本。

《上海圖書館地方志目錄》，1979 年印行。

《天津圖書館館藏地方志目錄》，1983 年印行。

《山東省地方志聯合目錄》，1981 年鉛印本。

《南京大學圖書館館藏地方志目錄》，1980 年左右出版。

《四川省地方志聯合目錄》，1982 年印本。

《四川省圖書館館藏地方志目錄》，1960 年鉛印本。

《四川省圖書館地方志目錄》，1994 年印本。

《四川大學圖書館地方志目錄》，1994 年四川大學出版社出版。

（4）叢書目錄：

《四川大學圖書館叢書目錄》，1994 年四川大學出版社出版。

（5）其他：

《中國人民大學圖書館家譜目錄》，1985 年鉛印本。

《清代內府刻書目錄解題》，1995 年紫禁城出版社出版。

《吉林大學圖書館館藏·東北地方文獻書目》，未詳。

《山東省圖書館藏海源閣書目》，1999 年齊魯書社出版。

《廣東文獻（古籍）聯合書目》，未詳。

2. 聯合目錄：

分省聯合目錄及全國性的古籍目錄。

（1）省聯合目錄：

《四川省高校圖書館古籍善本聯合目錄》，1994 年出版。

《四川省古籍善本聯合目錄》，1990 年四川辭書出版社出版。

（2）全國性聯合目錄：

《中國古籍善本書目》。

《中國地方志聯合書目》。

《中國叢書綜錄》。

《中國叢書廣錄》（湖北）。

《全國中醫圖書聯合目錄》。

《中國所藏和刻本漢籍書目》。

《中國所藏高麗古籍綜錄》。

《漢蒙文圖書聯合目錄》。

（二）從事匯編工作

1. 資料匯編：

《唐人軼事匯編》。

《石刻中的唐人資料研究》。

《全唐詩文作者匯考》。

《清代碑傳文綜錄》。

《東北宗譜選編》。

《中華野史叢編》。

《甘肅河西地區物產資源資料匯編》。

《甘肅隴南地區物產資源資料匯編》。

《甘肅中部乾旱地區物產資源資料匯編》。

《太平天國資料匯編》。

《寒山寺志彙編》。

《范仲淹資料新編》。

《江西近現代地方文獻資料匯編》。

《中國歷代書院志》。

2. 小說叢編：

《古本小說集成》。

《古本小說大系》。

《明末清初小說選刊》。

《近代小說大系》。

《紅樓夢續書選》。

3. 斷代詩文總匯：

《全唐五代詩》。

《全宋詩》。

《全宋文》。

《全元戲曲》。

《全元文》。

《全明詩》。

《全明文》。

《全清詞》。

4. 編纂叢書：

分綜合性叢書及專門性叢書。

（1）綜合性叢書

《續修四庫全書》。

《四庫全書存目叢書》。

《古逸叢書三編》。

《中國公共圖書館古籍文獻珍本彙刊》。

《中國文獻珍本叢書》。

《叢書集成續編》。

（2）專門性叢書

《中國兵書集成》。

《官箴叢書》。

《中華蒙學集成》。

《四庫禁燬書叢刊》。

《鄉土志叢編》。

《吳中文獻小叢書》。

《中國科學技術點即通彙》。

《中國地方志集成》。

《宋元方志叢刊》。

《天一閣明代方志選刊》。

《中國西北稀見方志》。

（三）古籍的標點、校注、整理與出版

1. 北京市民族古籍出版規畫小組以首都圖書館收藏的《清蒙古車王府藏曲本》中的抄本《子弟書》爲底本，加以標點和校勘，於 1994 年輯成《清蒙古車王府藏子弟書》，收錄

《子弟書》297 種，由國際文化出版公司出版。首都圖書館館藏《清蒙古車王府藏子弟書》重新歸類整理，共收曲本 1,600 餘種，與北京古籍出版社聯合出版。

2. 中國人民大學圖書館曾於 1993 年點校館藏《夢中緣》，由中華書局出版；又於 1994 年由該校出版社出版《奩史選注》。

3. 北京故宮博物院圖書館利用館藏舊籍、書稿，整理標注出版了《清宮述聞及續編》、《酌中志》等。

4. 天津圖書館曾點校出版了部分館藏明清小說，如《明月臺》、《風流悟》、《北魏奇史闕孝列傳》、《精訂綱鑑二十一史通俗衍義》及《武則天外史》等。

5. 遼寧省春風文藝出版社，於八十年代將大連圖書館館藏明清小說，加以標點校注，先後出版了點校本《後水滸傳》、《後西遊記》、《平山冷燕》、《警世陰陽夢》、《歸蓮夢》、《春柳鶯》、《醒風流》等 40 餘種。

6. 吉林圖書館曾利用館藏進行標點、校釋，整理出版了《黑龍江先民傳》、《雪亹居醫約》、《野叟曝言》等專書。

7. 吉林大學圖書館曾點校出版館藏《菜根譚》、《金瓶梅》、《柳崖外編》等。

8. 西北大學圖書館曾標點、校勘、整理出版館藏《十四經絡歌訣圖》、《孫思邈保健著作五種》、《宋明兩代十九名人年譜》等。

9. 蘇州市古籍館曾點校整理館藏《康熙崑山縣志稿》，1994年由江蘇科學技術出版社出版。

10. 南昌大學圖書館曾標點、注釋館藏海內孤本《學庸管窺》、《大學管窺》、《中庸管窺》等。

11. 湖北省圖書館曾標點校注楊守敬的《歷代經籍存佚考》、《漢書二十一家注》。

12. 武漢大學圖書館曾點校出版館藏稿本《援韓野紀》。

13. 湖南岳麓書社曾點校整理出版湖南圖書館藏《船山遺書》、《曾國藩全集》、《左宗棠全集》、《魏源全集》、《曾紀澤遺集》等 100 餘種。該館又有明、清、民國間小說數百部，部分已由出版社點校出版。

14. 廣東省中山圖書館曾校點出版館藏《乾隆嘉應州志》和《程鄉縣志》，又與古文獻研究所合作點校館藏海內孤本《奧大記》。

15. 廣西師範大學圖書館曾整理出版館藏《粵西詩載》、《廣西通志》等。

16. 四川省圖書館曾標點出版館藏《遵生八箋》、《四川郡縣志》、《蜀水經》、《錦里新編》等。

17. 雲南大學圖書館曾整理編撰館藏《中國西南少數民族圖譜》。

此外，尚有歷代詩文集的校注：如《陶淵明集編年箋注》、

《李太白全集編年校釋》、《杜甫全集校釋》、《韓愈集校注》、《柳宗元集校注》、《蘇軾全集校注》、《康有爲集》、《王國維全集》等。

（四）影印善本古籍

中國大陸有些圖書館選擇館藏善本古籍，影印出版，以廣流傳。

1. 北京圖書館在三十年代，曾編輯出版了一部《國立北平圖書館善本叢書》第一集。1987 年以後，又陸續出版了《北京圖書館古籍珍本叢刊》、《北京圖書館珍本小說叢刊》、《北京圖書館稿本叢刊》等。
2. 首都圖書館影印的善本古籍有：《清車王府藏曲本粹編》、《明清抄本、孤本戲曲叢刊》、《古本小說版畫圖錄》、《唐詩選畫本》等。
3. 北京大學圖書館與出版單位合作，先後影印了《館藏稿本叢刊》、《館藏善本醫書》、《館藏善本叢書》。
4. 清華大學圖書館館藏古籍已被影印出版的有 1985 年水利電力出版社出版的《治水筌蹄》，1900 年上海古籍出版社出版的《尊古齋古玉圖譜》、《尊古齋金石文字》、《尊古齋陶佛留真》等。
5. 北京故宮博物院圖書館曾利用館藏影印了《善本書影初、續編》、《天祿琳瑯叢書》15 種，及其他善本書多種。該館又與中華書局等單位合作，利用館藏部分《實錄》，影印出版《清歷朝實錄》，與海南出版社合作影印出版《故宮珍本叢書》。

6. 上海圖書館早在四十年代就影印出版《合眾圖書館叢書》第一、二集，多爲清代先哲未刻稿本與抄本。該館從五十年代末至六十年代初，先後影印出版 30 餘種館藏善本，如宋刻本《孫子》、《唐鑑》、《孔叢子》，明刻本《松江府志》，清刻本《(康熙）臺灣府志》，稿本《古刻叢鈔》等。1978 年至今，上海圖書館曾影印館藏元刻本《農桑輯要》、明寫本《永樂大典》（郎字韻一冊）。該館又先後與中華書局、上海古籍出版社、上海書店等出版社合作影印館藏孤本祕籍，如宋刻本《東觀餘論》、《杜荀鶴集》、《嘉祐集》、《王荆公唐百家詩選》，元刻本《顏氏家訓》、《文心雕龍》，稿本《玉函山房輯佚書續編》、《讀史方輿紀要》等。

7. 華東師範大學圖書館曾先後影印出版館藏《絕妙好詞》、《唐詩畫譜》、《淳熙三山志》、《機緣集》、《皇明詩選》、《歷代名臣奏議選》等 20 餘種。1995 年上海古籍出版社曾用該館收藏的清道光七年（1827）殿本《康熙字典》影印出版，此本乃王引之等學者校訂改正之本，提供讀者最佳版本。

8. 上海辭書出版社圖書館曾影印館藏明萬曆卓氏刻本《海錄碎事》、明嘉靖十五年（1536）錫山秦汴刻本《錦鏽萬花谷》、明萬曆六年（1578）初印本《類雋》、明萬曆四十三年（1651）徐氏自刻本《喻林》，清康熙五年（1666）及康熙二十七年（1688）刻本《字彙、字彙補》等書。

9. 天津圖書館與天津古籍出版社合作，影印出版明朱絲欄抄本《百家詞》及《天津稀見方志叢刊》。又該館館藏康有爲手書原稿《大同書》半部與上海博物館藏半部合爲完璧，由江蘇古籍出版社影印出版。此外，還影印出版了明刻本《密勿稿》、清稿本《火戲略》等。

10. 遼寧圖書館收藏清康熙蒲氏手稿本《聊齋誌異》，曾於 1952 年由北京文學古籍刊行社影印出版.

11. 吉林大學圖書館曾影印出版館藏《史書纂略》、《周中丞疏稿》、《莆陽文獻》、《揚州府志》等。

12. 1934 年佛教書局曾影印出版陝西省圖書館藏《磧砂藏經》，1962 年陝西圖書館與西安古舊書店合作，將北京圖書館藏孤本明弘治十七年（1504）刻《延安縣志》影印出版，1964 年上海古籍書店將陝西省圖書館藏孤本方志明天順三年（1459）刻本《襄陽郡志》影印出版。

13. 1986 年山東齊魯書社影印出版山東圖書館藏海內孤本明萬曆刻本《袞州府志》。

14. 揚州廣陵古籍刻印社於八十年代至九十年代初，先後影印蘇州市古籍館館藏善本，如明萬曆二十九年（1601）萃慶堂刻本《昭代典則》，明末刻本《皇明從信錄》、《皇明世法錄》，明萬曆三十三年（1605）刻本《皇明留臺奏議》，清康熙二十一年（1682）楊霖汀青閣刻本《古今釋疑》，稿本《緣督廬日記》。

15. 1989年中國兵書出版社曾影印出版浙江圖書館館藏明天啓刻本《武備志》等。
16. 湖北人民出版社曾影印出版湖北省圖書館藏明刻孤本《黃鶴樓集》。
17. 武漢圖書館與武漢古籍書店合作影印出版《古籀匯編》。
18. 揚州廣陵古籍刻印社曾影印湖南圖書館館藏明刻本《三才圖繪》，清刻本《六典通考》、《俚語徵實》、《長沙鄉土志》等十數種。又該館館藏曾國藩、左宗棠等信札，早在清末民國間就已影印行世。
19. 廣東省中山圖書館曾影印出版該館館藏《道光間廣東防務未刊文牘》。
20. 八十年代至九十年代初巴蜀書社曾影印出版四川省圖書館藏《古今圖書集成》、《(嘉慶)四川通志》、《蜀鑑》、《讀紅樓夢隨筆》等。
21. 四川大學圖書館曾影印館藏《野史集成》一書，由四川大學出版社出版。

（五）利用專藏從事古籍的整理與研究

1. 清華大學圖書館利用館藏，從五十年代起進行的科技史研究已獲得了一些成果，曾編輯出版了《中國科技史資料選編》，目前正在編輯《中國機械工程發明史》(第二編)及《中國古代農業機械發明史》。

2. 中國人民大學圖書館於 1986 年成立了古籍整理研究所，從事古籍的整理與研究工作，曾將館藏清人筆記稿本整理而成《柳弧》一書，由北京中華書局出版。

3. 華東師範大學利用館藏古籍的特點，編製專題性的書目索引，如《天一閣明代地方志選刊人物傳記資料索引》。

4. 天津圖書館有明清小說專庫。

5. 內蒙古大學利用圖書館收藏的蒙古學古籍文獻從事蒙古學的研究，且編著以該館館藏爲主的《蒙古學漢文古籍書目提要》，此書收錄漢文古籍中有關蒙古學的書目 3,000 餘種。該館又編有《蒙元版刻綜錄》一書。

6. 內蒙古師範大學亦設有蒙古學研究室，從事蒙古學研究。

7. 大連圖書館館藏明清小說，頗多善本，於 1986 年 5 月成立了明清小說研究中心。

8. 吉林圖書館亦有學者利用館藏寶卷，從事研究工作。

9. 甘肅省圖書館利用館藏編輯出版了《西北地方文獻索引》、《絲綢之路文獻敘錄》、《西北民族宗教史料文摘》。目前正在籌畫成立「西北文獻研究中心」，以甘肅省圖書館爲基地，邀請西北五區文獻專家參加，發展有關西北古籍之整理出版與研究、西北文獻學研究，並編輯《西北文獻總目提要》之大型書目，建立「西北文獻數據庫」。

10. 山東大學圖書館從 1983 年開始，利用該圖書館的專藏，從事書目的編製工作，已經出版或即將出版，或刊載於其他書刊者有《清史稿藝文志拾遺》、《近代出版家張元濟》、《山東藏書家史略》、《山東文獻書目》、《海源閣書目五種》、《古籍版本書影知見錄》、《元代書目所知錄》等；油印本有《古籍目錄版本校勘文選》、《影印善本古籍及古籍善本書影書名索引》等；已有書稿，尚未出版者有《古籍版本手冊》、《玉函山房藏書簿錄》、《歸樸堂藏書考》、《文登于氏藏書考》、《劉燕庭藏書目》、《山東文獻書目補編》、《版本目錄百種提要》、《四庫存目標注》、《兩漢文獻總目》、《文淵閣書目考》、《中國古代書目總錄》、《諸史藝文志匯目》、《千目廬書跋輯存》、《漢書藝文志研究資料匯編》、《版本目錄學參考資料選輯》、《歷史書籍目錄學參考資料選輯》、《中國古代文學書目總目》等。

11. 山東省博物館於 1980 年成立古籍研究小組，其任務是選擇學術價值高又罕見的古籍，進行輯錄、校點、注釋等研究工作，目前已整理出版了《雙行精舍書跋輯存》、《周易要義》、《說文解字義證》、《蔡中郎集校勘記》、《王荼友年譜》、《聽雨樓隨筆》、《秋橙叢話》、《許瀚日記校注》等書。

12. 南京大學圖書館對館藏古籍內容的學術研究正在積極開展，近年已以不同形式發表過一些論文，也參加過《河北地方志提要》等專著的撰寫工作，並進行《山堂肆考》版本探源及《圖繪寶鑑》的校勘與研究。

13. 蘇州大學圖書館利用館藏編輯專題資料與索引，如《清史稿人名索引》、《中國歷代人物圖像索引》、《中國歷代竹枝詞》、《歷代筆記書論彙編》等。

14. 安徽大學圖書館利用館藏古籍，參與《漢語大詞典》及《安徽古籍叢書》的編撰。
15. 廈門大學圖書館曾利用館藏整理編輯《鄭成功年譜長編》、《閩臺關係中的方志類編》、《臺灣方志學講稿》、《福建文獻書目》等。
16. 中山大學圖書館利用館藏，已經整理出版了《獨漉堂集》、《紅杏山房集》、《車王府曲本菁華》、《車王府曲本選》、《子弟書》、《廣州城坊志》、《六瑩堂集》、《南園前後五先生集》、《嶺南歷朝詩選》、《嶺南歷朝詞選》、《嶺南歷代文選》等。
17. 成都杜甫草堂博物館曾利用館藏編輯過《杜詩版本目錄》。
18. 雲南大學教授曾利用圖書館館藏編纂《雲南史料叢刊》、《雲南史料目錄概說》等。

韓國漢文著作總目之編纂與研究
——以集部典籍為範圍的探討

王國良[*]

一、前言

以漢字做爲書寫工具的地區，我們稱之曰漢文化區。漢文化區，基本上以中國漢文化爲主流，並包括韓國、日本、琉球、越南等地。近鄰中國的這些國家都曾長期以漢字爲重要表達工具，創作了大量的漢文作品。與中國相對而言，它們可稱爲域外漢文化區。

十九世紀末、二十世紀初，由於政治及其他種種原因，域外漢文化區能閱讀漢文文獻的人愈來愈少，對漢文文獻的整理研究，只成了少數專家的工作。同時，這些專家除了對本國漢文文獻有較深的瞭解之外，很少能同時對中國漢文化和其他漢文化支流有足夠的認識，這也使得他們對本國漢文文獻的整理和研究受到相當限制。

中國人本來是最有條件對漢文化板塊做整體研究的。但中國知識份子，向來對其他支流文化大都採取不聞不問的態度，對域外地區的漢文化固然瞭解甚少，公私藏書中，域外漢文獻

[*] 現任國立臺北大學古典文獻學研究所教授兼所長。

也是很罕見。近來，由於國際交往頻仍，中國人對域外漢文化已有所探索與討論，但還談不上大規模有計畫、有系統的研究；而由此向前推進一步的漢文化整體研究，更是一片亟待開發的園地。

漢文化整體研究，不僅有助於瞭解中國漢文化的特質及其在域外的傳播與發展，足以豐富中國文化的知識；而對韓國、日本、越南諸國之漢文化的認識，亦饒具意義。因為唯有通過整體的研究，才能將諸國在漢文化的位置，以及它們對中國漢文化的吸收和發展等真相全面顯示出來。同時，漢文化的整體研究，更可以開拓傳統漢學研究的領域。它將使素來被傳統漢學所棄置的域外漢文化資料，納入漢學研究的範疇，形成一個超越國界的「文化區」之綜合研究。採用新的資料，採取比較的研究方法，自然就能獲得新的研究成果。

域外漢文化涵蓋語言、文學、歷史、藝術……等多方面，需要種種專家「通力合作」，才能進行全面的研究。作為文獻學研究者，我們首先選擇韓國漢文文獻為研究對象。希望針對韓國歷代文人學者利用漢文撰寫的各種著作，做一通盤調查，記其卷本、存佚和收藏狀況，再按照經、史、子、集四部分類法，編纂成一份比較完整的著作總目，藉此考察韓國漢文文獻與學術文化發展之間的關係，以及中韓文化交流的具體情況。由於時間匆促，加上客觀條件的限制，本次研究報告僅能就已大致完成的集部之屬提出粗略的考察成果。

二、集部典籍分類評述

目前韓國圖書文獻學界對傳世的中、韓傳統典籍進行分類編目，習慣上仍然採用中國四部分類法，然後在細部上略作調整。以集部而言，通常包含：總集類、別集類、尺牘類、詞曲類、小說類、詩文評類。隨筆類、小說類，基本上是由子部的雜家類、小說家類移動調整而成。本單元的分類暨評述工作，大抵依循韓國學術界的成規來進行。不過由於隨筆類、小說類認定標準比較困難，因此暫予保留，未做評述。

（一）總集類

總集指的是眾人文學作品的合編，或以作者爲主，或以作品爲主，然後加以編排。以作者爲主之屬通常還會設立君王爲尊的「御製」一門，然後才是一般人的作品。例如：漢城大學奎章閣編《(修正版）奎章閣圖書韓國本綜合目錄》，[1]「集部・總集類・御製」著錄李氏朝鮮時代李昌壽等賡和《甲午賡韻帖》一冊、朝鮮正祖命編《賡詩》一冊、朝鮮仁祖年間李珖編《列聖御製》一冊（包含太祖、太宗、世宗、文宗、世祖、成宗、仁宗、宣祖八人詩文）……等五十餘部專屬於君王暨詞臣賡和的詩文集。同時也著錄了君王命編的詩文總集，如尊賢閣、奎章閣所編《文苑黼黻》、《文苑黼黻續編》，朝鮮正祖命編《詞垣英華》、《太學恩懷詩集》等。至於一般的詩文總集之外，屬於特殊人物的合集，如 1658 年朴崇古編《六先生遺稿》三卷、

[1] 漢城：漢城大學校奎章閣，1994 年。

1833年趙基永（1764～1841）編《生六臣先生集》九卷。至於以氏族爲主所編成的合集，大抵以「世稿」、「家稿」、「聯芳集」、「聯珠集」……等名稱出現，數量頗有可觀。屬於名家尺牘之類，如哲宗時代佚名輯《簡牘會粹》、高宗己巳（1869）武橋新刊佚名輯《簡牘精要》等。其中，比較特別的是明朝文臣出使朝鮮，先後二十四次，與朝鮮遠接使、從事官等唱酬詩文，韓方所結集編印的《皇華集》共二十三集。這是研究朝貢制度可貴的資料，也爲中韓文臣間的友誼留下歷史見證。今爲具體呈現各式各樣的內容，因而選錄一些比較重要又有代表性的典籍，略作解題如下：

1.《東文選》一百三十卷，《續東文選》二十一卷／（朝鮮）徐居正等；申用漑等奉敕編，刻本，朝鮮

《東文選》卷前有成化十四年（1478）徐居正序，成化十四年（1478）盧思慎（1427～1498）等所撰〈進東文選箋〉，《續東文選》前有正德戊寅（1518）年金詮（1458～1523）所撰序，卷末有正德十三年（1518）申用漑（1463～1519）等所撰〈進續東文選箋〉。

徐居正（世宗二年～成宗十九年〔1420～1488〕），朝鮮王朝初期文臣、學者，字剛中，初字子元，書齋號四佳亭，籍貫達成（今大邱市）。1444年文科及第。1456年拔英試狀元。歷任集賢殿博士、副修撰、左贊成，並於朝鮮首任兩館（弘文館、藝文館）大提學。後因功封佐理功臣三等、達成君。學問、道德均爲世推重。擅文學，著有《東人詩文》、《東人詩話》、《太

平閒話滑稽傳》、《筆苑雜記》等。並參與修撰《東國通鑑》、《東文選》、《經國大典》、《東國輿地勝覽》等。

此書爲朝鮮歷代優秀詩文選集。選錄上自新羅，下至李朝肅宗年間止，共一百五十一卷。分正、續編。正編一百三十卷，李朝成宗命徐居正、盧思慎、姜希孟（1424～1483）、梁誠之等編，成宗九年（1478）成書，收入新羅、高麗和李朝初期詩文；續編二十一卷，中宗時命申用漑、金詮、南袞（1471~1527）、崔淑生（1457～1520）等編。內容接正編，收錄其後四十餘年的作品。

2.《文苑黼黻》四十卷，《別編》四卷／（朝鮮）尊賢閣編輯；徐命膺考訂，活字本（韓構字），朝鮮漢城：摛文院印頒，正祖十一年（1787）

卷前有正祖十一年（1787）御製序（金鍾秀書）、纂校諸臣、凡例、目錄。

徐命膺（英祖十一年～正祖十一年〔1735～1787〕），朝鮮王朝正祖時期大提學。字君受，號休晚齋。籍大邱。英祖三十五年（1759）曾奉命編纂《大樂前譜》、《大樂後譜》。官至弘文館大提學。諡文靖。

本書纂輯自朝鮮初期至正祖初閣館（弘文館、藝文館）之各體文章。英祖乙未（1775）尊賢閣編輯，正祖丁未（1787）摛文院刊行。所錄含玉冊文、頒教文、慰諭、教文、教命文、竹冊文、祭文、哀冊文、上樑文、賜祭文、教書、國書、露布等。係館閣諸臣製進。國書中含「答日本書」、「回琉球書」，尙有「破平壤城假賊露布」等重要文書。從本書可見朝鮮時代以各王之名義寫成諸公文書書式及種類。本書亦爲朝鮮時代各朝外交研究之重要資料集。

3.《文苑黼黻續編》十卷／（朝鮮）奎章閣編輯、金興根等考訂，活字本（韓構字），朝鮮漢城，哲宗三年（1852）

金興根（正祖二十年～高宗七年〔1796～1870〕）朝鮮王朝哲宗時期文臣，字起卿，號游觀，籍安東，曾編纂《哲宗實錄》，官至領議政。諡忠文。

正祖十一年丁未（1787）徐命膺等選聚館閣諸臣之文編成《文苑黼黻》一書。哲宗三年壬子（1852）金興根等奉命揀摭館閣諸臣之作，續成《文苑黼黻續編》。所收含玉冊文、教命文、祭文、哀冊文、上樑文、樂章、教書、露布等。自本書可窺朝鮮王室公文書書式、種類之大略。奎章閣現存九種版本。

4.《海東詩選》二卷／編者不詳，抄本，紀年不詳

卷端書名題「海東詩選」卷一，無序號及目錄。

卷一爲五言古詩，選錄朝鮮四十八人作品。卷二爲七言古詩，選錄朝鮮三十八人作品。卷首爲新羅真德女王金勝曼（647～654在位）所撰〈大唐太平頌〉一首，係新羅破百濟入寇後，派使如唐告知，女王自製五言詩一首，織錦爲紋以獻。此詩爲當時兩國友好關係之明證。本集之詩，或歌頌死難之將士，如金宗直（1431～1492）〈陽山歌〉，或歌頌新羅將軍歆運之英雄

氣概。其他尚有山水詩、交友詩、索居放言詩、感興詩、治學詩、修德詩、懷古詩、花草詩、風景詩、旅遊詩等等，多爲朝鮮古詩佳作。

5.《皇華集》／（朝鮮）權擥等編輯，活字本（甲寅字），朝鮮

明景泰元年（1450）至明萬曆元年（1573）間，明廷屢屢遣使赴朝，宣布有關登極、復位、冊位等詔敕。明使與朝鮮遠接使及其他官員之間頗多酬唱。本集即爲明使臣與朝鮮官員間之唱和詩集。凡二十冊。

第一冊：卷首有天順元年（1457）丁丑夏六月吏曹判書權擥（1416～1465）之序。序之前頁有「金馬・玉堂・之章」朱陰篆印。

本書記天順元年「頒英宗復位」，明廷遣正使翰林修撰陳鑑（1415～？）、副使太常高閏赴朝鮮宣布詔敕時，朝鮮遠接使戶曹判書林原亨及鄭麟趾（1396～1478）、盧叔仝、洪允成（1425～1475）、金鉤（？～1462）、金木、曹錫文（或作「曹錫門」）等官員與明使之唱和詩。全書共六十五葉。

第二冊：記景泰元年（1450）「頒代宗登極」，遣正使翰林院侍講倪謙（1415～1479）、副使司馬恂赴朝鮮宣布詔敕時，朝鮮遠接使工曹判書鄭麟趾及申叔舟（1417～1475）、成三問（1418～1456）等官員與明使之唱和詩。共五十二葉。

第三冊：記天順八年（1464）「頒憲宗登極」，遣正使浙東金湜、副使張珹赴朝鮮宣布詔敕時，朝鮮遠接使禮曹判書林原

亨及李瓊仝、鄭永通、任元濬、洪應、金韶、李文炯、宋處寬、崔恒、李承召、成俔等官員與明使之唱和詩。共八十三葉。

第四、五冊：本書爲《皇華集》上、下卷本。卷首有成化十二年（1476）丙申春左參贊徐居正序，同年二月崇祿大夫李石亨（1415～1477）序。成化十二年「頒冊立皇太子」，遣正使戶部郎中祁順（1434～1497）、副使司左司副張瑾赴朝鮮宣布詔敕。本書載錄朝鮮遠接使左參贊徐居正及成任、許琮、李繼孫、任士洪、柳輊、李士亨、尹子雲、金守溫等官員與明使之唱和詩。上卷八十三葉，下卷七十一葉。

第六冊：卷首有嘉靖元年（1522）壬午仲春左議政南衮序。正德辛巳（1521）臘月「頒世宗登極」，遣正使翰林修撰唐皐、副使兵科給事中史道赴朝鮮宣布詔敕。本書載錄朝鮮遠接使議政府右參贊李荇（1478～1543）及鄭士龍（1491～1570）、蘇世讓、李希輔、李沆、南衮、尹希仁、徐厚、金詮等官員與明使之唱和詩。共五十五葉。

第七～十一冊：《皇華集一～五》。卷首有嘉靖十六年（1537）議政府左議政金安老（1481～1537）序。嘉靖十六年「頒皇太子誕生」，遣正使翰林院修撰龔用卿（1500～1563）、副使戶科給事中吳希孟赴朝鮮宣布詔敕。本書載錄朝鮮遠接使刑曹判書鄭士龍及金安老、蘇世讓（1486～1562）、尹仁鏡、沈彥光、許洽、吳潔、許沆、朴洪鱗、金麟孫等官員與明使之唱和詩。共五冊。

第十二～十四冊：《皇華集二～五》。嘉靖十八年（1539）

己亥春「頒冊立皇太子恭上皇天上帝恭號二」，遣正使翰林院侍讀華察（1497～1574）、副使工科左給事中薛廷寵赴朝鮮宣布詔敕。本書載錄朝鮮遠接使議政府左贊成蘇世讓及金安國、尹殷輔、洪彥弼、金克成、柳灌、尹仁鏡、成世昌、李龜齡、鄭士龍、尹世豪、申瑛、黃琦等官員與明使之唱和詩。共三冊。

第十五冊：嘉靖二十四年（1545）乙巳夏八月「賜諡使」，遣祭司禮監太監郭璈、行人司行人張承憲赴朝鮮宣布詔敕。本書收載錄朝鮮遠接使吏曹判書申光漢（1484～1555）及柳仁淑、權應挺、林亨秀、李洪男、沈連源等官員與明使之唱和詩。共五十五葉。

第十六冊：卷首有嘉靖二十五年（1546）左參贊申光漢序。嘉靖二十五年丙午「賜諡使」，遣行人司行人王鶴赴朝鮮宣布詔敕。本書載錄朝鮮遠接使吏曹判書鄭士龍及任權、尹仁鏡、林百齡、尹溉、崔演、愼居寬、申瑛、李潤慶等官員與明使頗有酬唱，本書即爲唱和詩集。卷末有嘉靖丙午關中薇田王鶴書〈湖陰草堂序〉。

第十七冊：卷首有隆慶元年（1567）八月議政府左贊成洪暹（1544～1616）序。隆慶元年「頒穆宗登極」，遣正使翰林院檢討許國（1527～1596）、副使兵科給事中魏時亮赴朝鮮宣布詔敕。朝鮮遠接使工曹判書朴忠元（1507～1581）與明使頗有唱和，本書即爲唱和詩集。共二十一葉。

第十八冊：卷首有隆慶二年（1568）承政院都承旨金貴榮（1520～1593）序。隆慶戊辰「賜諡使」，遣行人司行人歐希稷赴朝鮮宣布詔敕。本書載錄朝鮮遠接使吏曹判書朴淳（1523～1589）及洪暹、李山海、辛應時等官員與明使之唱和詩。共十七葉。

第十九～二十冊：《皇華集上、下》。卷首有萬曆元年（1573）吏曹判書盧守慎（1515～1590）序。萬曆元年「頒神宗登極」，遣正使翰林院編修韓世能（1528～1598）、副使吏科左給事中陳三謨赴朝鮮宣布詔敕。本書載錄朝鮮遠接使工曹判書鄭惟吉（1515～1588）及李拭、元混、朴永俊、朴忠元、姜暹、金貴榮、柳希春、洪天民、陸詹、權轍、洪暹、尹鉉、李陽元、李後白、鄭惟一、權擘等官員與明使之唱和詩。共二冊。

6.《太學恩懷詩集》五卷，卷首一卷／（朝鮮）李晚秀等奉敕編，活字本（整理字），朝鮮京城：鑄字所，正宗二十二年（1798）

李晚秀（英祖壬申～純祖庚辰〔1752～1820〕），字成仲，號屐翁，一稱屐園。延安人。己酉（1789）文科登第，典文衡。官至輔國判敦寧府事。長於文學，尤工館閣四六文，當時應制文字，多出其手。諡文獻。

正宗二十二年（1798）戊午冬，御題下於太學，試諸生於泮水之堂。選其優者咸造于庭，宣饌以勞之，賜以銀杯。命大司成李晚秀銘其背，藏之太學。時隨行諸臣及太學生皆有詩以紀之。正宗遂命內閣諸臣抄錄，付鑄字所印頒。大提學洪良浩（1724～1802）序之，大司成李晚秀跋之。諸生之作亦序齒編入，各以其御考入格年條等第錄於下以繫之，又特下御製恩懷詩並序解揭于卷首，爲歌詩者諸臣三十三人、諸生二百四十九人。既成，入選諸人各頒一帙。

7.《豐山世稿》六卷／（朝鮮）洪奭周編輯，活字本（全史字），朝鮮，純祖甲申年（1824），三冊一函

卷首有〈豐山世稿總目〉，卷末有純祖二十年（1820）庚辰後孫洪奭周〈豐山世稿跋〉、甲申季夏洪奭周重識。

編輯者洪奭周（英祖五十年～憲宗八年〔1774～1842〕），爲朝鮮王朝純祖時期文臣。字成伯，號淵泉。豐山人。官至左議政。通五經，尤擅性理之學。著有《淵泉集》、《學海》、《永嘉三怡集》等。

本書爲豐山洪氏家族自洪厓公洪侃（？～1304）至足睡公洪仁謨（1755～1812）等十四代人之詩文集。凡六卷，共收錄詩、文、疏、記等四百七十篇；卷末附錄爲洪奭周所作〈先孝右副承旨贈領議政君行狀〉一篇，跋一篇。

（二）別集類

韓國歷代文人學士（含君王）之個人詩文創作及書札、隨筆、雜著等，結集成一編而傳錄刊刻行世者，目前所知當以新羅末期學者兼文學家崔致遠（857～？）所撰《桂苑筆耕集》最早。之後，千年以來文士輩出，詩文集產生的數量實在難以估計。目前所知李顯鍊編《韓國本別集目錄》[2]著錄全國各地圖書館、文庫及私人收藏之別集總共有一萬一千一十九種，扣

2 漢城：法仁文化社，1996 年。

除掉部份同樣內容不同版本的條目，保守的推估也在七、八千種上下。在各大圖書館所編古目錄中，通常也分為「御製」、「一般」兩個單元。然後以書名為準，按韓國字母順序排列。比較別緻的是漢城《延世大學校中央圖書館古書目錄》，[3]將韓國文集・別集類，再細分：高麗、朝鮮前期、朝鮮後期、女流、其他五個單元，其困難度甚高，卻比較接近中國傳統上以作者時代先後為主的編排法。茲選擇十餘種具有代表性的集子，分別介紹如下：

1.《桂苑筆耕集》二十卷／（新羅）崔致遠撰，寫刻本，中國靈石：楊尚文，道光年間

崔致遠，字海夫，號孤雲。慶州人。年十二入唐學習，十八歲舉進士。曾任宣州溧水縣尉，後受唐僖宗禮遇，授都統巡官承務郎侍御使內供奉職，賜紫金魚袋。二十八歲以唐使身份歸國，被憲康王封為侍讀兼翰林學士、兵部侍郎等官。後失意，舉家隱居加耶山海印寺。擅書法文章。居唐時以〈檄黃巢書〉名動天下。東歸後倡導漢文學，始啓朝鮮文學聖賢道統之曙光。傳世有《桂苑筆耕集》。

本書為崔致遠漢詩文集。它是朝鮮現存最古之文集。所錄之表、狀、啓、檄、書等，均以四六駢儷行文，其中有名文〈檄黃巢書〉等。崔氏學識淵博，文辭卓絕。所撰之文多具史料價值，如《補安南錄異圖記》等。崔集實為研究唐代戰亂史、朝・

---

[3] 漢城：延世大學校，1977 年。

漢・南蠻交涉史、新羅與唐文化交流史之寶貴資料。

2.《東國李相國集》前集四十一卷、後集十二卷、年譜／（高麗）李奎報撰，李涵編

李奎報（毅宗二十一年～高宗二十八年〔1168～1241〕），高麗王朝中期文臣。字春卿，號白雲。明宗二十年（1565）科舉及第，個性雅直，才氣縱橫，遍覽經史，官至政堂文學、太尉參知政事。

本集中收錄的前集四十一卷是由著者之子李涵在高麗高宗二十四年（1237）編纂。本文之首附有李奎報的年譜和其子李涵的書序。卷一到卷十八收錄了一千一百一十五首古律，包括朝鮮現存篇幅最長的敘事詩〈東明王篇〉，以及爲農民喉舌向執政者表達憤怒的詩等，秀異之詩作頗多。十九卷以後收錄了語錄、說、序、記、書等作品，爲數甚夥。二十卷的〈白雲居士語錄〉與〈麴先生傳〉、〈白雲居士傳〉、〈盧克清傳〉等，雖皆係二、三百字的短文，卻可以窺知朝鮮小說的雛形。

後集以前集完稿後所得八百四十七首詩與五十篇雜文組成，由崔瑀於 1214 年刊行，李奎報嫡孫李益培校勘後，於高麗高宗三十八年（1251）交付大藏都監重刊。內容包括卷一到卷十的古律八百四十七首，卷十一、十二的贊、序、記、表、墓誌銘四十九篇。附錄有誄書（鄭芝作）與墓誌銘（李需作）。

3.《重編李益齋先生集》十卷／（高麗）李齊賢撰，活字本，中國南通：翰墨林書局，癸亥年（1923）

李齊賢（忠烈王十三年～恭愍王十六年〔1287～1367〕），高麗王朝末期文臣，字仲思，號益齋。十五歲，成均試合格，隨後兩科中第。忠宣王在元朝大都時，齊賢侍奉在側，與姚燧（1239～1314）、趙孟頫（1254～1322）、張養浩（1269～1329）等一流文士交遊，文學大進，深得他們賞識。著有《益齋亂藁》、《櫟翁稗說》。

卷端書名為「重編李益齋先生集」，有癸亥二月（1923）晉州河謙鎮（1870～1946）撰〈序〉、癸亥年昌山曹兢燮（1873～1933）撰〈刊益齋先生文集序〉；還有原序二首，其一為至正二十三年（1369）正月韓山李穡（1328～1396）撰〈益齋先生亂藁序〉，其二為癸酉正月（1693）西河任相元（1638～1697）撰〈益齋集重刊序〉，其後為〈益齋先生本傳〉（內有遺像）、年譜、目錄。

本書乃李齊賢先生詩文合集。卷一～三為詩詞，卷四為表、書、議，卷五為序、書後、記，卷六為世家，卷七為國史贊、策問、頌等，卷八為碑、誌，卷九～十為《櫟翁稗說前編、後編》。

4.《圭菴先生文集》四卷／（朝鮮）宋麟壽撰；宋秉璿編輯，石印本，朝鮮，甲戌年（1934）重刊

宋麟壽（成宗十八年～明宗二年〔1487～1547〕），朝鮮初期文臣、學者，字眉叟，自號圭菴。恩津人。

本書為宋麟壽之詩文集。其遺稿至其十三代孫台憲始為蒐

集，其傍孫秉璿（1836～1905）編輯，丁未年（1907）得以刊行。癸酉（1933）國史出，秉夔等將舊稿與國史傳互相參校，補漏正誤合而成編，次年甲戌（1934）十四代孫在容重刊。書分四卷，卷一錄各體詩百首；卷二錄疏劄、啓辭、書、墓碣銘、墓表、遺墨；卷三附錄傳旨、賜祭文、諸家記述、諸賢唱酬詩篇、跋、贊、碑銘等；卷四附錄年譜。

5.《纂注杜詩澤風堂批解》二十六卷，目錄二卷／（朝鮮）李植批解，李箕鎭編，英祖己未（1739）刻本，朝鮮，李箕鎭刊印

李植（宣祖十七年～仁祖二十五年〔1584～1647〕），朝鮮王朝中期文臣。字汝固，號澤堂，別號澤癯居士。德水人。文章卓異，爲當時「漢文四大家」之一。有文集。又有《初學字訓增輯》一卷，《德水世系列傳》一卷及本書。

卷首錄《新唐書・甫傳》，次爲「杜詩總評」，依次錄王琪、王安石（1021～1086）、黃庭堅（1045～1105）、蔡夢弼、嚴羽、劉辰翁（1231～1297）、虞集（1272～1348）七家評語。總評後有庚辰（1640）年李植之〈杜詩批解跋〉、己未（1739）李箕鎭（1687～1755）爲刻印此書所作記，其後爲目錄二卷，卷末有李植所錄朱熹（1130～1200）〈章國華杜詩集注跋〉并李植錄此跋所加之按語，戊午年（1678）宋時烈之〈杜詩點注跋〉。

此書爲朝鮮唯一之注杜專書。李植於杜詩著力最深，號稱東國之杜少陵（申紫霞言）。此書以《纂注分類杜詩》爲底本，遍會蔡注、黃注、須溪諸家注解，重加纂注。其自注則附其末，

略表面目而已。然載本傳、短評，又附口訣於原詩，而使讀者便於學杜，則爲本書所長。其稿共收詩一千四百一十九首，不分類，亦不分體，約略編年。其書初成於仁祖十八年（1640）。然藏之巾衍，未曾公諸於世。迨英祖十五年（1739），其曾孫李箕鎭按慶尙監司時，方得付梓。

6.《燕巖集》六卷／（朝鮮）朴趾源著；金澤榮編，活字本（全史字），朝鮮，光武四年（1900）

朴趾源（英祖十三年～純祖五年〔1737～1805〕），朝鮮後期之文人、學者。字仲美，號燕巖。潘南人。知敦寧府事弼均之孫，師愈之子。幼年喪父，十六歲始習文。不欲舉業，以筆墨自適。冠歲文才發露，而立之後名揚于世。正祖四年（1780）六月二十五日至十月二十七日隨使節團赴中國北京、熱河等地。歸國後撰成《熱河日記》。正祖十年（1786）起任繕工監監役、漢城府判官等職。編著有《課農小抄》、《限民名田議》、《燕巖集》等。

本書爲朴趾源詩文集，於光武四年（1900）由金澤榮刊行。內容包括：卷一爲詩部，錄古今詩體三十三首；卷二～五爲文部，錄表、議、書、序、題辭、記、農說、祭文、神道碑、墓碣銘、墓誌銘、塔銘、尺牘等；卷六爲別集，錄序、記、雜著、書、跋等。

7.《二十一都懷古詩》／（朝鮮）柳得恭撰；李德懋訂，刻本，朝鮮：玉磬山房，出版年未詳柳得恭（英祖己巳～？〔1749～？〕），朝鮮王朝正祖時期之學者、實學派文學家。字惠風、惠甫，號冷齋、冷庵、古芸裳。1777 年曾隨使赴清，與清學者李調元（1734～1802）等廣爲結交。1779 年任奎章閣校書官，後歷任郡守、僉知中樞府事、府使等職。與朴齊家（1750～1805）、李德懋（1741～1793）、李書九（1754～1825）等四人稱爲「漢學四家」。著有《渤海考》、《冷齋遺稿》等，編有《京都雜誌》、《四郡註》等。

本書作於乾隆年間，作者以檀君以至百濟凡二十一國都成爲題材，作詩懷古，并考訂前史以爲箋釋。書成後作者至清京師，以贈紀昀（1724～1805），頗爲中國文士稱讚。

8.《金陵集》二十四卷／（朝鮮）南公轍著，活字本（聚珍字），朝鮮，純祖十五年（1815）乙亥

南公轍（英祖三十六年～憲宗六年〔1760～1840〕），朝鮮後期文臣、學者，字元平，號思潁、金陵。宜寧人。生於京師明禮坊。1792 年文科丙科狀元。曾參加編寫《奎章全韻》、《正祖實錄》。擅金石文、銅活字。官至領議政。曾奉使北京。著有《高麗名臣傳》、《金陵集》、《潁翁續藁》、《潁翁再續藁》等。謚號文憲。

著者於純祖七年（1807）奉使赴燕京時請曹江撰〈金陵文鈔序〉、李林松撰〈金陵先生文藁序〉、陳希祖（？～1820）撰〈金陵集引〉，今載文集卷前，其後爲〈自識〉、〈總目〉。

本書爲南公轍詩文集。內容包括：卷一～四爲賦、詩；卷

五爲內制集、外制集；卷六爲箋狀；卷七～九爲疏劄；卷十爲書、尺牘；卷十一爲序；卷十二爲記；卷十三爲題跋、雜著；卷十四爲雜著、祭文；卷十五～十九爲碑銘、墓碣；墓誌、墓表、行狀、諡狀等；卷二十～二十二爲《日得錄》、《詩童子問》、《讀禮錄》；卷二十三～二十四爲書畫跋尾。

9.《潁翁續藁》五卷；《潁翁再續藁》三卷／（朝鮮）南公轍著，活字本（全史字），朝鮮，純祖壬午（1822）序

兩書皆爲南公轍之詩文集。其中《續藁》：卷一爲詩；卷二爲應制文、啓、疏劄；卷三爲疏劄；卷四爲議、序記、祭文、言行錄、神道碑銘；卷五爲神道碑銘、誌碣、墓表、諡狀。《再續藁》：卷一爲詩；卷二爲應制文、啓、疏劄、議、序記、跋；卷三爲祭文、誌碣、墓表、諡狀。

10.《道谷集》六卷／（朝鮮）宋鐘雲撰；宋琦用編輯，活字本，朝鮮，高宗二十八年（1891）

宋鐘雲（正祖十六年～純祖二十五年〔1792～1825〕），朝鮮末期學者。字燦五，號道谷。恩津人。瑞興府使綺老之子，入養於生員絳老。科舉落榜後隱居，潛心學問，教授後進。於禮學有較深之研究，尤擅孝道，廣傳於世。

本書爲宋氏個人之詩文集。卷一～三爲書；卷四爲祭文、祝文、雜著、序、記跋、墓表、詩等；卷五～六爲附錄，有宋氏親朋好友所撰宋氏生平事略、祭文、輓詞等。

本書以書信、雜著等爲主，多爲論述治學精神、道德修養

和禮儀風範之文。

11.《雲養集》十六卷／（朝鮮）金允植撰；黃炳郁編集，石印本，朝鮮，1913 年（序）

金允植（憲宗元年～臨時政府四年〔1835～1922〕），朝鮮高宗時期學者、政治家。字洵卿，號雲養。籍清風。政治上屬穩健之開化派。1894 年甲午更張後任外交大臣。1895 年因涉「乙未事件」被流放十年。日韓合併後，與金嘉鎭等組織「興士團」，參加「大東學會」、「畿湖學會」等。1919 年「三・一」運動因呈交〈獨立宣言書〉而被捕。擅文，著有《陰晴史》等。

本書爲金允植之詩文集。卷一～六錄各體之詩；卷七～十六錄賦、辭、策、傳、論、議、說、疏、狀啓、召對、告佈、公函、御製代撰、序、跋、墓誌、行狀等。

12.《韶濩堂集》十五卷／（朝鮮）金澤榮撰，活字本，中國，淮南書局，丙辰年（1916）

金澤榮（哲宗元年～大韓民國九年〔1850～1927〕），朝鮮末期文人、學者。字于霖，號滄江、韶濩堂主人。原籍花開。1891 年進士，任職於中樞院書記館。1908 年乙丑條約簽訂後亡命中國，致力於整理、編輯朝鮮文學資料。擅古詩，兼有神韻與豪放特色。著有史書《增補東國文獻備考》，編訂《燕巖集》、《梅泉集》等，其文集有《滄江稿》、《韶濩堂集》等。

本書爲金氏之詩文集。分十五卷七冊。其中前二冊爲詩集，後五冊爲文集。一～五卷錄自壬申（1862）至丙辰（1906）

至各體詩歌一千三十三首；六～九卷錄賦、書、啓、序、記、跋、銘、贊等；十～十三卷錄論、說、雜言、祭文、行狀、墓文、家述、傳等；十四～十五卷錄傳、〈開城雜事傳〉、〈崧陽耆舊傳〉、誌、牘、雜文、年略等。其中雜言八十三則，多涉漢文學之評議。本書辛亥（1911）首刊，名《滄江稿》，分十四卷六冊。丙辰（1916）再刊，改爲《韶濩堂集》。

13.《梅泉集》七卷／（朝鮮）黃玹著；金澤榮編訂，活字本，中國上海，辛亥（1911）

著者黃玹（哲宗六年～隆熙四年〔1855～1910〕），朝鮮王朝末期學者、詩人。字雲卿，號梅泉。湖南長水人。1888 年生員試狀元及第，因慨於時局而隱居鄉村。1910 年日韓合併後服毒殉國，翌年門人刊行《梅泉集》。黃氏曾纂輯《梅泉野錄》，爲研究朝鮮近代史之寶貴資料。

本書爲黃玹之詩文集。黃氏自殺殉國後，其好友金澤榮整理其遺稿而成，1911 年刊行於上海（一說淮南通州）。卷一～五爲編年詩八百二十六首（自丁丑〔1877〕稿至庚戌〔1910〕稿）；卷之六、七爲文集，錄其書、序、跋、論、說、銘、雜文等。其詩文銳利批判政局，注意反映民生疾苦，傾吐民族之憾恨，實爲朝鮮王朝末年混亂時代之重要證言。

（三）尺牘類

文人士大夫擬撰的書信函稿，因爲字體別緻，內容非常有價值，或其他原因而被保留下來。如韓國文化財管理局・藏書閣編《藏書閣圖書韓國版總目錄・附補遺篇》[4]「集部・尺牘類」著錄朝鮮宋時烈撰《大老簡牘》一冊，八十五張。寫本。金正喜（1786～1856）著，南秉吉編《阮堂尺牘》二卷二冊，寫本。李昰應（1820～1898）撰《大院君尺牘》一冊，十一張，二十世紀初寫本。崔性學等編《尺牘完編》六卷六冊，1899年手稿本。雖只有四部，卻是官員、名家簡牘都已羅列其中。再如《奎章閣圖書韓國本綜合目錄》「集部・書簡類」更著錄有編者未詳《家藏（帖)》一冊，四折，寫本；編者未詳《簡牘》一冊，十九張，1859年寫本，內容包括：金輔根、金炳喬、李景在與海州某人的書翰集。總共收載有一百二十種左右的簡帖、手札、書牘，洋洋大觀。以下再舉一例如：

> 《書札》／宋時烈等著文，鈔本，日本（抄年未詳），一冊一函

本書爲卷軸裝，卷中有「大金國貞元二年六月二十七日男子文佑書於自得室並記」之語，末題「大金國貞元三年四月二十九日男子文佑自書併記」。[5]

宋時烈（宣祖四十一年～肅宗十五年〔1607～1689〕)，朝鮮宣祖、肅宗年間學者、文臣。字英甫，號尤庵、尤齋。原籍恩津。西人老論派首領。1633年生員試及第，歷任世子侍講院進善、右贊成、右議政、左議政等職。1689年上書反對冊封王世子，被流配濟州島，爲受國王鞫問而上京途中，被南人賜死。

[4] 漢城：亞細亞文化社，1984年影印再版。

[5] 按：大金國貞元二年為1154年；大金國貞元三年為1155年。

其學承李珥（1536～1584）朱子學，形成畿湖學派之主流。著述甚豐，主要有《尤庵集》、《朱子大全札疑》、《二程書分類》、《朱子語類小分》、《論孟問義通考》、《心經釋義》等，皆輯入《宋子大全》一百餘卷。諡文正。

本書爲書札輯本，無總題名，編者不詳。書首爲尤庵（宋時烈）上清陰金尙憲（1570～1652）書，作於乙酉（1645）五月。後有臺山、彝齋、桂田申應朝（1804～1889）、楓皋、打愚李翔（1620～1690）、三淵金昌翕（1653～1722）、退軒、農岩金昌協（1651～1708）等書各若干封。書多日常問候語。其間交互錯落，間有闕文。所收書札以宋時烈爲最多，如其與李士深書、與金由善書、乙未三日（1655）上慎獨齋金集（1574～1657）書等等。另有農岩金昌協上白江李相國敬輿（1585～1657）書、庚辰（1640）閏正月上安穩峰邦俊（1573～1654）書。其餘各書所上之人待考。書中兩處題大金貞元記語，然與各書並無關聯，且時代亦相隔甚遠，蓋抄時誤入耳。函套上據此以爲抄年「高麗毅宗時代」，則誤謬之甚。

（四）詞曲類

歌謠詞曲之什，大抵出自民間委巷，也有部分是文人創作的樂府和鄉土詩。新羅時代崔致遠的〈鄉樂雜詠〉，高麗時代李齊賢譯〈小樂府〉，僅爲單篇短章。李朝中期，沈光世（1577～1624）撰《海東樂府》一冊，四十七張，有萬曆丁巳（1617）沈氏自序，全書共收錄四十四首樂府詩，每首都附有注釋。其後，實學派先驅者之一的李瀷（1682～1764）撰《星湖樂府》；

申光洙（1712～1775）撰《關西樂府》，收錄在《石北集》中。

屬於編撰性質的歌謠作品，則有十五世紀末葉金宗直《青丘風雅》七卷；柳希齡編《續青丘風雅》六卷。之後，英祖時高時彥（1671～1734）輯《昭代風謠》九卷，收錄六百八十五篇民間詩人的歌謠，並形成了後世續編的風氣。如正祖時千壽慶（？～1818）、張混（1759～1828）合編《風謠續選》七卷，收七百餘首歌謠；哲宗朝劉在建（1793～1880）、崔景欽合編《風謠三選》七卷。其他相關的文獻，參見《延世大學校中央圖書館古書目錄》、《奎章閣圖書館韓國本綜合目錄》「詞曲」類。

（五）詩文評類

韓國文士探討文章詩詞等不同體製的作法、格律，兼及源流、評價，以至於遺聞掌故的相關著述，歷來品類繁多。其中，以談論詩歌者爲大宗，文章詞曲方面相對顯得冷清。就作品的形式而言，有的是結構謹嚴的論著，更多的是隨筆體裁；內容則包括談說、評論、格律、範式、訓解等，不一而足。

高麗毅宗朝李仁老撰《破閑集》三卷，當係韓國詩話的開創之作。稍後，李奎報撰《白雲小說》一卷，崔滋撰《補閑集》三卷，也都是名家手筆。至如朝鮮成宗時徐居正所撰《東人詩話》二卷，則是韓國第一本以「詩話」爲名的著作。談詩論詩的傳統七、八百年來，延續發展，有關作品總數大概有一百二十種。

1.《破閑集》三卷／（高麗）李仁老撰

李仁老，字眉叟，初名得玉，號雙明齋，生於1152年（南宋高宗紹興二十二年），卒於1220年（南宋寧宗嘉定十三年），享年六十九。自幼聰悟，能文善書。明宗十年（1180）擢魁科，補任桂陽管記，歷任直史館等職。高宗初，官至祕書監右諫議大夫。

時値兵亂，守分之士，皆隱不出。眉叟雖投身仕路，從不汲汲榮利，猶與詞人騷客，以詩酒相娛，慕竹林七賢餘風，與林椿（？～1179）、吳世才、趙通、皇甫抗、咸淳、李湛之等，稱海左七賢。所著《銀臺集》二十卷，內有古賦五首，五律詩一千五百餘首，尚有後四卷；《雙明齋集》三卷。除《破閑集》外，餘未盡傳。

《破閑集》書稿成於元宗元年（1260），共有上、中、下三卷，收詩話、文談、紀事、風俗、山河、人物、自作詩等。其於本書卷末自跋云：

> 遂收拾中外題咏可為法者，編而次之，為三卷，名之曰「破閑」。又謂儕輩曰：「吾所謂『閑』者，蓋功成名遂，懸車綠野，心無外慕者；又遁跡山林，飢食困眠者，然後其閑可得而全矣。然寓目於此，則閑之全，可得而破也。」

可見李氏的旨趣。

本書網羅雜聞，實如總集，除文談外，有考證，亦有瑣聞逸事。宋人詩話往往如斯，此書實沿襲之。作者以隨筆體裁寓詩論於閒談述事之中，主要評論韓人及其作品，但論及中國詩時，意見也往往中肯可取。總的來說，全書評論的特點是注重將韓國詩人詩作與中國詩人詩作進行比較，用意在於表彰師法中國有成就的韓國詩人，這有助於中韓詩史的比較研究。

2.《補閑集》三卷／（高麗）崔滋撰

崔滋，字樹德，初名宗裕，爲高麗文宗朝名儒門下侍中崔沖（984～1068）之裔孫，生於明宗十八年（1188），天資淳訥，自幼能文。康宗時及第，補任尙州司錄，以施善政得名，被召爲國學學諭。見寵於權臣崔瑀，又以〈虞美人〉、〈草歌水精盃〉詩，爲李奎報所薦引。高宗時歷任正言、尙州牧、殿中少監、寶文閣待制、忠清全羅按察使，繼任國子大司成、知御史臺事、尙書右僕射、翰林學士、樞密副使、中書平章事等職。年紀老邁，辭官還鄉，自號東山叟，卒於元宗元年（1260）七月，諡文清。所著有《家集》十卷，已佚。

《補閑集》撰成於高麗高宗四十一年（1254），當南宋理宗寶祐二年。其〈自序〉云：

> 李學士仁老略輯成篇，命曰《破閑》，晉陽公以其書未廣，命予續補。

可見是沿襲《破閑集》的作品。所以本書的批評方法與《破閑集》相通，即在評價本國詩人時，多跟中國詩人詩作相比較。如將李奎報與李白（701～762）、白居易（772～846）相比較云：

> 今觀文順公詩，雖氣韻逸越，侔於李太白；其明道德，陳諷喻，略與白公契合。

本書所編集者，多爲評文評詩，唯載小詩，而不收長篇巨韻，其旨在於標舉諸家各體。其言云：

> 此書止數卷，所載要略，故唯載其絕句，詩不多首，標諸家各體而已。況其長篇巨韻，各載於本集，此不收錄。

可知本書體例。下卷多載僧、妓、鬼等淫怪事，以資笑料，其旨在「欲使新進苦學者，遊焉息焉，有所縱也。」

3.《東人詩話》二卷／（朝鮮）徐居正撰

徐居正，字剛中，達成（大邱）人，書齋號四佳亭，相關生平及著述，詳見總集類《東文選》其介紹。

《東人詩話》撰成於朝鮮成宗五年（1474），當明憲宗成化十年。本書純粹論詩，是韓國第一本以「詩話」爲名的著作；又本書只論韓國作家和作品，故曰「東人」。儘管這樣，徐氏論韓人作品時，有時也會提到作家和中國詩歌的關係。譬如稱許李仁老之詩「自然有韓（愈）法」，即是顯例。此書在韓國詩話史上享有崇高地位。姜希孟〈序〉云：

> 吾東方詩學大盛，作者往往自成一家，備全眾體，而評者絕無聞焉。及益齋先生《櫟翁稗說》，李大諫《破閑》等編作，而東方詩學精粹，得有所考。厥後百餘年間，莫有繼者，豈非詩學之一大慨也。

崔國華〈後序〉則稱「自有詩話以來，未有如此精切者也。」由此可見本書實爲承先啓後之作，對於韓國的詩學，貢獻良多。

4.《清脾錄》四卷／（朝鮮）李德懋撰

李德懋，字楙官，號炯庵、雅亭、青莊館、東方一士，全州人。生於英祖十七年（1741），卒於正祖十七年（1793）。李氏博學多才，通達經史。正祖時任奎章閣檢書官、後爲積城縣監。他是實學派後期代表詩人之一。主要著作有《青莊館全書》、《雅亭遺稿》等。

《清脾錄》撰成於正祖二年（1778），當清高宗乾隆四十三年。收在《青莊館全書》卷之三十二～三十五。另有清人李調元《續函海》刻本，有李書九序。此書共一百七十七條，其中約八十多條評論韓國詩人詩作，約七十多條評論中國詩人詩作，約十餘條兼評中韓詩人詩作，另外有幾則評論日本漢詩作家作品。此書書名出自唐僧貫休（832～912）〈古意〉詩句「乾坤有清氣，散入詩人脾」，故雖名爲雜錄，其實即是論詩和記事相兼的綜合性詩話。書中記清人詩及事不少，當中一些作品和情事，中土或已失傳。

三、結語

朝鮮半島接受漢字，吸收漢文化然後著爲漢文典籍，從第一世紀高句麗建國初期編纂《留記》一百卷算起，至今已近二千年。歷代帝王、官方機構與文人學士所撰漢文著作，包含經、史、子、集，各門各類，林林總總，一時之間實在難以估量。

由於不同的民族習性，以及各種歷史原因，韓國官方或個人似乎很少從事歷代著作編目工作。目前所知者，如弘文館編《增補文獻備考》藝文部、徐浩修（1736～1769）撰《奎章總目》、高宗敕編《奎章閣書目》等少數古書目之外，一般所見都是二十世紀初期以來所編公私圖書館藏書目錄。近幾年終於出版了一部黃忠基編《歷代韓國人編著書目錄》。[6]此目錄將三國時代到 1900 年以前出生的韓國人所完成的著作，除了書帖、畫帖、地圖之外，不論存佚，均予以收載，總數大約有一萬七千部。雖然不夠完整，著錄項也太過於簡略，僅按作者名字編列書名，甚多著作無法判斷其內容屬性，卻也聊勝於無了。

本篇研究成果報告，由於時間所限，僅能先將古籍四部中的集部著作大略加以考察。其中，總集類包含：文選、詩選、謠諺、尺牘、唱酬、題詠、郡邑、氏族之屬，比中國少了像清代李光地（1642～1718）輯《墨程前選》、方苞（1668～1749）輯《欽定四書文》等課藝類文選，也沒有楚辭體作品選集。別集方面，除了標明詩集、詩稿、詩鈔、詩存、漫詠、文錄之外，大抵以文集、文稿、遺稿、遺集、全集、別集之名爲主，內容則包括：詩、文、雜記、漫錄、詩文評等，不一而足。它們跟中國宋代以下很多作者的文集、全集之無所不包，簡直像個人自著小叢書的情況極爲類似。尺牘類有些是多人共撰，也有私人獨撰，有些以手寫真跡流傳，極爲珍貴，故而保存數量稀少；

---

[6] 漢城：國學資料院，1996 年 1 月。

另外一類則有意收集名家函牘，做爲擬作範例，用途稍有不同。詞曲類搜集了不少里巷風謠，還有更多屬於有名、無名詩人模仿民間樂府、小曲而作的歌詩。詩文評類，有詩話、文話，或單獨成書，或與雜著筆記混而爲一，因爲大都篇幅不長，經常被編入個人文集中，再繼續搜尋，其數量相信不止目前的一百二十種而已。

《四庫總目》《續目》未收清人經籍的經學史意義探微——以美國哈佛大學哈佛燕京圖書館藏本為例

嚴佐之*

《四庫全書總目》、《續四庫全書總目提要》(以下簡稱《總目》、《續目》) 經部之書，彙錄了自先秦至晚清的眾多重要而基本的儒家經典，且有提要揭示書旨，評騭得失，故其作爲經學研究的「基本文庫」，誠乃理所當然。《總目》、《續目》收書雖夥，然或囿於所見而未及，或蔽於偏見而摒除，百密難免一疏；且學術漸進，一些彼時看來確實可棄之書，而今觀之輒未必沒有價值意義，故《總目》、《續目》之外，不無「遺珠」。無奈此等未收經籍，大多不爲歷來藏家關心留意，傳存不易，著錄更少，即便有之，亦無不簡單之極，既指蹤無由，則欲聞其詳而猶難。數年前，筆者嘗獲幸訪學哈佛燕京圖書館，襄助沈津先生續編館藏清代善本書志，因得終日浸淫其間，詳觀諸多向日未見之書。讀後尤感其中《總目》、《續目》未收清人經籍，確有可供研究者參資的文獻價值，尤其是在學術思想史方面。

---

* 現任上海華東師範大學古籍研究所教授兼所長。

曾經筆者寓目的哈佛燕京圖書館藏清代善本經部書籍，除去小學類著述和抄本稿本，即僅計乾隆以前刻本的五經四書類撰著，大約有一百三十一種，而其中《總目》、《續目》未收的清人撰述就有四十九種，所占比例相當之高。這些清人經籍大致可分爲以下幾類：

第一種是訓釋闡發經義的經學著作。此類經著雖說學術上未臻一流，然亦皆能有所發明，自成一說。如康熙刻本張習孔《大易辨志》、乾隆刻本王世業《周易象意》、乾隆刻本陳孚《周易考》、乾隆刻本呂宣曾《讀禮說》、乾隆刻本武先慎《家禮集議》、康熙刻本顧朱《春秋本義》、乾隆刻本何如漋《四書自得錄》、乾隆刻本李灝《四書疑問》、道光刻本徐卓《經義未詳說》等。

第二種是纂輯集成形式的經學編著。此類編纂之作雖無精研之功，然其纂輯文獻資料，會通古今諸說，於解經釋義，不無裨益。如雍正刻本李兆賢《易史易簡錄》、清刻本張汝誠《家禮會通》、乾隆刻本姚培謙《春秋左傳杜注》、康熙刻本張嘉楨《正學儀型四書語錄》、乾隆刻本陳其凝《四書朱子或問語類》、康熙刻本汪份（1655～1721）《增訂四書大全》、康熙刻本李沛霖《四書朱子異同條辨》等。

第三種是兼有經學著作和制義講章性質的經學讀本。這是很特殊的一類，即既適宜舉業應試，又適合學術研究參考，所謂「經學、制舉，取之皆宜」者。如康熙刻本葛世揚《周易述解辨義》、康熙刻本林挺秀《春秋單合析義》、乾隆刻本方舟

（1665～1701）《方百川先生經義》、乾隆刻本李凱《學庸說文》、康熙刻本李沛霖《四書諸儒輯要》、嘉慶刻本閻其淵編《四書典制類聯音注》等。

第四種是純粹爲舉業科試編纂的制義講章、時藝選文。這一類書最多，如康熙刻本蔣鳴玉《尚書舌存》、乾隆刻本曹希煌《書經文鈔》、乾隆刻本《詩經增訂旁訓》、順治刻本馮如京《春秋大成講義》、乾隆刻本朱元《春秋說約》、乾隆刻本周正思《增補左繡匯參》、清初刻本錢肅樂《新刻錢希聲先生四書課兒捷解》、清初刻本趙昕《新鐫四書說約大全合參》、康熙刻本唐光夔《新刻四書通典備考》、康熙刻本胡士佺《四書體朱正宗約解》、康熙刻本萬人望《四書朱子大全統義》、康熙刻本蔣台梅《四書講義童子問》、乾隆刻本范翔《漱芳軒合纂四書體注》等。

凡此種種均有意義不一的文獻價值，對此，本文不準備分門別類作目錄學式的經籍解題，而只是試著從自己的閱讀體悟中拈出三個有關清代儒學發展動向的問題，來探求發掘這些《總目》、《續目》未收清人經籍所蘊含的經學史意義。

一、「以禮代理」、「理在情中」思想在社會實踐層面的反映

「以禮代理」是清代中葉儒學思想轉型的一個標誌性的重大主題，徽州學者淩廷堪首倡此說並爲其代表。對此，近世學

者如錢賓四先生（1895～1990）等早已有所注意，邇來張壽安著《以禮代理——淩廷堪與清中葉儒學思想之轉變》一書，更對這一宏大命題展開了精彩論述和深刻揭示。張著指出：

> 清儒「以禮代理」的思想走向，實為清學在思想上的主要發展特色，也是清學與宋明理學在思想上的主要分水嶺。其目的是要把儒學思想從宋明理學的形上形式，轉向禮學治世的實用形式。[1]

又指出：

> 儒學思想在清代的關鍵性轉變，是擺脫宋明理學形上思辨的哲學形態，而走向社會形態。清儒最關懷的不是個人內在道德修為的成聖境界，而是如何在經驗界重整社會秩序。[2]

她的研究成果在學術界很受肯定，筆者也十分欽佩欣賞。「以禮代理」一字之變，在其思想轉型、學說創新的背後，無疑有著社會訴求的積澱和鋪墊。這一點，《以禮代理》開篇就對此思想產生的社會背景和學術淵源有所交代，認爲「清初以降思想界對人之情欲的正視，導致情與理或情與禮之間的尺度重審問題」。[3]張教授的大作早在 1994 年就已出版，但我孤陋寡聞。1999 年夏我與張教授在劍橋杜維明先生府邸的一次派對上初

---

[1] 張壽安：《以禮代理——淩廷堪與清中葉儒學思想之轉變・緒論》（石家莊：河北教育出版社，2001 年），頁 7。

[2] 張壽安：《十八世紀禮學考證的思想活力——禮教論爭與禮秩重省・緒論》（臺北：中央研究院近代史研究所專刊〔86〕，2001 年），頁 3。

[3] 同註 1，〈原序〉，頁 9。

識，兩人相談，聽她娓娓道來，令我興味叢生。此後，我撰寫書志便多了一份留意，並確實發現可以佐證「以禮代理」思想轉型的文獻資源，其中就有多種《總目》、《續目》未收的清人經籍。

首先提出的是（清）武先慎撰《家禮集議》一卷，清乾隆五十八年（1793）刻本。武先慎，字耀德，號炳南，山西太谷縣人。生卒年不詳。乾隆二十一年（1756）舉人，歷官廣東花縣知縣，河南鄭州、汝州知州，開封府知府。《（咸豐）太谷縣志》卷四〈仕籍〉有傳。武先慎在乾隆五十至五十六年（1785～1791）間嘗主修《武氏家譜》（今太原市圖書館有藏），可見他生活在一個大家族中，並負有教化家族子弟的相當責任。他撰作《家禮集議》是在家譜修成後的第三年。《家禮集議》是對朱熹《家禮・昏禮》、〈喪禮〉的討論。全書於《朱子家禮》原文下，輯集先儒議說，並附己見，參考得失，以求一是。其卷目依次爲：〈昏禮〉（議昏、納采、納幣、親迎、婦見姑舅、廟見、婿見婦之父母），〈喪禮〉（初終、成服、服制、朝夕哭奠上食、吊、聞喪奔喪、治喪、發引、反哭、虞祭、祥、禫），附（祭禮、祠堂、考證）。

著者撰寫此書何爲？書前〈自序〉有曰：

> 是書為教家起見。書末考證所引先儒法言，有於昏喪無涉而可為子孫繩尺者，附錄數條，以作家訓。

則此書之作，蓋亦爲教家族子弟有所遵行也。可見《家禮集議》是社會實踐層面的一部應用性禮書。然而，教家之書爲何不可直接取用《朱子家禮》的規儀，卻要集先儒議說、附一己之見，去重作詮解和修訂呢？由此可以想見，在書中婚喪禮儀的應用文字背後，必定潛伏著著者禮學思想觀念的變異。而影響武氏考量的主要因素，就是世俗人情。〈自序〉這樣說道：

> 紫陽《文公家禮》一書，采司馬溫公《書儀》、伊川程氏之說，而又兼取橫渠遺命，可謂通古今之宜矣。迄今數百年，人心不同如其面焉，昏喪大事往往以意為之。余恐子孫習焉不察，又恐固執己見，不合于時，故按古禮之當遵、今俗之難廢者，以人情斷之，著為《集議》，俾後人得所遵守。

舊禮之遵與廢，當「以人情斷之」，這真是很有意思。眾所周知，《朱子家禮》也有改易古禮以適應世俗之處，譬如改「三月而廟見」爲「三日」。而武先慎認爲今制婚喪家禮，宜參合古經，兼顧今俗，最終則當揆之人情，乃是公然把「人情」舉爲權衡取捨的繩尺，彼此之差異亦顯而易見。〈自序〉又說：

> 聞之「禮從宜，使從俗」。人情少見多怪，與俗為安，亦處世權宜之道，惟俗之大謬於禮者，斷不可以不達。
>
> 其間儀節繁簡，風俗異同，必准情酌理，乃可宜古宜今。
>
> 夫禮者理也，禮者履也。禮當於理，則如履著地而不可動。《儀禮》尚矣，揆之人情，亦有不能相安之事。如〈昏禮〉三月廟見，未廟見而婦死，歸葬女氏之黨，〈喪禮〉廢床寢地之類，此豈可強人以行之！

婚儀中的「三月廟見」是自清初以至乾嘉學者討論爭辯最多的一個禮學議題，其間充滿了「天理」與「人欲」的緊張。武先慎的態度十分鮮明：古禮若有違人情，豈可強人以行之。故其規訂「書例」曰：

> 《集議》之作，以救正錯誤為宗，若過於繁重，使考禮者未經行習，已有望洋而返之勢。故凡世俗相沿，大體不謬，或先儒有行之者，皆委曲遷就；惟於禮大悖，然後酌為變更。昏喪二事，既不敢盡泥古禮，故於從俗各條內，古人儀節，不復備載。

《家禮集議》刊印之時，淩廷堪尚未及四十，淩著《禮經釋例》也要待十六年後才有刻本行世。我們從武氏《家禮集議》中看到的，是乾隆末期地處晉中的一位士大夫的禮學思想與社會踐履，並能夠聽聞到其間來自宗族社群基層的「人情」呼喚。

要舉例的第二部書是（清）呂宣曾撰《讀禮說》三卷，乾隆間呂公滋「望柏堂」刻本。呂宣曾，字揚祖，號柏巖，河南新安人。呂氏出身名門，是明末南京兵部尚書忠節公呂維祺的曾孫。治經學，尤邃《三禮》。清康熙五十三年（1714）中式鄉試，年近五十，選湖南永興知縣，擢靖州知州，修書院，置學田，因老致仕。《（民國）新安縣志》卷十一有傳。河南新安呂氏，世習《詩》、《禮》，相傳久遠，多所著述。《讀禮說》外，呂宣曾還著有《古宮室名制考》、《古冠裳圖考》、《古鄉飲酒圖考》等考禮之作。《讀禮說》一書是呂宣曾居喪期間讀《禮》所得，書中詳覆禮制，於喪、祭多有折衷。同《家禮集議》一

樣,《讀禮說》既是作者的治經之作,也具有匡正禮俗的經世意義。正如書前魯曾煜序所言:

> 自喪禮微渺,而人心風俗益漓矣。今先生著為圖,系為說,元元本本,稽古證今。……蓋先生之為人心風俗慮者至矣!

《讀禮說》全書分上中下三卷:卷上〈喪期年月〉,卷中〈喪禮儀節〉,卷下〈喪服制度〉,各卷復以上中下析之。爲節省文章篇幅,各卷細目恕不予一一載錄。但有些文題頗有意思,不妨略舉一二,如〈答張秀才爲生祖母制服說〉、〈答牛秀才慈母如母說〉等,顯然是針對鄉社間一個具體的禮儀之問而發。可見著者讀禮治禮之用,乃在於重新規範社會秩序的「人倫日用」這個焦點上。

更有意思的是,同《家禮集議》一樣,呂氏折衷古今喪儀服制,亦「准之於人情」。是本前載乾隆十二年(1747)王文清(1696～1787)序曰:

> 昔人苦《儀禮》難讀,難讀者莫如〈喪服〉,以其頭緒繁多,而正義加降之間,若不可為典要也。予以為究非難也。先王之制,喪服稱情而已矣。
>
> 《讀禮說》一書,臚列服制,為之圖,圖皆有說,於古經傳外,參之《通典》、《通解》、《家禮》、邱氏、王氏,及國朝會典、律令、《讀禮通考》諸書,經之緯之,錯之綜之,而准之於人情。有古今所同而獨別之者,其情

> 差也；有古今所異而獨合之者，其情均也；有昔人所減而獨加之者，其情摯也；有昔人所加而獨減之者，其情殺也；有同一等倫而於彼乎加於此乎減者，地因情而易也。至其辨逆降之非，駁叔嫂之嫌，申為庶與為後者之法，揭昔人未發之旨，伸鮮民罔極之恩，而情於是乎竭矣。

這段文字雖然不是直接出自著者之手，但從閱讀者的視角來觀察此書，他所表達的「情」與「禮」的關係，也十分鮮活地反映了清代中葉社會對「達情遂欲」、「理在情中」乃至「以禮代理」的訴求。故呂氏讀禮之說亦頗值一讀。

第三種書是（清）張汝誠撰《家禮會通》四卷，雍正間坊刻本。[4]張汝誠，字序宗，生平事蹟乏考。這是一部坊間所刻供百姓家居日用參考的禮書，按《易經》乾卦「元亨利貞」分爲四卷。〈元〉卷：習禮條規，吉禮考疑，人品稱呼，物類稱呼，往復帖式，請召賀送，冠笄儀禮，婚姻六禮（附通套婚啓、慶賀、往復、酬謝），餽房進贄，廟見宴婦，旋車暨月；〈亨〉卷：婚書體式，月令釋義，姓氏疏解，稱頌人品，自述男女，禮儀邀結；〈利〉卷：喪祭考疑，喪祭圖制，男女服制，初喪儀節，治喪雜議，吊賻禮儀，誄軸祭文；〈貞〉卷：治葬禮儀，還葬改葬，眾祭八禮，告遷祔祭，祭祀儀禮，封贈告祖，致齋拜懺，祀神禮儀，年節故事，居家雜記，聯對摘錦。卷前附雍正元年（1723）恕堂主人〈序〉曰：

---

[4] 此書臺北大立出版社有影印本。

> 先正張君序宗，大懼世俗流靡，無所底麗，乃輯《家禮會通》一編，大自冠昏喪祭，小自贈遺稱呼，無不詳載而考核明備，文質得宜。觀其《會通》，自可行夫典禮，其有裨於世俗也甚大。大抵從前坊刻《家禮》，不失於繁，則失於簡，所登昏啟祭文，不惟樸鄙實甚，亦且數見不鮮。自有此編，而諸本皆可廢矣。

自吹自擂，自是坊主廣告之語，絕非學術之書可明，而之所以舉此為例，是因為書中所載冠婚喪祭諸般禮儀，也透露出當時世俗禮儀對「人情」的寬容和接納。書中多有「漳俗」、「今俗」、「時俗」云云，頗顯閩漳地域特色，如〈貞〉卷「致齋拜懺」一節言漳州禮俗好以佛事致祭，記述如下：

> 世謂親死必延沙門拜懺，晝夜不等，隨人力□免地獄，升天堂，故人人喜而效之，一應事宜，聽僧主持了。
>
> 漳道學北溪陳先生聯云：「家尊孔氏書，葬以禮，祭以禮；俗重梁皇懺，生者安，死者安。」石齋黃先生聯云：「講聖經，作佛事，理乎理乎？承母命，答父恩，情耶情耶！」鄉賢林白石先生聯云：「吾儒崇墨教，其然豈其然；孝子報親恩，無可無不可。」

生動形象地描述了當地儒學之士，是如何出於對民眾追求人欲親情的考量，而承認接受世俗喪禮祭禮雜揉佛家儀式的合理性。雖然儒釋禮儀無奈「會通」，卻並不意味對習俗的無限放縱，書中專此評議說：

> 今世信和尚作水陸大會，能為死者滅生前罪惡，必升天堂，受種種快樂，不為者必墜地獄，受無邊苦楚。緣習俗已久，不能一旦處除。富足之家從俗為之，亦無甚苦，若家道尋常，切不可勉強。禮懺中又有放生、普施、弄鐃、打地獄。夫放生、普施尤是行方便事，至於弄鐃、打地獄，切不可從。且夫人死有罪而入地獄，豈以一抔之沙為之可破而出乎！若能破出，是陰間之地獄可不必設矣。何舉世之作，悟至此也！

雖然情有可原，卻不能濫施過度，而分析其破解佛門禮儀氾濫的招數，仍在情欲的真能實現與否。

以上《總目》、《續目》未收的三種清人經著，論編撰刊印時間，均在淩廷堪著書立說之前，論傳播區域空間，並不在徽揚蘇杭禮學主流之地。這些文獻所能提供的思想史資源，是否可以佐證，清中期儒學思想的轉型，「以禮代理」學說的提出，確實是順應了廣泛而長久的社會訴求。

二、「就朱訂朱」：康、乾時期宗朱者對朱子《四書》學說的反思

在哈佛燕京圖書館藏《總目》、《續目》未收清人經著中，《四書》類著述有二十種之多，幾近總數的百分之四十。我們無意追問收藏最多的來由，之所以引起興趣和關注，是因為閱讀發現其中若干文獻所蘊含的儒學史意義，當然，這裡主要是

指的《四書》學。眾所周知，《四書章句集注》是朱子（1130～1200）一生用力最深、自我評價最高的一部經注型著作。有明一代，理學大行，雖姚江王學後發而興，取代程朱主流，但朝廷畢竟仍以《四書章句集注》懸爲功令，尤其是永樂敕修《四書大全》頒行天下，四方學子追逐功名，諾諾遵習，不敢有違，故《四書》之學猶宗朱子。然而，虛漲的表象終究不能掩蓋《大全》斷章取義，割裂肢解、誤讀曲解朱子《四書》學說的事實。當然這麼說，並非認爲朱子對《四書》全無臆解。因此，從明後期開始出現對朱子《四書》學說和《四書大全》的批評質疑，是學術發展很正常的現象。例如姚舜牧著《四書疑問》，立說多與朱子異；如張自烈撰《四書大全辨》，斥責《四書大全》「去取頗謬於聖人，學者不察」。無法否認他們的批評不無道理，然而宗朱一派中人卻往往不辨是非，一意回護，結果適得其反，越描越黑，失落更甚。這便引起宗朱一派中另一部分人的反省，他們覺察：

> 當今之害，患在群奉真儒，不知別白，貿貿焉，是其所非，非其所是，反授外道以入室操戈之柄，而害且遍天下。[5]

> 痛聖人之道不晦于畔朱之人，而即毀于從朱之人。[6]

痛定思痛，便是要在自己的營壘裏「清理門戶」，或是從文獻

---

[5] （清）方苞《四書疑問》序，載清乾隆間刻本李灝撰《四書疑問》卷首。

[6] （清）李沛霖《四書朱子異同條辨》凡例，載清康熙刻本李沛霖撰《四書朱子異同條辨》卷首。

上「還本清源」，或是以「就朱訂朱」的方法梳理朱子《四書》學說。在哈佛燕京圖書館藏《總目》、《續目》未收清人《四書》經著中，就有不少諸如此類的學術思想史資料，以下試舉數例。

第一種是（清）汪份撰《增訂四書大全》三十八卷，康熙間汪氏「遄喜齋」刻本。汪份，字武曹，江蘇長洲人。康熙四十二年（1703）進士，選庶吉士，授編修，嘗典廣東鄉試，康熙六十年（1721）督雲南學政，未之官而卒，年六十七。武曹早年即以文學知名吳中，嘗與何義門評選有明以來諸家制義，著有《遄喜齋集》。《（光緒）蘇州府志》卷八十八〈人物志〉有傳。從版面款式來看，該書也是舉業讀本：二截版，下截刻《四書大全》，上截刻增注，行間刻圈點，書口下刻「遄喜齋讀本」。但就其名義和內容來看，「增訂」《四書大全》是試圖恢復被《四書大全》割裂歪曲的朱子《四書》學說的本來面目，有一定的學術思想意義。

汪份指出，永樂敕修《四書大全》，不是根據朱子原本，而是取諸（元）倪士毅《四書輯釋》而小有增加，倪著《輯釋》已變亂改易朱子定說，曲從己意，因此襲用《輯釋》的《大全》自然淆亂了朱子原意，影響極大，不能不爲之辨。該書〈自序〉曰：

> 其於朱子《文集》、《語類》，或合數條為一條，而犬牙不相合；或分一條為數條，而散亂不可讀；或盡削虛字，而至與本旨相違；或妄刪要語，而失其用意所在；又或誤以他人語，目為朱子之言；或強以問者之語，闌入答

> 語之內。蓋凡《輯釋》中號為「朱子曰」者，類往往經倪氏之點竄塗改，而非復作者之真也。
>
> 夫《四書》之有《大全》也，固將以遵暢朱子之微詞奥旨也。而乃襲用《輯釋》改壞之本，而不知其非，則其於朱子之書，不惟無所闡明，而反多所汩亂，斯其獲罪朱子而貽誤後人，固已甚矣。又況原本今本，遞有增加，而舛謬益甚乎。嗟夫！此愚是書所為不得不力與之辨也。

明人不知《大全》變亂改易的實情，於是承訛襲陋，誤以改本爲紫陽之真，及至清初，世傳讀本，更增衍明人後出叢龐之說，疊床架屋，較之原本，更遜之遠，而讀者皆混然莫之辨。這是汪份增注《大全》的學術背景。鑒於明末張自烈撰《四書大全辨》詆毀朱子所造成的影響，汪份在〈自序〉中特意申明兩人著述立場的迥然不同，張氏意在攻朱，自己則旨在尊朱：

> 或曰：張氏《大全辨》一書，其詆《大全》不遺餘力，子之書得毋類是歟？曰：非也。愚之書以尊朱子為主，而奉朱子之書，以正《大全》襲用《輯釋》之謬者也。《大全辨》者，以攻朱子為主，而據《大全》所用《輯釋》改壞之本，而妄以為朱子病也。此其用意如冰炭方圓之不相入，烏得比而同之哉！

這段告白不僅昭示二者用心立意的「冰炭方圓」之異，還揭示了張自烈等「攻朱」一派的問題，正在「據《大全》所用《輯釋》改壞之本，而妄以爲朱子病」，所以他以子之矛攻子之盾，「奉朱子之書，以正《大全》襲用《輯釋》之謬」，即用文獻辨疑考訂的方法，剔除種種附會雜說，爲朱子《四書》學說正本清源。所謂「奉朱子之書」主要是採用朱子《文集》、《語類》參互比勘，以求其真。這是比較初級的做法，類似的《總目》《續目》未收清人《四書》經著，還有李沛霖、李禎撰《四書朱子異同條辨》四十卷，康熙「近譬堂」刻本。

李沛霖，字岱雲，湖南武岡人；李禎，沛霖弟，二人事蹟未詳。與《增訂四書大全》相較，《四書朱子異同條辨》的批判意義更強，學術反思更深刻。首先，他把批判矛頭轉向了盲目「從朱之人」。該書〈凡例〉曰：

> 予自總角時，往往以《章句》解書以明，以雜說解書而晦，即疑《大全》以下諸本不可盡信。於是備集諸家，妄加批抹，易其本者屢矣。後浸淫於朱子之全書者久，乃益斷然以己之所見為不背於聖人之道。及余弟漸長，頗能參互其說，於是師友一堂，益發其不窮之趣，而兒輩亦因以卒業焉。本不敢公之於世，懼蹈狂妄之罪，既又痛聖人之道不晦於畔朱之人，而即毀於從朱之人，亦可嘿嘿而已也。世之學者或更見予之不逮而攻其疾焉，則余年未老，猶得更訂而改其失也已。

在〈自序〉中，他又進一步批判盲目從朱的要害是「名從而實違」：

> 今之讀《四子書》者，初未嘗深思力索聖人之道，第以為吾從朱而已；而世之學者聞其從朱，則僉曰此不畔於道者。嗚呼，豈非名從而實違，習其所固然而不知其所

以然者歟！

朱子之說亦既大且精矣！而後之學者，或執其辭而晦其意者有之，或得其意而誤其辭者亦有之；不然則見其粗而忘其精也，不然則明於此而昧於彼也，不然則知其一說而不知其又有一說，而莫或貫之也。此非但數百年之後深體其說者蓋寡，即勉齋之徒親炙於朱子之門者，殆已不無相沿而謬戾者也。

此予自宋元明以迄於今諸儒之說，雖為世所尊崇效法，而予斷然有異同之辨者也！

作者分析了朱學傳人相沿謬戾的種種原因，並把質疑指向朱子女婿、學術接班人黃榦（1152～1221），說明他的反思已經達到跨越宋元明諸儒、回歸朱子學原典的認識深度。朱子治《四書》數十年，沉潛涵泳，斟酌反復，修訂再三。故其前後一生所作，《章句集注》外，若《論孟精義》、《四書或問》，若《語類》、《文集》之中，釋義詮解，說辭往往有異。這也就往往遭致「攻朱」者的訾議和「從朱」者的糊塗。《異同條辨》旨遵《章句集注》，而以《或問》、《語類》等羽翼之。李沛霖〈序〉指出：朱子既爲《章句集注》，「猶恐人之以自信己說爲疑，則有《或問》之假借以明焉；而猶恐《章句集注》之簡括難見，則又有《語類》之反復以詳焉；而猶恐前人之精思要論或以己之兼該而隱，而又疑於說之未能盡取也，則又有《精義》、《輯略》之並存以備參焉。」根據他的閱讀經驗，凡朱子前後所言，必須參互玩索，才能明理：

> 吾嘗於《四子之書》之理玩索而未有明也，證之《章句集注》而合焉；於《章句集注》之理玩索而未有明也，證之《或問》、《語類》而又合焉。乃於《或問》、《語類》之說之理玩索而未有明者，證之前之游、楊、謝、呂，而有合有不合矣；證之後之勉齋、雙峰之徒，而亦有合有不合矣；即證之有明三百年之中虛齋、次崖之徒，有合有不合，而幽謬而顯畔者，更不知其幾矣。而況今人之有合，不過踵前人之已合而合者也；今人之不合，亦不過踵前人之不合而不合者也。而一二傑出之士，如晚村、稼書之徒，其不踵前人之已合而有合者，吾安敢以為非也；其不踵前人之不合而猶不合者，吾安敢以為是也。

故此書條辨諸儒與朱子異同，必參互《章句集注》、《或問》、《語類》乃至《精義》、《輯略》諸書，而於《四書》經文之下，一句一辨。雖長篇累牘，卷帙浩繁，似爲繁瑣，然則撰者之意乃在爲朱子清理門戶，而其實又豈不在爲《四書》之學釐清脈絡乎？至於搜羅宏富，資料翔實，釐畫有序，則讀是書者，未嘗不可以《四書》學史視之也。

《四書朱子異同條辨》雖然未被《總目》、《續目》收錄，但據各家藏目著錄，除康熙「近譬堂」刻本外，還有康熙「藜光樓」刻本、乾隆二十七年（1762）刻本等。不僅是翻刻重印，李沛霖還將此書刪繁就簡，別以《四書諸儒輯要》之名，在康熙五十七年（1718），由「古吳三樂齋」梓印行世。乾隆五年

（1745），「三樂齋」又重刻再版，再版序言稱「是編既出，一時紙貴」。從傳播學的角度分析說明，在康、乾之際，對朱子之學「毀於從朱之人」的認識，已不再是李氏兄弟個人的反思。

無獨有偶，哈佛燕京藏《總目》、《續目》未收清人《四書》經著中還有一部類似之書，這就是（清）陳其凝輯《四書朱子或問語類》三十六卷，乾隆十二年（1747）刻本。陳其凝，字秋崖，江蘇上元人。雍正八年（1730）進士，嘗督學三秦、兩浙，官至太仆寺少卿。《（同治）上江兩縣誌》卷十四〈科貢譜〉有傳。是編乃刪取朱子《或問》、《語類》，與《四書章句集注》合輯而成。各卷正文首錄《章句集注》，以下依次節錄《或問》、《語類》，僅此而已，別無《四書朱子異同條辨》之辨正考訂。雖然稍嫌簡單，但此書的刊印傳播卻別有意義，因爲這是陳其凝在督學兩浙期間，爲矯正時趨而作的努力。陳其凝在卷末〈附記〉中記述了該書編纂刊印的緣由：

> 今復奉命督學兩浙。浙水東西，文章華且麗矣，求其不悖《語》、《孟》之旨，而潛究於朱子之書者蓋寡。推其弊，皆講章之習誤之也。講章始於前明，沿習日久，其流益甚。操觚之士，好逸惡勞，樂趨簡便，人執一編，奉為拱璧，日習於含糊影響之說，而《語》、《孟》之旨日遠日悖。
>
> 《朱子全書》頒行天下，宜人人誦而習之，乃學者每苦卷帙浩繁，望洋而歎，非有以開其塗而引其端不可也。今取《或問》、《語類》，刪其辨難之說，汰其重複之條，

> 刻以成書，使讀書之士不致畏難而止。
>
> 是此編實為讀書窮理之士導之先路，多士其卒業焉。

又納蘭常安序曰：

> 我朝推崇正學，於《四書》獨尊朱注，而帖括者往往墨守章句，不觀《或問》、《語類》二書，是猶取布帛以為衣，而未竟其幅也。先生督學兩浙，於今三年矣。力以矯正時趨，復慮學者不知求諸根原之地，復為是刻，以資切劘，庶幾於聖賢之意，批窾導窾，砉然以通，而非僅為絺章繪句之習也。

這兩篇文獻至少透露出這樣兩個資訊。其一，乾隆前期，即便是在兩浙人文薈萃之地，官學士子承襲前明講章之習的流弊依然嚴重存在。其二，有見識的官學主持人也通過清理經學文本的辦法，以求糾正操觚之士墨守章句的積習，回歸「讀書窮理」的正途。

讓我們再來看（清）李灝撰《四書疑問》三十八卷，乾隆間自刻本。李灝，字柱文，號滄江，江西南豐人。嗜古力學，淹貫經史，有名諸生間三十餘年。雍正八年（1730）歲貢，乾隆元年（1736）薦試博學鴻詞不遇，後授官永寧縣學訓導，課士有方。著述又有《五經疑問》。《（同治）南豐縣誌》卷二十五〈人物志〉有傳。此書或稱《四書朱子疑問》。按其編例體式，各卷但標立《四書》章節，不錄經文傳注，如《大學疑問》卷上〈大學之道節〉、《論語疑問》卷十二〈顏淵問仁節〉；各章節下，首引朱子訓解闡釋而評析之，次引宋元明及近儒諸說而論議之。既爲「疑問」，書中自不乏獻疑立異之處。然此書乃爲朱子《四書章句集注》獻疑，與（明）姚舜牧《四書疑問》的質疑，立足點完全不同。陽明一派的姚舜牧是以立異說來攻朱，而李灝立異卻是遵朱，被宋學領袖、大學士朱軾（1665～1736）稱爲「朱子門中獻疑弟子」。朱軾籍貫高安，與李灝同爲江西人，因大學士安溪李光地（1642～1718）的引薦而認識李灝。[7]雖說朱軾是個「事事遵朱子」的鐵幹派，[8]但對李灝《四書疑問》與朱子立異卻給予充分的理解和肯定，特撰書序稱許說：

> 竊歎朱子之學，廣矣大矣，夫豈後學所克窺其津涯、探其窔奧！然此心此理，千聖同軌，義苟有疑，何妨直溯千載之上，面稽親質。義誠證合，安知前聖不神遊千載下，引為知己！
>
> 今按是編，就朱訂朱，不為無見，因許可作朱子門中獻疑弟子。

同樣是來自「宗朱者」內部的自我反思和批判，學理上的「就朱訂朱」，要比文獻上「奉朱子之書以正《大全》襲用《輯釋》

[7] （清）朱軾《四書疑問》序曰：「及安溪厚庵李公為予言，聞西江有李生灝者，能自著書，堪引共語，緣是知有李生。李生者，吾鄉建郡人也，第李鳳岐公門下徒，因獲以所述郵獻。」又序稱雍正十一年（1733），李灝抵京師，拜謁朱軾，並出示《四書朱子疑問》請正，軾「嘉其篤學，執手登床，談論數月。」載清乾隆間刻本李灝撰《四書疑問》卷首。

[8] 語見《四庫全書總目・儀禮節要提要》（臺灣：中華書局，1965 年），頁205。

之謬」，自然要更深入一層。

和朱軾一樣，宋學大家方苞也對李灝和他的著述極爲讚賞。乾隆元年，李灝復以鴻詞就試入京，拜見方苞，並「出所訂《朱子疑問》商榷」。方苞閱後，歎喟李書能「先得我心，早發其覆」，遂爲之序，大發感慨曰：

> 吾謂當今之害，不在異端、俗儒，並不在僞儒。僞儒之害，害其從事斯道者也。當今之害，患在群奉真儒，不知別白，貿貿焉，是其所非，非其所是，反授外道以入室操戈之柄，而害且遍天下。
>
> 朱子之學，孔孟以後所稱世間真儒也。其德其業雖集群聖之大成，而畢生纂述豈無前後異詞、彼此異見者乎？又豈無因人異說、考覆失是者乎？至於《語類》所編、《文集》所載，錯雜抵牾，頗若飛蓬亂繭。外吾教者，適樂藉此以售其黨邪陷正、陰釋陽儒之計。而寶《全書》者，方且曲意彌縫，左右調合，資以說經，作為制舉義，是重朱適以輕朱也。
>
> 今李生，西江人也。西江之學，多左象山陸氏，而李生獨宗朱子，且於朱子知所抉擇。
>
> 余始喟然太息，謂李生是編，知者許為紫陽功臣，不知者必斥為狂為僭，然而善讀朱子者，其必有以察之矣。

序文值得回味的並不在於方苞竟用「紫陽功臣」一詞來高度評價李灝，而在於他看到並指出當前朱學的最大危害來自內部，來自那些口頭上尊奉朱子，腦子裏卻「貿貿焉，是其所非，非其所是」的糊塗蛋；還在於他不諱言朱子《四書》學說確實存在可以商榷的疑問，倘若曲意彌縫，一味回護，結果只會「反授外道以入室操戈之柄，而害且遍天下」。方苞的話提升了《四書疑問》的理論意義，「重朱適以輕朱」，反映了「宗朱者」的自我反思愈趨客觀和成熟。這是否清中葉儒學發展的一個重要動向？至少我們可以從以上《總目》、《續目》未收清人經籍中獲得一點啓示。

三、「經學、制舉，取之皆宜」：清初經學發展的「第三條道路」

自北宋科舉改以經義取士，專爲應試者編纂刊印的制義講章便應運而生。元明以降，科試選士越來越從經義偏向文章，從內容偏向形式，原爲研求古代聖賢修身治政之道的讀經，逐漸異化成了爲競取場屋比試勝出之術的讀經。於是，爲迎合世俗士子讀經應試取用的講章時選，愈發氾濫於圖書市場，其流弊之極，已由無學術發展爲害學術。學問與功名既分二途，求學問的經學專著與求功名的世俗讀本也就截然互不相宜：經學之書不宜場屋，制義之書不宜學問。然而，就在十七世紀下葉的清順治至康熙中期，圖書市場出現一種標榜「經學、制舉，取之咸宜」，試圖兼顧學問與功名的經籍。這種既非純學術研究，亦非唯應試是從的出版物，有異於通常意義的經學專著和應試讀本，我姑且稱之「經學讀本」，並對此經籍異類的社會文化意義甚感興趣，曾以清康熙刻本楊梧《禮記說義纂訂》爲典型案例，撰文探究這一圖書出版現象及其與清初經學、科舉的關係。[9]《禮記說義纂訂》一書，已被《續四庫全書總目提要》收錄，按理不在本文敘述範圍，但爲了把這種經籍異類的經學意義交代清楚，仍在此稍作介紹。

（清）楊梧撰《禮記說義纂訂》二十四卷，康熙十四年（1675）楊氏刻本。楊梧，字鳳閣，一字嶧珍，號念劬，陝西涇陽人，生於明萬曆十一年（1583），卒於清順治十五年（1658）。據傳關西楊氏系出東漢以清白名世的楊震一族，自明代以來，家世學《禮》，屢中高科，楊梧本人在萬曆四十年（1612）以《禮記》魁鄉試，後從子楊昌齡又於弱冠之齡以明《禮》舉鄉薦第一，復登進士第。於是「海內治禮學者率以爲宗，經其指授，輒取上第，家子弟以其學售者比比，鄉里之士從遊者踵恒相接」。關西楊氏禮學因科舉應試「成功率」而爲世俗士子推崇，但楊梧看待禮學與制舉的關係卻非同世俗。首先，他認爲學《禮》是爲了救世，「每對人曰：『世道交喪，挽回之力，唯禮爲大。』又曰：『教子者不始於〈曲禮〉、〈內則〉，明經者不察於〈喪禮〉、〈祭義〉，而欲感發天良，端本治興，其道無繇。』」其次，他以爲學《禮》雖不爲搏求功名，然有志者只有通過經試才能入仕，唯入仕才能經世致用，故經學雖不專爲應制，卻也不必廢應制，嘗言：「經學雖不專爲應制，

---

9 參見嚴佐之：〈「經學、制舉，取之咸宜」：十七世紀下葉的一種經學讀本〉，鞏本棟主編：《思想家Ⅱ：中國學術與中國思想史》（南京：江蘇教育出版社，2002 年）。

而明體適用，聖王之道，苟有用我，執此以往。」第三，楊梧認為「科舉原以明經」，學《禮》與制舉並無根本矛盾，矛盾是由學《禮》者不治禮經而專工應制所造成的。專工應制之所以有害禮學，一是因《禮》科試士單取《禮記》而棄《儀禮》、《周禮》不用，以致《三禮》割裂，無法通觀達義；二是因《禮記》試士單取（元）陳澔《禮記集說》而棄先儒疏義之書不用，以致學者誦習訓詁，抱殘守己，一切儀文制度廢不講求。楊梧想讓仰慕其名的世俗士子明白，以為楊氏家族是靠什麼家傳祕訣來擅勝場屋，實在是對楊氏禮學的誤解和曲解；恰恰相反，為博大精深之學而非專工應制之業，才是楊氏以明禮取高科的成功經驗。《禮記說義纂訂》一書，就是楊梧對家傳禮學的經驗總結。他在該書〈自序〉裏說：

> 《禮記》者，解《周禮》、《儀禮》之義者也。作者不一，舛雜多端。然二戴原文未經紊亂，馬融、王肅之注，雖缺佚有間，鄭、孔而下逮於《集說》、《大全》，犁然具在，通其義者，舉而措之，天下無難矣。近代專工應制之業，家有摘錄，人矜祕本，而廢棄《二禮》，刪削〈喪〉、〈祭〉。科舉原以明經，吾懼《禮》之亡於科舉也，不揣固陋，擬著一書，上窮淵源，下光發揮。

可見楊梧編撰此書的主要目的是明經治學，而非舉業應試。但奇怪的是，《禮記說義纂訂》的編撰體例卻又明顯帶有照應舉業應試的特徵，如〈凡例〉云：

> 玆編如〈樂記〉諸篇內多科舉題目者，於篇名上圈以識

> 之，庶於舉業，知所措意。

爲什麼會出現這樣的情況？楊梧從子楊昌齡在《刻〈禮記說義纂訂〉記略》中說了這麼一句話：

> 順治丙申，先叔父春秋七十一矣，閉戶經年，著成此書。其苦心為人處，經學、制舉，取之咸宜。

「經學、制舉，取之咸宜」——既適合治學，又適合應試，這似乎是一個全新的經著理念；「苦心爲人」，說明這並非著者無心的巧合，而是他刻意所爲。那麼，楊梧爲什麼要用心良苦地撰著這樣一種不同以往的經籍異類呢？康熙名臣徐乾學（1631～1694）爲此書所作的序裏有一段話，可謂道破「玄機」，序曰：

> 觀其鉤微擷要，固科舉家所必資，而參覆儀制，不限吉凶，無分章過脈之拘，無析言破義之俗，灼然異於俗學。今使巖谷韋帶之儒，禁人勿為帖括，人必笑其迂疏。楊公父子以明《禮》取高科，而著書有源本如此，且不自祕惜，公之人人，使知治經無他奇術，相與勉為博大精深之學，講誦者不苦其繁，而禮學不遂歇絕，甚盛心也！

筆者以爲，「今使巖谷韋帶之儒，禁人勿爲帖括，人必笑其迂疏」，便是楊梧不得不「苦心爲人」的客觀原因。那正是順、康之際經學面臨的尷尬：一方面，明末清初以來對明學空疏的反思仍在繼續，「反經正學」思潮的影響仍在；另一方面，因清廷重開科舉，世俗學子急切功名的利欲之求迅速回潮，以致人人競趨場屋，不思讀經明理，非講章時文不觀，學術著作無人問津。經學發展受到嚴重阻擾，治學者要麼堅持皓首窮經，繼續著書立說，要麼屈從世俗，也「下海」編纂制義講章。但也有「巖谷韋帶之儒」如楊梧者，雖不能「禁人勿為帖括」，又不甘休丟棄自己的經學研究成果，卻又無奈閱讀市場的冷落蕭條，於是不得不在堅持學術還是屈從科試之間，另闢蹊徑，走學術、舉業二者兼顧的「第三條道路」。因此，「經學、制舉，取之咸宜」這類經學讀本的出現，反映了順、康之際經學與科舉的緊張，及其發展的曲折走向。

「經學、制舉，取之咸宜」這類經學讀本具有以下基本特徵：第一，其必由「身出於科舉者」，即曾經獲得功名的「成功人士」所編撰，若出自世襲專經、累取高科者之手最佳。第二，其必有「科舉家所必資者」，即對應試必有裨益的內容或形式，如經義訓釋仍遵行官方規定的傳注，編排體例仍採用制義講章的一些特點，或在容易取作試題的經句上識別字號，或用二截版、三截版的版式分隔經疏訓釋。第三，其經義訓釋必有「異於俗學」者，即其訓釋經義必定超出官方指定的傳注範圍，使讀者知帖括墨義外「別有天地」。第四，其刊印發行必不以牟利為主要目的。第五，其閱讀對象必以習舉業者為主，但又不限於習舉業者。

如果「經學、制舉，取之咸宜」僅僅是楊梧《禮記說義纂訂》一家的特例，那麼「經學讀本」就只是一種孤立、偶然的出版物，而不能構成一種圖書出版現象，當然也就不能反映什麼經學發展的動向問題。但事實是，當筆者爲發現《禮記說義纂訂》的「苦心爲人處」而感到驚訝之後，又在撰寫書志的過程中驚喜地看到多種類似的「經學讀本」，包括《總目》、《續目》未收之書。這些經著雖然未必明確講要「經學、制舉，取之咸宜」，但審其體制，卻與《禮記說義纂訂》大致相同。比如前文提到的康熙刻本汪份撰《增訂四書大全》，從版面款式來看，該書也是舉業讀本：二截版，下截刻《四書大全》，上截刻增注文字，行間刻圈點，書口下刻「遄喜齋讀本」。但就其名義和內容來看，「增訂」《四書大全》是試圖恢復被《大全》割裂、歪曲的原來面目，有一定的學術思想意義。且書前韓菼序曰：「予嘗論科舉文字須兼通漢唐諸儒注疏，而折中於朱子，則士知說學而經義弗墜。」「《增訂大全》一書，其有功於教學者匪小。」特爲讀者點明此書在改造科舉教育方面的學術意義。

若以未收清人經籍爲例，則有（清）葛世揚撰《周易述解辨義》四卷，康熙間李安仁刻本。葛世揚，字懋哉，浙江鄞縣人。祖仁美，字龐里，號海門，以治《易》名世。子繩先，字詵宗，號巽亭，少承家學，亦精《易》說。《(光緒）鄞縣誌》卷四十二〈人物〉有繩先小傳，世揚附之。按鄞縣葛海門先生，嘗以《易》學魁天下，所注《周易要言》，流播一時，洛陽紙貴。世揚稟承家學，因本先祖之說，而參諸他書，間附己見，乃成此書，後由門弟子李安仁捐貲刊行。此書說《易》宗朱子《本義》、胡廣（1370～1418）《易經大全》，版式分爲上下兩截，行間刻圈點，一似坊刻制義講章。然葛氏述解《易》義，並非徒爲習舉業者作津梁。據〈凡例〉曰：

> 《易》解向宗《衷旨》，固已家置一編，人手一集。顧其為書，大約抹去象占，籠統立說，且為制舉家言，輒好作冠冕語，竟忘爻象面目，附會雷同，習焉莫察。

又葛繩先〈序〉曰：

> 比長，提命諄切，嘗謂人不精研經史，徒肆力制舉家言，直如土飯塵羹其為饜飫幾何！

說明葛氏並非專爲制舉家撰著此書。而仇兆鼇序更是提醒讀者說：「吾願學者不徒奉爲科舉之律，亦勿視爲卜筮之書，沉潛反復，朝夕觀玩，由此而入道也不難矣，寧僅訓詁家言而已哉！」

又如（清）沈磊、陸堦（1619～1701）撰《四書大成》三十八卷，康熙三十三年（1694）張鵬翮（1649～1725）刻本。體制結構亦如《禮記說義纂訂》，而作者著述之旨，乃在「悼朱子之意不大彰明於天下也，即永樂《大全》一書，駁雜重複，不足以爲定本，故就其書而刪定之」。[10]該書由張鵬翮巡撫兩浙時刊印於著名的錢塘萬松書院，據載傳習此書的書院諸生有來自杭、嘉、湖、寧、紹、臺、金、嚴、衢、處十府生徒一百又五人。再如《方百川先生經義》不分卷，（清）方舟撰、方觀承（1698～1768）輯評，乾隆間寫刻本。方舟，字百川，號錦帆，安徽桐城人，寄籍上元。康熙初諸生，與弟苞習制舉業，一時名士多就正學業。方觀承輯評《方百川先生經義》，編次

---

[10] （清）沈士靖《四書大成》序，載清康熙三十三年（1694）張鵬翮刻本《四書大成》卷首。

悉准制科命題，是亦出於習舉業者方便考慮。然編者併特意提醒：「所謂經義者，貴闡發聖賢精蘊，文成而法自立。先生經義，獨抒心得，自與古化」，「先生之文，羽翼經傳，尤不可以帖括稱也。」故其評點，「凡向用八股之說稱許者，概從刪削。」爲什麼？方觀承說：「恐世之學者猶以時文視先生文也。」凡此種種，固然尚不能充分證明「經學、制舉，取之咸宜」確實是清代順康雍乾時期的出版現象，但至少能證明這不是只有《禮記說義纂訂》一個特例。因此，把這些經籍異類作爲儒學史的思想資源來考察，似亦不爲過分。

以上僅僅是筆者的一些淺薄思考，名曰探微，實則並無深刻見解。然而之所以不揣簡陋，只是爲了引起大家對《總目》、《續目》未收經籍文獻價值的更多關注。

美國大學東亞圖書館的發展、現況及展望

周　原*

東亞藏書在美國大學中的建立始於十九世紀七十年代，至今已有一個多世紀。這期間，隨著東亞研究方面的課程以致科系在美國大學中的設立、生根、發展與普及，東亞藏書也從無到有，從少到多，成長爲今天在美國大學圖書館中最具規模、最成系統的外文圖書典藏，並形成了以東西兩岸和中西部各館爲三大支柱的、涵蓋全美的藏書格局。本文擬對美國大學東亞藏書的規模與地區分佈先略作介紹，再就東亞圖書館在美國大學中的發展歷史、現況以及所面臨的挑戰做些簡要的敘述與粗淺的探討。

一、東亞藏書的規模與地區分佈

根據美國東亞圖書館委員會（Council on East Asian Libraries，簡稱 CEAL）發表的最新年度統計，截至 2003 年 6 月，全美被收入該年度統計的四十一所大學東亞圖書館，共收藏各種中日韓文獻（不包括有關東亞的西文圖書資料）一千一百五十多萬冊。如除去非書資料，僅計圖書和裝訂成冊的期

* 現任美國芝加哥大學東亞圖書館館長。

刊，共爲一千零七十五萬冊。其中中文藏書六百五十多萬冊，日文三百五十多萬冊，韓文六十六萬多冊。

依藏書規模，本文將這四十一所東亞藏書分爲四組。第一組爲藏書在四十萬冊以上者，共有十一所。第二組爲藏書在十五萬冊以上、四十萬冊以下者，共九所。第三組爲藏書在十萬冊以上、十五萬冊以下者，共十二所。第四組爲藏書在十萬冊以下者，共九所。[1]

美國大學圖書館東亞藏書2002～2003年度統計

機構	類型	Total Vols Held June 30, 2003				
		中	日	韓	非書資料	合計（CJK）
Group I	400,000 and above					
Harvard-Yenching Library	P	603,769	277,088	116,693	145,412	**1,142,962**
California, Berkeley	S	407,971	346,617	63,647	78,582	**896,817**
Michigan	S	363,555	280,784	15,067	75,140	**734,546**
Columbia	P	353,605	265,666	55,688	45,040	**719,999**
Yale	P	422,990	240,493	10,000	11,020	**684,503**
Princeton	P	443,494	170,191	15,889	37,998	**667,572**

[1] 數據源於 "Council on East Asian Libraries Statistics 2002～2003," *Journal of East Asian Libraries*, 132 (February 2004), pp.11～35.本文在使用時作了必要的選取與計算，訂正了個別錯誤。

Chicago	P	380,804	192,654	40,571	44,540	**658,569**
Cornell	P	351,349	131,171	6,830	38,183	**527,533**
California, Los Angeles	S	255,097	162,863	38,616	17,403	**473,979**
Stanford	P	255,115	171,963	0	31,035	**458,113**
Washington	S	246,311	128,845	79,783	2,135	**457,074**
小　　結		4,084,060	2,368,335	442,784	526,488	**7,421,667**
Group II	150,000-399,999					
Hawaii	S	142,125	117,861	55,104	30,914	**346,004**
Ohio State	S	139,484	92,030	4,144	54,613	**290,271**
Pittsburgh	S/P	216,507	57,999	3,244	8,361	**286,111**
Illinois-Urbana	S	157,689	65,918	12,217	9,820	**245,644**
Indiana	S	125,638	64,969	15,945	5,309	**211,861**
Arizona	S	150,585	50,673	0	1,049	**202,307**
Pennsylvania	P	128,959	63,195	4,593	1,022	**197,769**
Kansas	S	121,356	65,569	3,085	7,314	**197,324**
Wisconsin	S	120,749	64,072	3,726	1,150	**189,697**
小　　結		1,303,092	642,286	102,058	119,552	**2,166,988**
Group III	100,000-149,999					
Minnesota	S	95,702	33,528	1,746	8,945	**139,921**
Washington, St. Louis	P	81,758	49,741	1,407	4,730	**137,636**
North Carolina	S	120,853	5,653	323	10,799	**137,628**
California, Santa	S	85,332	46,618	1,167	2,028	**135,145**

Barbara						
California, San Diego	S	67,337	48,845	5,540	7,629	**129,351**
Southern California	P	41,640	26,731	60,550	426	**129,347**
Rutgers	S	115,192	9,040	2,279	5,088	**131,599**
Maryland	S	45,018	60,010	7,082	4,209	**116,319**
California, Davis	S	43,094	25,906	2,497	44,755	**116,252**
Calidornia, Irvine	S	73,137	27,772	11,779	0	**112,688**
Brown	P	94,453	11,274	4,826	786	**111,339**
Taxes,Austin	S	53,630	51,659	2,547	1,639	**109,475**
小　結		917,146	396,777	101,743	91,034	**1,506,700**
Group IV	Under 100,000					
Arizona State	S	51,222	22,483	1,689	72	**75,466**
Duke	P	18,735	45,947	2,489	4,536	**71,707**
Brigham Young	P	47,084	14,183	6,409	0	**67,676**
Georgetown	P	26,260	23,620	3,953	497	**54,330**
Virginia	S	31,667	7,577	322	699	**40,265**
Florida	S	19,813	10,826	610	3,516	**34,765**
Michigan State	S	25,123	5,965	440	81	**31,609**
Penn State	S	13,425	6,031	8	1,412	**20,876**
Emory Univ.	P	7,080	2,318	182	61	**9,641**
小　結		240,409	138,950	16,102	10,874	**406,335**
總　計		**6,544,707**	**3,546,348**	**662,687**	**747,948**	**11,501,690**

根據表列的數據，可以看出美國大學東亞圖書館的藏書在分佈上有如下值得注意的特徵：一是第一組的十一所大型東亞館雖然只佔館數的 27%，其藏書總數卻佔到四十一館總藏書量的 65%；其餘三十所東亞館的藏書約佔總藏量的 35%。二是在除匹茲堡大學以外的四十所東亞館中，[2]十五所屬私立大學，佔 37.5%；二十五所屬公立大學，佔 62.5%。十五所私立大學東亞館的藏書總量爲五百六十三萬八千多冊，較二十五所公立大學東亞館的總藏量五百五十七萬六千多冊略高。三是第一組的十一所大型東亞館中，七所屬私立大學，佔 64%。在八所藏書各在五百萬冊以上的大館中，屬私立大學者爲六所。四是在第二、第三組的二十所中型東亞館中（匹茲堡除外），屬公立大學的爲十六所，佔 80%。屬私立大學的爲四所，佔 20%。五是在第四組的九所小型東亞館中，五所屬公立大學，四所屬私立大學。

這四十一所大學東亞圖書館在地域上的分佈，大致如下：東部十三所，包括哈佛燕京、哥倫比亞、耶魯、普林斯頓、康乃爾、匹茲堡、賓夕法尼亞大學、新澤西州的羅特格大學、馬里蘭、位於羅德島州的布朗大學、位於首都華盛頓的喬治城大學、佛吉尼亞和賓州州立大學。西海岸十所，包括加州大學伯克萊分校、洛杉磯分校、斯坦福大學、位於西雅圖的華盛頓大學、夏威夷、加州大學聖芭芭拉分校、聖地亞哥分校、戴維斯

[2] 匹茲堡大學雖為私立大學，但又由賓州州政府撥發一定的年度教育經費，情況特殊。

分校、爾灣分校和南加州大學。中西部十所，包括密西根、芝加哥、俄亥俄、伊利諾、印第安納、堪薩斯、威斯康星、明尼蘇達、位於密蘇里州的華盛頓大學和密西根州立大學。南部七所，包括愛利桑那、北卡羅萊納、得克薩斯、愛利桑那州立大學、位於北卡州的杜克大學、佛羅里達和位於喬治亞州的埃莫瑞大學。中部山區一所，位於猶他州的楊百翰大學。

需要說明的是，美國大學圖書館建有東亞藏書者並不止這四十一所。東亞藏書未列入該年度 CEAL 統計的，大約還有二、三十所。這些單位大致屬於三類情況：一是由於各種原因未參加該年度統計的 CEAL 成員館，如中西部的愛荷華（Iowa），中部山區的科羅拉多（Colorado），西海岸的俄勒岡（Oregon）、加州的克萊爾蒙特學院（Claremont）和加州大學的河邊分校（UC-Riverside）等。二是一些較早成立但多年來已不再活躍的東亞藏書，如新罕布什爾州的達特茅斯學院（Dartmouth），紐約州的羅徹斯特大學（Rochester），新澤西州的聖約翰大學（St. John's）和俄亥俄州的歐伯林學院（Oberlin）等。三是一些較新的、尚待發展的收藏，如屬於紐約州立大學系統的稟哈明頓大學（Binghamton）等。另外，一些大學中的專業收藏，如哈佛和華盛頓大學的東亞法律收藏，哈佛大學的費正清當代中國研究中心的收藏，本文亦未收入。

二、東亞藏書的草創與初始發展

東亞藏書在美國大學中的發端大致可以追溯到一百二十

多年前。1878 年，畢業於耶魯大學（Yale University）的第一位中國留學生容閎（1828～1912，1854 年畢業），感念母校對他的培養，贈送耶魯大學《古今圖書集成》一套。正巧年前該校新創中國語文講座，遂促使東亞藏書在耶魯大學圖書館正式建立。[3]爲便於表述，本文將自彼時起至今一個多世紀以來東亞圖書館在美國大學中的發展粗分爲三個階段。第一階段從 1878 年起至 1945 年二次世界大戰結束止。第二階段從 1946 年始至 1979 年止。第三階段自 1980 年始至今。

1878 年至 1945 年二戰結束是東亞藏書在美國大學圖書館初步發展的階段。今天在美國大學中收藏最豐的東亞圖書館大多始建於這一階段。收藏之始多以中文爲主，而建立收藏最常見的起因一是爲配合學校初設的有關中國語文和研究方面的課程，二是得益於私人捐助的推動。前者如哈佛大學。該校於 1879 年設立中國語文講座，並開始收藏中文圖書，至 1925 年聘請在該校留學深造的裘開明先生（1898～1977）主持中日文藏書，並在 1927 年成立哈佛燕京圖書館，時擁中日文藏書逾七千冊。[4]又如加州大學伯克萊分校（University of California——Berkeley），該校在 1896 年設立中文講座，由曾在江南製造局參與譯書的英國人傅蘭雅（John Fryer，1839～

[3] *About Yale University East Asian Library* [online].[cited 26 April 2004]. Available from World Wide Web: http://www.library.yale.edu/eastasian/eastasia.htm#history

[4] Eugene Wu, "The Founding of the Harvard-Yenching Library," *Committee on East Asian Libraries Bulletin*, 101 (Dec. 1993), pp. 65～69.

1928)任教，並以傅氏帶回的中文圖書始建中文收藏。傅氏 1915 年退休，由江亢虎（1883～1954）接任。江氏將一千三百冊中文私藏捐贈，初步奠定該館中文藏書。後者如哥倫比亞大學（Columbia University）。二十世紀初，哥大校友-卡彭特（Horace W. Carpenter)爲宏揚爲他工作過的中國工友丁良所代表的中國文化捐資二十萬美金，以助該校創立中文系。以此爲基金，哥大在 1904 年設立丁良（Dean Lung）中文講座，並於次年成立中文圖書館。[5]又如康乃爾大學（Cornell University）先於 1914 年收到格理菲斯（William E. Griffis）捐贈的日文圖書、雜誌和地圖兩千餘冊，又於 1918 年接受校友威森（Charles W. Wason）捐贈的九千多冊有關中國的中、英文圖書和五十萬美金贈款，並由校董會正式決議在圖書館建立威森藏書（Wason Collection），以贈款爲基金，繼續蒐集中文及有關中國方面的圖書，永久收藏。[6]在這一階段建立東亞收藏的大學還有普林斯頓大學（Princeton University）、芝加哥大學（University of Chicago）、夏威夷大學（University of Hawaii）、賓夕法尼亞大學（University of Pennsylvania）和位於加州的克萊爾蒙特學院

---

[5] 錢存訓：〈歐美各國所藏中國古籍簡介〉，《中美書緣》（臺北：文華圖書館管理，1998 年），頁 77～112。

[6] Paul P. W. Cheng, “Opening Address to the Sixtieth Anniversary of the Wason Collection Commemoration Conference,” in *Wason Collection Sixtieth Anniversary Conference* (Cornell University, 1979). Ithaca, NY: Cornell University Libraries, 1979, pp.1～6；“History of the Wason East Asia Collection” *http://www.library.cornell.edu/Asia/ea.html* (visited on April 26, 2004).

（Claremont College）等。[7]普林斯頓大學東亞收藏的正式建立得益於該校在 1937 年購入寄存在加拿大麥吉爾大學（McGill University）的葛斯德（Guion W. Gest）中文藏書約十萬冊，包括宋、元、明刊本近三萬冊，並因此得名「葛斯德東方圖書館」。[8]芝加哥大學於 1936 年設立中文及中國歷史教學，聘請曾在中國留學進修三年的顧立雅博士（Herrlee G. Creel，1905～1996）任教，並於同年建立中文收藏，亦由顧氏主持。1943 年該館購入著名德國漢學家勞佛（Berthold Laufer，1874～1934）清末訪問遠東期間爲在芝加哥市的紐布萊圖書館（Newberry Library）所購中、日、蒙、滿、藏文圖書共兩萬多冊，豐富了該館的古籍善本收藏。[9]

此階段東亞藏書在美國大學圖書館中的發展總體上講較爲緩慢，各館對藏書均缺乏系統收集，所藏偏重文史，很少當代書刊。大多數圖書館的日常購書經費甚少，更缺少長遠的發展規劃，因而在藏書範圍的廣度和深度方面都遠未達到研究圖書館（research collection）的標準。一些圖書館中較有特點的收藏往往是購入或某人捐贈藏書的已有特點之反映，而非源於該館的系統收藏。由於缺少專業人員的管理，許多館的大部分

---

[7] Tsuen-Hsuin Tsien, *Current Status of East Asian Collections in American Libraries* (Washington, D.C.: Center for Chinese Research Materials, 1976), pp.10～11.

[8] *History of the East Asian Library and the Gest Collection*, Princeton University [online].[cited 26 April 2004]. Available from World Wide Web: http://libweb2.princeton.edu/gest/guidesframeset1.htm

[9] 同註 5，頁 94。

（有的甚至幾乎全部）圖書均未編目，不便查找使用。隨著藏書數量的增長，問題日益突出。以上情況，尤以本階段前期更爲明顯。究其主要原由，概因本階段東亞研究在各大學中尙不發達。不僅設立科系的大學較少，且課程設置趨於單一，多集中於對中、日文語言的講授，輔之以少許文、史、哲方面的課程。這和美國政府和學術界整體上對東亞地區的興趣有限直接相關。鑒於這樣的大環境，大學和圖書館高層對東亞藏書的建立和發展不夠重視，也就不難理解了。這種情況在本階段的後期有了一定的改善，而這一改善首先得益於學界的推動。

自二十世紀二十年代後期，美國學術團體聯合會（American Council of Learned Society）和隸屬於其下的東方學會（American Oriental Society）每年舉辦年會並曾多次召開有關中國和日本的特別會議，且成立中日研究促進會（Committee on the Promotion of Chinese and Japanese Studies），舉辦各種學術活動，出版《遠東研究簡報》（Notes on Far Eastern Studies in America）[10]以加強東亞研究學者之間的交流，向學界介紹和宣傳東亞研究的現況和進展，提昇學術界對東亞研究的關注和興趣。美國學術團體聯合會屬下的美國語言學會（The Linguistic Society of America）也爲開展中日文的教學作出倡導和推動。1931 年，油印的《期刊所載中國研究文章簡目》（A List of Periodical Articles on Chinese Subjects）開始通過美國學術團體聯合會在小範圍內發行。這一簡目後來演變爲著名的《亞洲研

---

10 〈美洲東亞圖書館的沿革和發展〉，同註 5，頁 113～127。

究書目》(Bibliography of Asian Studies),先作爲《遠東季刊》(The Far Eastern Quarterly)的一部份隨刊發表,後發展爲獨立的連續出版物,是亞洲研究領域最重要的書目工具之一。[11]1941 年遠東學會(Far Eastern Association,後擴展爲亞洲研究學會 Association for Asian Studies,延續至今)的成立,顯示了東亞研究在美國學術界的成長,是東亞研究發展史上的一件大事。由該會主持的學會年會、主辦的《遠東季刊》(即今日的《亞洲研究學刊》*Journal of Asian Studies* 的前身)和出版的《亞洲研究書目》以及其他專著、專刊爲推動東亞研究在美國的進一步發展居功至偉。

美國政府在二次世界大戰爆發後,特別是珍珠港事件以後,也大大加強了對東亞地區的關注。由於對日作戰的需要,政府急需在各軍種中培訓日語人材以及後來佔領日本所需的文職人員,遂在有關大學投入資金,建立以此爲目的的專門培訓中心(the Army Specialized Training Program and the Civil Affairs Training Program),進行口語和有關地理、歷史及社會基本知識的培訓。密西根大學(University of Michigan)自 1935 年開始就設立了日語課程,此時配合軍方,成立了培訓軍方人員的日文學校(Japanese Language School)。此舉對該校戰後在東亞研究,特別是日本研究方面的發展,頗具影響。學界推動和政府關注之外,東亞圖書館界自身的努力也爲這一階段後期

---

11 Earl H. Pritchard, "Origin and Development of the Bibliography of Asian Studies," in *Library Resources on East Asia* (Switzerland: Inter Documentation Company, 1968), pp. 9～15.

東亞藏書的建設與發展做出了貢獻。其中最爲重要者當屬 1943 年由哈佛燕京圖書館裘開明先生主持編製的《漢和圖書分類法》的出版。該法的編制，使東亞圖書館終於有了適用於組織和查檢中日文藏書的一個基本工具。該法出版後，多爲當時的東亞館所採用。裘氏還首次採用了在中日文卡片上加注羅馬拼音，以其爲序排列卡片，組織目錄。對中文目錄來說，此舉以音序取代了以部首、筆劃排卡的傳統方式，大大方便了讀者，也加快了排卡速度，在當時是一項意義重大的變革。[12]此法爲東亞圖書館廣泛採用，沿用多年。

三、東亞藏書的壯大與繁榮

自二次大戰結束至七十年代末是東亞藏書在美國大學圖書館中極大發展的階段。二次大戰的經歷及戰後世界格局的變化使美國政府深刻認識到其對世界上廣大非英語地區政治、社會、文化、歷史了解之匱乏，以及美國公民中精通東亞語文、熟悉東方歷史文化的人材之短缺。戰後美軍對日本的佔領、中國大陸政權的更迭以及韓戰的爆發，都使美國進一步感受到加強對東亞地區的研究和了解，培養這方面人材的迫切需要。這種必須有效地改善對世界非英語地區的了解，加強培養相關專門人材的看法，也成爲許多工商界和學術界人士的共識。1946 年，美國的社會科學研究聯合會（The Social Science Research

---

[12] 同註 4，pp.67～68。

Council)成立了世界地區研究委員會(The Committee on World Area Research)。該會資助了一系列關於在美國大學中地區研究(area studies)發展現狀的調查，爲有關決策者提供參考。許多頂尖大學都加強了對地區研究項目的投入，增設了一些以世界各主要地區爲研究對象的研究所、中心、專業和專門委員會。高教界的這些努力得到了包括洛克菲勒基金會(Rockefeller Foundation)、卡內基基金會(Carnegie Foundation)和福特基金會(Ford Foundation)在內的一些大基金會的財政支持。1958年，美國政府在前蘇聯於1957年10月成功發射第一顆人造衛星的震動下，通過了國防教育法案(National Defense Education Act)。根據法案的第六條款(Title VI)聯邦政府資助在全國各大學建立了五十五個語言和地區研究中心。由政府定期提供給各中心一定的資金，用於發放研究生獎學金、購置語言教學所需教材和設備以及資助圖書館建設和發展相關的藏書。[13]聯邦政府根據立法對地區研究中心的資助延續至今，對地區研究專業和項目在美國大學中多年來得以持續和發展，貢獻甚大。

戰後美國高等教育對開展地區研究在觀念上的轉變和各方面對發展地區研究在財政上的支助，使東亞研究和東亞藏書在美國大學中出現了興旺的發展局面。對東亞藏書而言，這種發展在四十年代後半期的表現首先是四所重要東亞圖書館的新建。包括建於1945年位於斯坦福大學(Stanford University)

---

[13] Chauncy D. Harris, "Area Studies and Library Resources," in *Area Studies and the Library* (Chicago: The University of Chicago Press, 1966), pp.3～15.

的胡佛研究所（Hoover Institute）東亞圖書館，建於 1947 年位於西雅圖（Seattle）的華盛頓大學（University of Washington）遠東圖書館，1948 年建於密西根大學的亞洲圖書館和同年建於加州洛杉磯分校（University of California, Los Angles）的東方圖書館。胡佛研究所以研究現代和當代國際事務爲主旨，其東亞圖書館從成立之日起便全力蒐集有關當代中國和日本的研究資料。它的第一任館長賴特（Mary Wright）在二戰戰火剛罷之時，即訪問多個中國省份，蒐求當時的報刊和其他出版品，並於 1947 年搭乘美軍飛機訪問延安，收集延安地區的出版品。47 年底返美後，先後購入艾薩克斯（Harold Issacs）和斯諾夫婦（Edgar Snow & Nym Wales）的私藏，各含有大量有關中國共產黨及中國共產運動方面的資料。[14]華盛頓大學 1937 年曾接受洛克菲勒基金會的資助購買中文圖書。到 1940 年，藏書已逾兩萬冊。然直到 1946 年該校成立遠東研究所（The Far Eastern Institute）後，才將這些從未編目，無人照管的中文圖書納入新成立的遠東圖書館。[15]該館成立後在五、六十年代間成長較快，成爲西海岸北部東亞藏書的重鎭。密西根大學所在的安郡（Ann Arbor）是成立於 1941 年的遠東學會（即今日的亞洲研究學會前身）的總部所在地。該校於 1947 年正式成立日本研究中心，次年建立亞洲圖書館。建館之始以發展日文藏書爲主。1961

---

[14] Eugene Wu, "CEAL at the Dawn of the 21st Century," in *Journal of East Asian Libraries,* 121 (June 2000), pp.1～12.

[15] *History of the East Asian Library [at the University of Washington]* [online].[cited 28 April 2004]. Available from World Wide Web: http://www.lib.washington.edu/East-Asia/history.html.

年中國研究中心在該校成立後，遂中日文並進。六十年代以來，該館藏書發展迅猛，後來居上，已成爲美國大學中東亞藏書最爲豐富者之一。加州洛杉磯分校的東方圖書館始建於 1948 年，建館初始的一萬餘冊中日文藏書是由時任該校東方語言系主任的魯道夫教授（Richard C. Rudolph）於 1947 年去北平、成都和日本等地親自採訪而來。[16]該館是加州大學系統中在伯克萊分校之外，東亞收藏最豐的圖書館，與伯克萊分校東亞圖書館構成加州大學一南一北兩個重量級東亞藏書。

四十年代後半期發生的另一件大事是 1948 年夏美國圖書館學會（American Library Association）在大西洋城（Atlantic City）開年會期間，一百餘位關注遠東圖書館發展的人士聚會，發起成立了國內外東方藏書全國委員會（National Committee on Oriental Collections in the U.S. and Abroad），推舉時任愛荷華州立大學圖書館館長的布朗（Charles H. Brown）爲主席。次年 4 月，經該委員會提議，遠東學會的董事會批准，將該委員會改爲同時隸屬於美國圖書館學會和遠東學會之下的聯合委員會，更名爲遠東學會暨美國圖書館學會東方藏書聯合委員會（Joint Committee of the Far Eastern Association and the American Library Association on Oriental Collections），成員由兩大學會各指派三人組成，仍以布朗爲主席。[17]該組織的成立標

---

[16] Introduction / History [of the UCLA East Asian Library] [online]. [cited 28 April 2004]. Available from World Wide Web: http://www.library.ucla.edu/libraries/eastasian/

[17] Elizabeth Huff, "The National Committee on Oriental Collections," in *Library*

誌著美國東亞圖書館在學術界和主流圖書館界影響的壯大，也顯示了東亞圖書館同仁整體上的成長和對相互合作、共同發展的認同與追求。該會於 1952 年接受布朗的建議解散，幾經輾轉於 1954 年爲美國圖書館學會東方圖書編目專門委員會（The Special Committee on Cataloging Oriental Materials of the American Library Association）所取代。未久，又被成立於 1958 年，直接隸屬於遠東學會的美國圖書館遠東資源委員會（Committee on American Library Resources on the Far East）所取代。這個委員會就是今日的北美東亞圖書館委員會（Council on East Asian Libraries）的前身。此期間另一件值得一提的事是 1949 年美國國會圖書館開始提供中日文卡片複製和發行服務。該項服務允許各東亞圖書館向該館訂購其東方部編制的中日文圖書卡片（後亦包括韓文）的複製件。國會館還同意幫助複製和發行（不加編輯改動）其他東亞館編製的東亞圖書卡片，作爲合作編目的一種最爲初級的方式，意在減少各館在編目方面的重複勞動。一些大學的東亞館積極參與了這一項目，更多的館從中獲益。

二十世紀五十年代，美國大學的東亞藏書總體上呈穩步發展。較爲突出的特點一是日文藏書在各館的較快增長，二是收藏範圍從基本上限於人文科學領域擴充到兼收人文與社會科學領域的資料。上文提到，早期成立的東亞館多以收藏中文圖

Resources on East Asia (Switzerland: Inter Documentation Company, 1968), pp.16～17.

書爲始，有些直到二戰後才開始發展日文藏書，如芝加哥（1958）、普林斯頓（1950 年代）等。即使是在戰前已開始收藏日文圖書的諸館，如哈佛燕京（1914）、哥倫比亞（1927）等，收藏數量也很有限。隨著戰後美國學界對日本研究的興趣驟增，情況隨之改觀。加之此時中國大陸與外界交往日少，影響到中文藏書的採購，故愈加突顯出日文藏書的猛進。這一進步在彌補諸多圖書館日文藏書上的不足和促使東亞藏書在中日文分佈和發展上趨於合理都具有重要意義。至於在收藏上注意兼顧人文和社會科學兩方面的需要則直接反映了二戰以後東亞研究學科領域的變化。戰前各大學的東亞研究不僅項目少，且大多集中於語言教學和文史方面。而在文史方面，也多疏於對現、當代的研究。二戰後，這種局面開始改變。這一變化清楚地反映在各大學的課程設置上，並在之後幾十年的發展中得以持續，即在繼續擴增語言、文學、歷史、哲學、宗教、地理、考古、美術史等領域中的教學和研究外，開設和增加有關東亞的政治學、社會學、經濟發展及政府研究等方面的課程和研究。爲配合由此帶來的讀者需求的變化，東亞圖書館在藏書建設上也作出了相應的擴展。

另一件發生在五十年代、對東亞圖書館界影響久遠的事是 1958 年經美國圖書館學會批准通過了對《美國圖書館學會著者和書名目錄編目規則》（*A.L. A Cataloging Rules for Author and Title Entries*）和《國會圖書館編目規則》（*Rules for Descriptive Cataloging in the Library of Congress*）的若干修訂和補充。該兩規則均制訂於 1949 年，制訂時均未考慮到東方語言圖書編目的特殊需要，因此多年來未被東亞館採用。由於沒有統一的編目規則，各東亞館在編目上自訂規則，各行其是。這個問題成爲開展合作編目的重大障礙。1954 年，經國會圖書館建議，美國圖書館學會成立了東方圖書編目專門委員會（The Special Committee on Cataloging Oriental Materials），先由華盛頓大學圖書館的莫斯利（Maud L. Moseley），後由時任密西根大學亞洲館長的納恩（G. Raymond Nunn）主持，研究有關東方圖書的編目規則問題。委員會經過四年的不懈努力，提出了一系列對上述兩規則修訂和補充的建議，經美國圖書館學會和國會圖書館負責部門審定接納。[18]此舉使美國的東亞圖書館第一次有了統一的編目條例，爲其後開展合作編目以及後來的聯機編目，奠定了必不可少的基礎。

在 1958 年美國聯邦政府通過立法加強對地區研究的支持和投入後，東亞圖書館的發展進入了一個前所未有的高潮。進入六十年代以後直至七十年代初，有三十所左右的大學先後建立了東亞圖書館，其中多數爲公立大學，相當一部分得到聯邦政府或私人基金會的資助。這些新建的東亞藏書包括中西部的伊利諾（Illinois）、俄亥俄（Ohio）、印第安納（Indiana）、威斯康星（Wisconsin）、明尼蘇達（Minnesota）、堪薩斯（Kansas）、愛荷華（Iowa）和位於密蘇里州（Missouri）的華盛頓大學，

[18] Warren Tsuneishi, "East Asian Library Cooperation in North America: A View from the Library of Congress," in *Wason Collection Sixtieth Anniversary Conference in Cornell University 1979* (Ithaca, NY: Cornell University Libraries, 1979), pp.69～93.

東部的佛吉尼亞（Virginia）、馬里蘭（Maryland）、位於賓州（Pennsylvania）的匹茲堡大學（Pittsburgh）、位於羅德島州（Rode land）的布朗大學（Brown）、新罕布什爾州（New Hampshire）的達特茅斯學院（Dartmouth）和新澤西州（New Jersey）的羅特格大學（Rutgers），南部的北卡羅萊納（North Carolina）、杜克大學（Duke University，也在北卡州）、德克薩斯（Texas）和佛羅里達（Florida），中部山區的科羅拉多（Colorado），以及西南部的愛利桑那大學（Arizona）、愛利桑那州立大學（Arizona State University），西海岸的俄勒岡（Oregon）和加州大學伯克萊及洛杉磯分校以外的幾所分校。與早期建立的東亞藏書相比，這些圖書館從建館伊始就有比較明確的收藏方針和相應的購書資金，大多圍繞本校東亞研究項目的學科特點，追求系統的藏書建設。這些新生力量的加入，大大壯大了美國大學東亞藏書的隊伍，擴展了東亞藏書在全國的分佈，爲日後開展以地區合作爲基礎的館際間合作提供了有利條件。

眾多新館的建立和各館相對充裕的購書經費固然可喜，卻給當時的東亞圖書市場造成了一個供求失衡的問題，集中反映在對舊書、舊刊的供不應求。其主要原因是許多新館都需要回溯建設一批基本藏書，包括工具書、資料書、學術期刊、報紙和各種有價值的大套書，而這些資料即便偶見於當時的舊書市場，也絕少多餘的副本可同時供應幾家圖書館。這就不但造成了在日本、香港和臺灣等地的舊書市場上一時間「洛陽紙貴」，書價一漲再漲，[19]更爲嚴重的是許多重要的圖書和資料，市場上根本無貨。針對這一問題，美國圖書館遠東資源委員會於1963 年向亞洲研究學會提議在臺北建立一個中文資料和研究服務中心（Chinese Materials and Research Aids Service Center），負責與臺灣有關單位協調開展重印或複製美國圖書館所需的絕版或稀見的中文書、關於中國的西文圖書以及其他研究資料。該提議得到了亞洲研究學會的批准並受到該學會和美國學術團體聯合會的資助。該中心於 1964 年秋在臺北正式開始作業。[20]在以後特別是六、七十年代間，該中心在臺北參與複製出版了上千種絕版或稀有的中西文舊籍資料，[21]供應美國及其他國家的東亞館收藏，爲美國眾多東亞館中文收藏的發展做出了重要貢獻。該中心成立後不久成爲獨立運行的機構，多年來還兼營爲北美圖書館採購臺灣市場所見中文圖書的業務。這一業務一直延續到九十年代初。北美圖書館對重要舊籍回溯採購的需要也引起了日本、臺灣和香港等地出版商和舊書店的注意，一些出版商和舊書店也做了一些翻印或縮微複製

---

[19] James R. Morita, "Japanese Materials in Microform: Proposal for a Project," in *Library Resources on East Asia* (Switzerland: Inter Documentation Company, 1968), pp.51～56. John T. Ma, "Some Remarks on Chinese Materials," in *Library Resources on East Asia* (Switzerland: Inter Documentation Company, 1968), pp.43～46.

[20] G. Edwin Beal, "Activities of the Committee on American Resources on the Far East," in *Library Resources on East Asia* (Switzerland: Inter Documentation Company, 1968), pp. 22～27.

[21] Eugene Wu "CEAL at the Dawn of the 21st Century," *Journal of East Asian Libraries,* 121 (June 2000), p.5.

中、日文舊籍資料的工作。這些努力有效地緩解了舊籍難求的狀況。

就在東亞圖書館忙於蒐集舊籍的時候，一個新的棘手的問題正在迫近。1966 年後，隨著文化大革命在中國大陸的全面展開，本來就不易收集的中國大陸當代出版品變得更難蒐求。自五十年代來，東亞圖書館一直透過香港輾轉採購大陸書刊，輔之以通過與北京圖書館的交換項目（當時唯一可與國外圖書館建立交換關係的大陸圖書館）得來的少許書刊。文革開始後，北圖的交換項目停擺，而從香港方面獲取大陸出版品也出現困難。這一方面是文革後大陸各類書籍出版驟減，許多報刊停刊所致，另一方面則因爲大陸對香港的圖書出口業務也基本停頓。這種局面對當代中國、特別是社會科學方面教學和研究的開展造成了相當的阻礙和困擾。自五十年代末期以來，隸屬於美國學術團體聯合會和社會科學研究聯合會之下的當代中國聯合委員會（Joint Committee on Contemporary China of the ACLS and SSRC）發起過一些致力於改善美國收藏機構中當代中國研究資料普遍短缺狀況的項目，例如購買一千多卷香港友聯研究所所藏大陸期刊、報紙的縮微膠卷，存於爲眾多美國學術機構提供服務的研究圖書館中心（Center for Research Libraries）。又如贊助國會圖書館將該館所藏一百六十多種 1959 至 1963 年間大陸人文社科期刊複製成縮微膠卷發行給各有關圖書館。[22]1964 至 65 年間，當代中國聯合委員會對收集當代

[22] Eugene Wu "China Materials Development Center of the Association of

中國研究資料方面存在的問題做了一個調查，並派遣時任哈佛燕京圖書館館長的吳文津先生到北美各地及包括西歐、東歐、東亞和前蘇聯等世界其他國家收集中國研究資料的機構訪問，以求從全局上探討問題之所在和應對的辦法。基於調查的結果，該委員會接受了在美國組建一個從事收集、複製和對圖書館發行當代中國研究資料的機構。該機構負責蒐求短缺稀見的研究當代中國需要的圖書、報刊和其他資料，加以複製，並向美國和世界各地有關圖書館發行。該委員會商請美國研究圖書館學會（Association of Research Libraries）主持其事並向福特基金會尋求資助。1967 年 3 月，隸屬於美國研究圖書館學會的非營利的中國研究資料中心（Center for Chinese Research Materials）正式成立，其時正值大陸文革進入最混亂的時期。[23] 該中心在六十年代末至八十年代初期選擇複製了許多當時稀見難得、存於世界各地的有關研究資料，並將它們提供給各東亞圖書館。其中較爲著名者如 1975 年出版的二十卷一套的《紅衛兵資料》和其後出版的各爲八卷本的《紅衛兵資料續編》和《紅衛兵資料三編》。該中心後來演變爲獨立經營機構，在大陸改革、圖書進出口開放後仍在發揮作用，如近年來出版了《新編紅衛兵資料：第一部分》二十卷（1999）和《新編紅衛兵資料：第二部分》四十卷（2001）。

進入七十年代後，美國大學東亞圖書館在六十年代中迅猛

Research Libraries," in *Library Resources on East Asia* (Switzerland: Inter Documentation Company, 1968), pp.47～50.

[23] 同前註。

發展的速度受到了嚴重挑戰。六十年代末期以來美國在越戰泥淖中的日陷其深、七十年代初的石油危機、以及隨之而來的經濟不景氣和日益嚴重的通貨膨脹造成了各大學的財政緊縮，殃及到圖書館的預算。加之圖書價格、特別是日文書價的持續上漲，都使得東亞館無法繼續維持六十年代的發展勢頭。據一份研究統計，1971 至 1975 年間美國東亞圖書館藏書的年增長率比 1966 至 1970 年間的年增長率下降了 15%。下降的程度以七十年代初最爲嚴重。在 1971 至 1973 年間，東亞圖書館的年增長率下滑了 20%。[24]下滑的情況到七十年代中後期略有好轉，其原因之一在於新增的日本方面的資助。1972 年，日本政府成立了以發展國際文化交流、推進國外對於日本的研究爲主旨的日本基金會（Japan Foundation）。1974 年，美國大學中十所日文收藏最豐的東亞館，從日本基金會得到了由日本首相田中角榮親自批准的捐助，每館一百萬美元。[25]此款被接受各館用於日文購書基金（endowment），有效地擴充了受益館的日文購書預算。從 1975 年起，這十所圖書館每年還從日美友好委員會（Japan-United States Friendship Commission）得到資助，進一步增強了受益館的日文購書能力。該委員會的資金來源於日、美兩國政府，此項對這十所東亞館的資助一直延續到八十年代

---

[24] Weiying Wan, "The Development of East Asian Library Resources and Collections," in *Wason Collection Sixtieth Anniversary Conference, [Cornell University, 1979]* (Ithaca, NY: Cornell University Libraries, 1979), pp.35～67.

[25] 十所東亞館為哈佛燕京、哥倫比亞、耶魯、普林斯頓、芝加哥、密西根、加州伯克萊、斯坦福、華盛頓（西雅圖）和夏威夷。

末。[26]九十年代初開始，日美友好委員會改用此資金重點資助對價格昂貴的日文多卷書、大套書（包括影印書刊和縮微品）的購買，鼓勵北美各東亞圖書館提出申請，並委託北美日文圖書資源協調委員會（North America Coordinating Committee on Japanese Library Resources，簡稱 NCC）負責審理各館的申請，再由該友好委員會批准後發放。變更的結果一是擴大了該資金的受益對象（北美所有東亞館均可申請），二是著重提高了北美東亞圖書館整體上對日文資料的收藏涵蓋面，特別是確保那些具有研究價值的大套書不致因價格昂貴而被漏購。這些外部資助對美國大學東亞藏書的發展所作出的貢獻，不可低估。

四、東亞藏書在觀念上和技術領域中的變革

從八十年代以來至今，美國大學東亞圖書館所經歷的是一個持續發展而又充滿變革的時期。七十年代末期中國大陸開始的改革開放，帶來了八十年代大陸出版業的繁榮和圖書出口渠道的相對通暢。三十多年來，美國的東亞館首次可以直接從中國大陸進口圖書。同時，思想方面的解放和政治環境的相對寬鬆，促進了中國大陸各類新書的大量問世以及對古籍和文化學術遺產的整理、出版和重印。大陸出版界的這一變化在八十年

[26] Theodore F. Welch and Eizaburo Okuizumi, "Form and Substance: How Japanese and American Librarians Have Shaped a Relationship," in *The Role of the American Academic Library in International Programs*, ed. by Bruce Bonta and James G. Neal (Greenwich, Conn.: JAI Press, 1992), pp.227～261.

代後期以來尤爲顯著。這些新舊研究資料和學術著作的大量出版對研究中國的學者無疑是莫大的福音，也爲美國大學東亞館進一步提昇中文藏書的數量和質量，提供了良機。

東亞圖書館的韓文收藏在八十年代也得到了顯著的發展。在美國大學中，對韓文圖書的正式收藏始於哈佛燕京圖書館。1951 年該館設立了韓文藏書。五十年代中，加州大學的伯克萊分校、華盛頓大學（西雅圖）、哥倫比亞大學和夏威夷大學的東亞圖書館也先後建立了韓文藏書。[27]但直到八十年代初，韓文藏書總體上發展一直較爲緩慢。這與多年來韓國研究在美國大學中的相對不發達關係密切。進入八十年代以來，韓國經濟發展取得的成就，韓國留學生和韓裔學生在美國大學中人數的穩步增加，以及 88 年漢城奧運會的成功舉辦帶來的轟動效應，都有力地促進了韓國研究在美國大學中的成長，並由此帶動了韓文藏書在東亞圖書館的增長。而八十年代中韓國年出版總量的高速增長，[28]又爲東亞館韓文收藏的較快發展提供了另一個動因和條件。據對美國八所大學韓文藏書的調查資料，這些大學的東亞館在 1980 年共藏韓文資料 152,871 冊，而到 1991 年則增長爲 333,351 冊，十一年間增長了 118%，較同時期中日文藏書的增長率爲高。[29]

---

[27] Yoon-whan Choe, "The Condition of the Korean Collections in US Libraries," *Committee on East Asian Libraries Bulletin*, 99 (June 1993), pp.32～54.

[28] 據韓國方面統計，1979 年韓國共出版圖書一萬一千多種，到 1989 年則超過兩萬種。

[29] 同註 27，pp.33～34。八所大學東亞圖書館分別為哈佛燕京、加州大學的

另一件發生在八十年代，對美國東亞圖書館的發展影響深遠的大事是中日韓聯機編目系統的建立和發展。1979 年 11 月，研究圖書館組織（Research Libraries Group Inc.簡稱 RLG）與美國國會圖書館簽署了一項意向書，合作開發中日韓聯機編目系統。該系統以 RLG 已有的研究圖書館聯機系統（Research Library Information Network，簡稱 RLIN）爲基礎，開發具有中日韓文字功能的線上聯合編目設施 RLIN CJK。該項目得到了麥隆基金會（Mellon Foundation）、福特基金會和美國國家人文科學基金會（National Endowment for the Humanities）的資助。[30]經過三年多的不斷開發，RLG 於 1983 年推出了 RLIN CJK 系統，同年 9 月 12 日由國會圖書館正式開啓使用。這一系統包括專門研製的中日韓電腦終端機、輸入鍵盤和輸入法，在遵行統一的 MARC 機讀編目格式的基礎上，對著錄的主要項目（如著者、書名等）實施並行著錄處理（parallel field），即以原文和羅馬拼音同時著錄。系統的內碼是 RLG 在臺灣中央研究院計算機所創制的 CCCII 內碼基礎上研製發展的，名爲 EACC（East Asian Character Code），是世界上第一套中日韓文字兼容的內碼。1986 年，在圖書館界因最早提倡聯機編目而聲名遠播的 OCLC（Online Computer Library Center）系統也開始試驗自己的中日韓編目系統並逐步在東亞圖書館中發展用

伯克萊分校和洛杉磯分校、哥倫比亞、芝加哥、夏威夷、普林斯頓和華盛頓（西雅圖）。

[30] Hideo Kaneko, "RLIN CJK: A Historical Perspective," *Committee on East Asian Libraries Bulletin*, 101(December 1993), pp.37～42.

戶。中日韓聯機系統的開發和編目標準化的推進不僅極大地推動了東亞圖書館間合作編目，也為發展館際間的進一步合作及資源共享奠定了基礎。這是東亞圖書館在自動化方面勇於創新，跟上潮流，邁出的重要一步。

九十年代的十年總體上講是美國東亞圖書館持續發展的十年，也是發生更深刻變化的十年。雖然在九十年代初期美國經濟出現了新一輪的不景氣，美國大學圖書館的經費也受到了相當嚴重的影響，但計算機和電子技術的廣泛應用以及互聯網的出現都給美國大學圖書館的發展帶來了新的生機、引發了一些具有革命性的變化。這一發展和變革的主要推動力來源於技術的革命，而其核心是在觀念上從強調對資料的擁有（ownership）轉變到對資料的便捷獲取（access），從追求館藏的完備（just in case）轉變到追求文獻服務的及時（just in time）。網絡技術的發展使得圖書館得以突破地域及時間的約限，以讀者需求為中心全面改善文獻服務的質量。這一變化也深刻地反映到東亞圖書館中。變化之一是力圖趕上主流圖書館在自動化方面的進步。儘管此時東亞圖書館都已參加聯機編目，採購操作仍基本處於手工或半手工處理狀態。許多圖書館的借閱流通也仍以手工處理。這種狀況到九十年代中期以後得到了較大的改善。另一個突出的問題是圖書館聯機目錄不能顯示中日韓文種。直到九十年代中後期，隨著亞洲市場對美國開發的圖書館系統之需求的增長，系統開發商才逐漸對這一功能的開發給予重視。近年來由於統一碼（unicode）作為國際標準逐漸被工業界接受，主要系統商紛紛對其產品進行改造升級，添加了顯示中日韓書目數據的功能。接受中日韓文作爲檢索輸入之功能也在列入系統商的開發計劃。變化之二是各館對館際合作、資源共享有了更爲深刻的共識。面臨圖書出版量劇增，書價上漲和購書經費緊缺的大環境，東亞館之間相互依賴，積極合作，共同發展不僅是勢所必然，而且是應對上述挑戰之必須。除傳統的合作編目和館際互借外，各館還組織起來，共同與供應商談判，合作選購大型數據庫，並在購買價格昂貴的大套文獻時互通信息，協調作業。另外，爲促進館際互借，達到資源共享，許多東亞館在這一時期投入了相當的人力、財力進行回溯編目，即將早期的中日韓卡片目錄轉錄進聯機目錄系統。[31]

還有一項重要的發展是北美韓文藏書聯盟（The Korean Collections Consortium of North America）在1994年的建立。該聯盟是由韓國基金會（The Korea Foundation）資助的，旨在通過分工明確的藏書規劃，在較短的時間內有效地提高北美圖書館韓文收藏的數量、質量和學科涵蓋面。初始時，有哈佛燕京、華盛頓（西雅圖）、加州伯克萊、夏威夷、哥倫比亞和南加州大學的六所東亞館參加。自95年以來又先後補入芝加哥、加州洛杉磯、加拿大的多倫多以及美國的密西根等四所大學的東亞圖書館。參加各館每年從韓國基金會收到合兩萬美金的資助，用來購買韓文出版品。各館都遵循經商訂後確立的、互不

---

31 Yuan Zhou, "Network Technology: What Does it Mean to East Asian Libraries in North America," *Journal of East Asian Libraries*, 111 (February 1997), pp.9～22.

重複的學科、專題或地域收藏範圍開展作業。該聯盟的創立和近十年來的作業，對韓文藏書在北美大學圖書館中的發展貢獻卓著。變化之三表現在對電子文獻的收集和提供網上資源服務。光盤作爲英語文獻和數據庫的出版媒體起於八十年代中期。到九十年代中期，這種媒體才開始被較廣泛地用於中日韓數據庫和文獻的出版。嗣後，互聯網的出現，區域網的發展，數字圖書館概念的提出和試驗，以及網站和網頁的製作都給傳統意義上的圖書館典藏和服務帶來了革命性的變化。這些變革對東亞圖書館的發展與其服務的改進提出了巨大的挑戰。

五、現況與展望

經過一個多世紀，特別是二十世紀後半期的建設，東亞藏書從總體上已發展成爲美國大學圖書館中最具規模、最成系統的外文圖書典藏。其內容廣涉人文及社會科學各個學科和領域，其範圍遍及圖書、期刊、報紙、地圖、縮微製品、檔案手稿、音像製品、以及電子出版品和數據庫等各種出版類型。其中中、日文文獻尤以歷史長久、收藏豐富見長。韓文藏書則於八十年代以來迅速發展，初具規模。以中文收藏而論，長期以來不囿於政治或地域方面的禁忌，對大陸、臺灣、香港、北美以至世界各地出版的中文文獻，一應選存，兼收並蓄。藏品中不乏珍貴資料，甚至在兩岸圖書館中亦屬罕見、難見或不存之資料。

東亞圖書館的地域分佈，以六十年代奠定的格局爲基礎，形成了以東西兩岸和中西部各館爲三大支柱的遍及全國的系統。全美各大學的東亞圖書館利用 RLIN 和 OCLC 的中日韓聯機系統，通過合作編目、館際互借互通有無，緊密合作。在美國圖書館界，地區性的大學圖書館合作組織遍及全國。東亞圖書館常以此爲基礎，積極開展地區性的合作項目，如東岸的東亞圖書館以地區合作組織東北地區研究圖書館聯盟（North East Research Libraries Consortium，簡稱 NERL，由二十一所大學圖書館組成，包括二十所東部地區的公、私立大學和西岸的斯坦福大學）爲組織基礎開展的合作，加州大學各分校東亞館在本系統間的合作，中西部東亞館以 CIC（Committee on Institutional Cooperation，有中西部地區的十幾所公、私立大學參加）爲組織依托開展的合作。還有如北卡州立大學和杜克大學、加州伯克萊分校和斯坦福大學由於地域上的近鄰關係而開展的互利合作等。早期的區域性合作多重於藏書建設方面的分工協調，各有側重，減少重複。近年來則多見於合作購進電子資源，推動數字化圖書館建設。

進入二十一世紀以來，鑒於東亞地區經濟發展取得的成就及其在全球政治、經濟、文化事務中日益顯著的影響，美國政府及學術界對東亞地區的關注和研究興趣持續增長。美國社會各界和民眾對東亞地區社會、文化和歷史的了解程度和興趣也在不斷加強。加之亞洲留學生和美籍亞裔學生人數的穩步上昇，都爲東亞研究和教學的發展創造了極爲有利的環境。許多學校註冊學習中文的學生明顯上昇，一些原未開設東亞研究課程的學校也陸續開始增設這方面的課程，甚或設置專門科系。

而在那些東亞研究開展較久的大學中，有關東亞方面的課程在所涉學科範圍上更加廣泛，除傳統的人文科學的各個學科外，在政治、法律、社會學、經濟發展、經濟管理等領域，涉及東亞研究的課程和研究項目呈明顯增長。這些對東亞藏書總體上的持續發展無疑都是十分有益的。展望未來，我對東亞圖書館在美國大學中的進一步發展持樂觀態度。

然而，讀者的增加和學術領域的擴展也對東亞圖書館及其提供的文獻服務提出了新的挑戰。首先，在東亞圖書出版總量不斷上昇、書價持續上漲的前提下，如何運用有限的購書經費來滿足讀者不斷增長的需求，特別是對電子資源的需要？近年間問世的一些數據庫或電子文獻資源，例如《四庫全書》電子版，《中國學術期刊網》等，選題頗好，製作精良，檢索功能齊備，便於讀者使用，特別是那些通過互聯網能直接檢索傳遞的產品，頗受歡迎。但這類產品大都定價昂貴，甚至超過美國一些同類產品。而在美國大學中，即使是在東亞科系頗具規模的大學中，能夠使用這些中日韓文資料的讀者人數也大大少於同類西文資源的讀者。高昂的價格與相對有限的讀者群使得圖書館在選購時頗費斟酌。在當前和可以預見的未來，東亞館都還需要大量蒐求選購傳統的印刷品，那麼究竟應該拿出多少購書經費支持讀者對電子資源的需求呢？如何以所增無幾的經費兼顧讀者對印刷和電子資源同時增長的需求，在今後的十數年間恐怕都將是東亞圖書館的一道苦求而難解之題。

東亞圖書館面臨的另一個挑戰在於如何不辜負讀者對圖

書館服務日益增高的期望值。隨著藏書的發展、傳播技術的進步，讀者對東亞館的期望也不再限於一般的參考書、工具書或其他基本資料，他們越來越多地要求圖書館能夠提供研究所需的原始資料，如多年前的報紙、稀見的舊期刊、內部出版品、歷史檔案、家譜族譜，甚至石刻碑銘資料。他們的蒐求也不再限於本館藏書，甚至不限於北美其他東亞館的館藏，而是在互聯網上可查到的世界各地的有關資料。由於傳播技術的進步，讀者期望能在較短的時間內得到需要跨館甚至跨國才能獲取的資料。隨著視家庭電腦為與生俱來，在電腦遊戲中長大的一代孩子進入大學並成長為新一代的研究者，讀者對圖書館提供以電子文獻為主的、快捷及時服務的期望值定會更高，東亞館的讀者也不會例外。如何在收藏和服務方面適時改進、未雨綢繆，提昇服務品質，滿足這些新的、變化中的需要也是東亞館必須要計劃、考慮並著手解決的問題。

與此密切相關的一個重要話題是東亞圖書館員的繼續學習和培訓。在新的形勢下，一個合格的館員不僅要熟悉東亞國家的語言，了解中、日或韓國的文化、歷史和學術研究動態，掌握有關的工具書、資料書及查找使用的方法，而且還要通曉各種電子文庫的使用和網上各類資源的查找，並能輔導和培訓讀者使用。一些館員還需掌握網頁製作和其他不斷更新的技術。從總體上說，目前東亞館員有著必須不斷學習和掌握新的電子資源以及與工作相關的新技術的需要，此一需要在老一代館員中更為突出。而在新一代的館員中則較普遍地存在著在中、日或韓國文化、文獻和學術底蘊方面不足，對東亞研究所需各類常用工具書、資料書缺乏了解的狀況。造成後一種狀況的原因之一，是美國的圖書館學院都不設培養東亞館員所需的課程，加之一些新館員本科爲英文專業，在美國也沒有專修過東亞研究，缺少必要的專科背景和專門知識。針對這一問題，東亞圖書館必須積極合作，做出集體的回應。

事實上，無論是從東亞圖書館的自身發展還是從不斷改善讀者服務質量的需要出發，東亞圖書館都必須開展合作。在今天和將來的發展中，加強館際間的各種合作不僅是必然的趨勢，而且是東亞圖書館發揮整體優勢，提高因應挑戰的能力，改善藏書和服務質量的有效手段。合作的領域十分寬廣，不僅包括已經開展較好的合作編目、館際互借、藏書建設等方面，在以聯盟（consortium）的形式共同購買和建設電子資源、協調開發數字圖書館以及館員的在職培訓等方面，合作更是十分必要而有著巨大的潛能的。應該提到的是，合作不應囿於美國甚或北美的圖書館之間。對東亞圖書館來說，在新世紀的發展中，與東亞各國圖書館和同行之間的進一步合作，也有著現實的需要和廣泛的可能性。

臺灣大學圖書館珍本臺灣研究資料之收藏、整理與利用**

張寶三*

一、前言

豐富之館藏資源乃學術研究之基礎，故優良、便利之圖書館爲國際一流大學不可缺少之條件。臺灣大學「東亞文明研究中心」計畫，於民國九十一年（2002）十月正式成立，爲具體呈現本校圖書館有關東亞研究資料之館藏情形，使研究者更便利使用此等資源，特於民國九十三年（2005）起進行《臺灣大學所藏珍本東亞文獻目錄》之編纂及其相關研究計畫。此項計畫之對象包括中國古籍，和刻、和抄本漢籍，日文古籍，韓國、琉球資料，臺灣資料等珍本圖書資料，希冀透過此計畫，編纂出一套較完整之臺灣大學所藏珍本東亞文獻目錄，以供研究者使用。藉著執行本計畫之便，本文擬就臺灣大學圖書館珍本臺灣研究資料之收藏、整理與利用情形略作陳述，以就教於方家。

---

* 現任國立臺灣大學中國文學系教授。

** 本文之寫作，承蒙臺灣大學圖書館特藏組王春香、陳中禹、呂淑惠、洪淑芬、蔡碧芳諸位女士、先生提供資料，並惠予諸多協助，謹致謝忱。

二、臺灣大學所藏珍本臺灣研究資料之內容

臺灣大學之前身爲日治時期之「臺北帝國大學」。臺北帝大因其建校之宗旨特殊，[1]收藏有極豐富之臺灣研究資料。臺灣光復後，此等資料由臺灣大學承接，乃成爲本校重要館藏之一。其後本校又續有入藏，資料益臻豐富。茲將其中較重要之部分簡介如下：

（一）舊藏日文臺灣研究資料

此部分原爲臺北帝國大學所收藏，乃以日文所撰寫之有關臺灣研究資料，大致可區分爲圖書、期刊及報紙等三類。臺北帝國大學文政學部南方文化研究室曾於昭和十一年（1936）五月出版《臺灣文獻目錄（人文科學）》，將臺北帝大圖書館及校內各與人文科學有關之研究室所藏與臺灣有關之人文科學研究資料編成目錄，所收之出版物日期至昭和十年（1935）爲止。[2]此書可反映臺北帝大時期有關日文臺灣人文科學方面研究資料之收藏概況。臺灣光復後，臺北帝國大學改制爲臺灣大學，有關臺灣之日文資料亦由臺灣大學承接。此等資料因分藏於校

---

1 臺北帝國大學之設立，一開始即帶著濃厚之政治目的。臺北帝大首任校長幣原坦在大學籌備期間即嘗云：「總督府設置臺北帝大的目的，在於利用臺灣地理人文條件，發展以臺灣為中心的華南及南洋研究。」（見幣原坦：〈臺灣的學術研究〉，《臺灣時報》1926 年 12 月號，頁 25）。另詳參歐素瑛：《傳承與創新：戰後初期的臺灣大學（1945～1950）》（臺灣師範大學歷史學系博士論文，2004 年 7 月，吳文星教授指導）「第二章，從臺北帝國大學到臺灣大學」。

2 參見《臺灣文獻目錄（人文科學）・凡例》（臺北：臺北帝國大學文政學部南方文化研究室編，1936 年）。

內各與主題相關院系圖書館，故利用較為不便，初期嘗編有《國立臺灣大學文學院歷史系圖書目錄第六冊：中日文臺灣史》[3]以及《國立臺灣大學圖書館臺灣文獻目錄（工作用手稿本）》[4]等書目，然皆未及全面，頗有未備。民國五十七年（1968），臺灣大學設立「研究圖書館」，設立之初即以中國研究及亞洲研究之區域性資料為蒐藏重點之一。民國七十年（1981），研究圖書組更名為「特藏組」。民國七十三年（1984）一月二十日，臺大圖書館與歷史系商訂合作計畫，擬將分散於本校各處之臺灣、東南亞及華南等地區資料加以集中整理，以方便利用。惜因故未竟其功。其後乃將收藏於總館及特藏組之「臺灣文獻資料」加以重新整理、編目、製卡，並在特藏組設立「臺灣資料室」加以集中典藏，到館利用者日多。[5]唯本校「地區研究」資料仍分藏於特藏組、歷史系、人類學系、法學院分館、農經系、動物學系等二十餘處，且大部分尚無完整之目錄可供查閱，數量亦難確估。為求掌握校內「地區研究」資料收藏之全貌，本校圖書館乃決定先從整理臺灣資料入手，遂於民國七十七年（1988）著手進行「調查整理本校所藏臺灣資料計畫」。以圖書館特藏組及各單位之舊藏日文臺灣資料目錄為基礎，再

---

3 此目錄於民國五十年（1961）編製，參見陳興夏：《臺灣大學舊藏日文臺灣資料目錄・序》（臺北：臺灣大學圖書館，1992 年）。

4 此目錄於民國五十八年（1969）起編製，見前註。

5 以上所述，參考民國八十年（1991）一月三十日至二月一日在日月潭教師會館舉行「臺灣文獻資料合作發展研討會」中「各單位典藏報告」臺灣大學圖書館所提之報告文，見《臺灣文獻資料合作發展研討會議報告》，頁 214～216。又：原文標題下載云：「本文由圖書館特藏組編撰，並蒙曹顧問永和、王顧問民信共同指導。」（頁 214）。

增以本校「臺灣研究社」學生所編輯之《國立臺灣大學人類學系圖書館日文臺灣資料目錄》、《國立臺灣大學法學院舊藏日文臺灣資料目錄》、《臺灣大學農業經濟學系圖書館日文臺灣資料目錄》等專冊，整理彙編成《臺灣大學舊藏日文臺灣資料目錄》一種，於民國八十一年（1992）六月出版。[6]此目錄彙集本校十七單位所藏相關資料，[7]共收錄圖書五千一百三十五種，期刊二百二十六種，報紙十八種，使本校此項資料之收藏情形有一概略之面貌。

民國八十七年（1998）十一月，圖書館新館落成啓用，舊藏臺灣研究資料大部分得以集中新館典藏。[8]唯八十一年（1992）至今已歷十餘年，其間圖書資料因搬遷、借閱以及整理發現舊藏等因素，舊有目錄已無法準確反映館藏現況，故有重新核對原書編纂一完整目錄之必要。且原《臺灣大學舊藏日文臺灣資料目錄》乃依書名首字之日文五十音順及漢字之筆劃多寡順序排列，未依內容分類，故查考略有不便。此次東亞文明研究中心與圖書館合作編纂之《臺灣大學圖書館藏珍本東亞文獻目錄——臺灣資料篇》中之舊藏日文臺灣資料目錄，乃改

---

[6] 此目錄編輯之過程，參陳興夏：《臺灣大學舊藏日文臺灣資料目錄・序》。

[7] 十七單位分別為：1.人類學系圖書館。2.公共衛生學系圖書館。3.農藝學研究所生物統計組圖書館。4.法學院圖書分館。5.植物病蟲害學系昆蟲組圖書館。6.圖書館特藏組。7.動物學系圖書室。8.森林學系圖書館。9.醫學院圖書分館。10.植物病蟲害學系病理組圖書室。11.植物學系圖書室。12.園藝學系圖書室。13.農業化學系圖書室。14.農業經濟學系圖書室。15.農學院圖書室。16.實驗林管理處。17.歷史系第二研究室。

[8] 法學院圖書分館及醫學院圖書分館之相關圖書資料未移置新館。

以內容分類，並核對原書，以求準確。[9]另法學院分館之舊藏日文臺灣資料雖未集中於總館，此次亦一併清查核對原書，以求目錄之完整正確。

本校圖書館所存「舊藏日文臺灣資料」包含圖書、期刊、報紙三類，內容涵蓋各類領域，對研究臺灣此期政治、社會、經濟、文化、教育、民俗、語言、農業、動植物、礦業、醫學、自然科學、應用科學等方面，皆有極珍貴之材料。

（二）專藏文庫

臺灣大學圖書館特藏組所藏三種文庫中，蘊藏極豐富之臺灣研究資料。分述如下：

1. 伊能文庫

此文庫收藏日本伊能嘉矩（1867～1925）所藏有關臺灣之刊行圖書、圖書抄本、著作手稿、採訪調查筆記……等資料。

伊能嘉矩，慶應三年（1867）生於日本岩手縣遠野。曾就讀於「岩手縣立尋常師範學校」，後因故退學，赴東京。先在重野安繹（1827～1910）所主持之「成達書院」學習漢學，後任職於東京每日新聞社、東京教育社、大日本教育新聞社、東京文學社等單位，並嘗師事東京帝國大學坪井正五郎教授（1863～1913）學習人類學。明治二十八年（1895），中、日甲午戰爭爆發，清國戰敗，臺灣納入日本版圖，伊能嘉矩以日

---

[9] 該書已於民國九十四年（2006）九月，由臺灣大學出版中心出版。

本陸軍雇員之身份來臺，協助臺灣總督府展開長達十餘年之臺灣調查。於明治四十二年（1909）返日定居，大正十四年（1925）卒於岩手縣，享年五十九歲。[10]伊能氏一生著作頗豐，撰有與臺灣有關著作十餘種，論文近千篇，被譽爲「臺灣學之先驅」。

在伊能嘉矩歿後次年（1926）三月，當時臺北帝國大學尚在創校準備階段，預定作爲日後臺北帝大土俗人種學講座教授之移川子之藏（1884～1947）便曾遠赴日本岩手縣遠野伊能嘉矩之故居，以瞭解伊能氏之遺物。昭和三年（1928），臺北帝大開校前，即已透過臺灣總督府東京出張所自伊能氏之遺族購入一批伊能氏之藏書、手稿及臺灣原住民器物等，此批資料乃成爲臺北帝大創校之初所入藏之臺灣關係特藏。其中之器物部分，由時任史學科土俗人種學講座助手宮本延人（1901～1988）整理，成爲土俗人種學講座標本室之重要收藏。[11]圖書、手稿等則入藏臺北帝國大學圖書館。此批購入伊能家之圖書、手稿，即稱爲「伊能文庫」。

伊能文庫之內容大致可分爲八類：（1）明治、大正時代出版之臺灣關係洋裝書。（2）伊能嘉矩蒐集之臺灣關係清代刊本。（3）伊能嘉矩手抄之臺灣資料及其匯編。（4）伊能嘉矩有

---

[10] 有關伊能嘉矩之生平，參考荻野馨編著：《伊能嘉矩・年譜》（岩手縣遠野市：遠野物語研究所，1998 年），及江田明彥編：〈伊能嘉矩年譜〉，收入《伊能嘉矩與臺灣研究特展專刊》（臺北：臺灣大學圖書館，1998 年）。

[11] 參見吳密察：〈臺大藏「伊能文庫」及其內容〉，《伊能嘉矩與臺灣研究特展專刊》，頁 46。

關臺灣民俗、歷史、語言之採訪調查筆記。(5)伊能嘉矩之著作及其未刊原稿。(6)雜誌、報紙之剪貼。(7)未刊行之他人意見書及調查資料。(8)伊能嘉矩之研究構想系統圖。[12]目前本校圖書館所藏伊能文庫共有六百一十二冊,其中七十七冊爲手稿,其餘五百三十五冊則歸爲藏書類。

「伊能文庫」中具有極豐富之學術研究價值,尤其調查資料中有關平埔族、蕃語、漢俗等資料,以及伊能嘉矩所蒐集之他人未刊資料,[13]皆爲世人留下極珍貴之臺灣研究史料。

2. 田代文庫

此文庫收藏日本田代安定(1856～1928)所藏圖書及手稿資料約千餘種。田代安定,安政三年(1856)生於日本鹿兒島。乃植物學及人類學專家,尤傾心於有用熱帶植物之研究。明治二十八年(1985),日本領臺之初,田代氏以軍屬身份派赴澎湖,從事植物採集調查。明治二十九年(1896)七月起,田代安定任臺灣總督府民政局技師,至大正四年(1915)退休。任職之二十年間,均熱心從事熱帶農林業之調查研究,創設恆春熱帶植物殖育場(今名爲臺灣省林業試驗所恆春分所),並任場長多年,引進多種外國珍貴樹種,奠定今日墾丁公園熱帶植物景象之豐富規模。[14]

---

[12] 此大致據吳密察之分類再增第八類。同前註。

[13] 例如吉野某蒐輯之《臺灣公文集》,林百川、林學源纂輯之《樹杞林志》手抄本,《揚文會議ヲ機トシ史料徵集ヲ圖ル建議案》等資料。

[14] 有關田代安定之生平,參見吳永華撰:〈田代安定〉,《被遺忘的日籍臺

本校圖書館所藏「田代文庫」，除田代氏所收藏之圖書二百餘冊外，尚包含田代氏之手稿及珍藏資料共七百餘種。此批資料多爲田代氏從事田野調查之第一手資料，尤以臺灣及琉球研究之相關紀錄與調查爲主。田代安定在臺期間，曾深入各地從事植物栽培調查，並將調查結果寫成「復命書」，其中包括「有用植物栽培調查復命書」、「臺東調查報告業務部」等，對於臺灣豐富自然資源之開發撰寫相關紀錄及建議，極具史料價值。

3. 楊雲萍文庫

本文庫收藏臺灣大學歷史學系已故退休教授楊雲萍先生（1906～2000）所藏圖書及手稿資料等，由楊教授家屬捐贈，於民國九十一年（2002）成立。本文庫共包括圖書約一萬二千冊，期刊八百餘種，手稿資料約一百二十份，古錢幣二千餘枚及古印章八十七枚。楊教授於 1906 年（清光緒三十二年，日本明治三十九年）生於臺北士林，本名友濂，筆名有雲萍、雲萍生等。1926 年畢業於臺北第一中學（今建國中學），後留學日本，先進日本大學文學部預科，再入日本文化學院大學部文科，主修文學。臺灣光復後，於民國三十四年（1945）任《民報》主筆。民國三十五年（1946），任臺灣行政長官公署簡任參議。三十六年（1947）起任教臺大歷史學系，講授明史、臺灣史、歷史哲學等課程，爲戰後臺灣史研究之先驅。八十年（1991）退休，前後共任教臺大四十餘年。民國八十九年（2000）

灣植物學者》（臺中：晨星出版社，1997 年）。

八月六日逝世，享年九十五歲。[15]

楊教授精通中、日、英、德文，同時具備文學家與史學家身份，曾出版日文詩集《山河》。楊教授學養豐富，除文學與史學之研究著述外，對於相關之古印章、錢幣、民俗採訪等之收藏亦有深厚之興趣與研究。另亦珍藏七百餘冊之閩南語歌仔冊，此爲極珍貴之閩南語學材料。歌仔冊中使用通俗之文字語彙，內容涉及民俗故事與文化論述，反映出百年來臺灣庶民之用字習慣及語言現象，對於臺灣語言史及社會史之研究，均爲珍貴之文獻資料。

「楊雲萍文庫」所收資料涵蓋類別甚廣，有中、日、西文圖書，包括歷史、文學、哲學、宗教、民族學、經濟、政治等主題，其中多爲中、日戰爭期間在日本所出版之日文圖書，與本校圖書館臺北帝大時期日文舊籍可以互相補充。期刊部分多爲本校圖書館原未收藏者，尤其與臺灣文學有關之刊物極爲豐富，可補原館藏之不足。此外手稿資料涵蓋書信、會議資料、士林文化、糧食、教育等，不但反映楊教授與林獻堂（1881～1956）、連橫（1878～1936）等臺灣名紳以及與川端康成（1899～1972）、西川滿（1908～1999）等日本文化界人士密切往來之關係，更展現其對臺灣史及臺灣文化積極之參與及貢獻。至於錢幣、古印章等史料之蒐藏，亦爲後人留下豐富之研究材料。

[15] 有關楊雲萍教授之生平，參見黃富三撰：〈孤傲的智者——史學與文學雙棲才子楊雲萍教授傳略〉，《遨遊於歷史的智慧之海：臺大歷史學系系史》（臺北：臺灣大學歷史學系，2002 年），頁 85～95。

（三）古文書檔案

臺灣大學所藏有關臺灣之古文書檔案，內容極為豐富，分述如下：

1. 荷蘭海牙市國立總檔案館所藏臺灣關係資料照相檔[16]

此批資料涵蓋荷蘭自 1622 年佔領澎湖，1624 年轉而佔據臺灣，至 1662 年 2 月撤離臺灣為止之荷蘭東印度公司有關臺灣之檔案。原件藏於荷蘭海牙市國立總檔案館之東印度檔案中。昭和十二年（1937）夏天，臺北帝國大學史學科土俗人種學講座教授移川子之藏親赴荷蘭海牙市國立總檔案館拍攝有關臺灣之荷蘭資料二萬五千張，帶回後全部放大，經過整理裝訂成二百一冊之「臺灣史料（和蘭文書）」，加以收藏，並編製目錄。

此批資料雖僅為照相複製，對於研究荷蘭時期之臺灣及其與荷蘭之關係有極高之史料價值。此批檔案可分為「抵達檔案」、「一般報告及來往檔案」、「發送檔案」、「追加檔案」等四類。原文書以當時之荷蘭草書書寫，極難解讀，加上原件在寄送荷蘭途中，部分造成卷帙漫漶，字跡模糊，更增加解讀之困難。因此，移川教授另曾委託荷蘭國立檔案所的專家將相關資

---

[16] 以下對本檔案內容所述，皆據同註 5「臺灣文獻資料合作發展研討會」中臺灣大學圖書館之報告文。另可參移川子之藏：〈和蘭の臺灣關係古文書──この複本を臺北帝大へ〉，《愛書》第十輯（1938 年 4 月）；中村孝志：〈臺灣荷據時期的史料〉，《臺灣文獻》第十五卷 3 期（1964 年 9 月）；曹永和：〈臺灣荷據時代研究的回顧與展望〉，《臺灣風物》第二十八卷 1 期（1978 年 3 月）。

料抄寫謄清，分訂爲二十四大冊（名爲 O. I. Compagnie〔Kamer Amsterdam〕Overgekomene Papieren）存於臺北帝國大學圖書館，光復後移交臺大圖書館。今檔案照相檔及謄寫本均存放於特藏組書庫中。

除上述檔案照相檔外，另本校所藏亦有與荷蘭治臺有關之史料影印件數種，例如 1662 年 2 月 1 日所簽訂之「鄭荷媾和條約」之荷語副本複製品，此類資料對研究荷據時期之臺灣亦有極珍貴之史料價值。

2. 淡新檔案

《淡新檔案》所收藏乃清乾隆五十四年（1789）至光緒二十一年（1895）淡水廳、臺北府及新竹縣之行政與司法檔案。此批檔案在日治時期由新竹地方法院承接，轉送覆審法院（即高等法院），再轉贈臺北帝國大學文政學部，以供學術研究之用。臺灣光復後，移交臺灣大學法學院，並由法律系戴炎輝教授（1908～1992）命名及主持整理工作，將檔案內之文件分爲行政、民事及刑事三門，各門之下又分類、款、案、件等，共計一千一百六十三案，一萬九千一百五十二件。三門中以行政門數量最多，年代以光緒年間最多。[17]全部檔案原件及三十三卷微卷於民國七十五年由戴教授移交本校圖書館特藏組，經清點實得一千一百四十三案，共一萬九千二百八十一件。

[17] 參見戴炎輝：〈清代淡新檔案整理序說〉，《臺北文物》第二卷 2 期（1953 年）。

現存清代臺灣省、府、州、縣廳署檔案中，以《淡新檔案》最具規模、完整且延亙時間極長。《淡新檔案》主要爲淡水廳、臺北府及新竹縣衙門內之公文，包括民眾請求調解或仲裁之「呈狀」及「稟」，縣太爺支使差役護送銀兩或捉拿犯人之「票」及「單」，另有與其他行政單位間之公文往來，如「詳」、「簡文」、「行」、「札」、「移」等。此檔案之內容涵涉財政、撫墾、田房、錢債、財產侵奪、人身自由、風化等類，可補清代方志之不足。另亦提供清代社會生活之實態，乃研究清代法制史、地方行政史、社會經濟史之珍貴史料。且此批資料亦爲瞭解中國法律制度與司法審判之重要憑藉，爲世界著名之傳統中國縣級檔案。

3. 岸裡大社文書

岸裡社屬於臺灣中部平埔族群巴宰（pazeh）族之一支，下轄有九社，包括岸東、岸西、岸南、葫蘆墩、西勢尾、麻里蘭、翁仔、崎仔及麻薯舊社等，分布於今臺中縣神岡鄉、豐原市及后里鄉等地。因其勢力最大，故稱爲「岸裡大社」。

清代岸裡社與官府往來密切，長期扮演義番角色，屢立戰功。岸裡社又與漢人合作開墾，經濟力量逐漸提高。隨著岸裡社群力量之提昇，岸裡原住民與清代官方以及臺灣中部漢人間之互動愈加密切，留下不少文書契字。[18]

---

[18] 參見張耀焜：〈岸裡大社與臺中平原之開發〉，《臺中平原開發史論文集》（臺中：民俗出版社，1991 年）；陳炎正：《臺中縣岸裡社開發史》（豐原市：臺中縣立文化中心，1986 年）。

昭和十年（1935）四月二十一日，臺灣中部發生「墩仔腳大地震」，造成苗栗、臺中一帶房屋倒塌不計其數。地震之後，在岸裡社土官潘家倒塌房屋之損毀屋壁間發現一批文書資料。其後，臺北帝國大學理農學部學生張耀焜向潘家後代潘永安（1861～1938）募集此批文書，以供研究並撰寫學士論文。昭和十三年（1938）十一月三日，張氏完成論文後，將該批文書捐贈臺北帝國大學。臺灣光復後，由臺灣大學接收，今藏於圖書館特藏組，此即是「岸裡大社文書」之由來。

岸裡大社文書之內容大致可分爲兩類：一爲岸裡社與官府間往來之文書（稟文、差票、諭示號、控案抄錄等文件），一爲番民間往來之文書（招贌、承墾、典賣、借字、合約等契字）。若從形式而觀，可分爲單張契字與成冊之文書。單張契字多爲一號一件，成冊文書則一號多件或一號多頁。又單張文書多爲契字，且以土地文書爲主。在時間之分佈上，單張契字所涵蓋之時間爲乾隆四年（1739）至大正三年（1914）。成冊文書涵蓋之時間則較爲集中，主要爲十八世紀下半至十九世紀初，即乾隆晚年至道光初年。

岸裡社由於長期效忠清廷，並參與臺灣中部拓墾工作，因而發展爲清代臺灣中部最重要之原住民社群。此批與岸裡社相關之文書，在臺灣中部開發史、社會史以及族群史等研究上具有極高之價值。同時由於此批文書具有相當之數量，史料間相互關連性高，較諸其他原住民相關資料之零散、不連貫等現象，此批文書有較高之史料價值。

目前有關岸裡大社文書除本校所收藏者外，另臺灣省立博物館、臺中縣立文化中心、中央研究院臺灣史研究所等處亦有所收藏。然以數量而言，仍以本校所藏為最多，幾佔總數三分之二。本校圖書館所藏共有流水號一千一百三十一號，其中一件一號之單張文書共有一千一百號。另帳簿類與成冊文書共有三十一冊，約有一千二百件文書包含於此三十一冊文書中。

（四）臺灣古碑拓本

臺灣大學目前收藏近二百幅日治時代所拓存之臺灣古碑拓本。其中八十幅乃臺北帝國大學文政學部史學科於昭和七年（1932）委託臺南市史料館所蒐集，並曾在昭和十一年（1936）臺北帝國大學校慶時展出。其後，臺北帝大文政學部史學科為更完整蒐集臺灣地區史料，乃於昭和十一年（1936）六月成立「臺灣史調查室」，陸續蒐集臺北、新竹、臺中地區之古碑拓本，日後遂達到近二百幅之數量。臺灣光復後，臺灣大學文學院承接此批拓片，初期藏於歷史學系，考古人類學系成立後轉藏於該系圖錄室。民國八十六年（1997）移藏圖書館特藏組，今則亦遷入新館特藏組中。

臺灣大學所藏臺灣古碑拓片，其內容豐富，主題涵蓋行政、文化、建設、建築、歷史、地理、教育、慈善、交通、藝術、宗教等範疇。其中行政類六十二件、宗教類五十一件，二者所佔數量最多。以地理分佈而言，其中以臺南市八十七件為最多，其次為彰化縣與臺北縣，其他縣市則較為零星。至於碑文所涉及之年代，其可考者涵蓋乾隆至光緒之間。

本校所藏臺灣古碑拓片中，有三種爲未見於其他圖書刊載，亦未爲其他機構所收藏者。[19]另有多種爲原碑今已不存者。由此俱見其珍貴性。此近二百幅之臺灣古碑拓片可提供作爲研究臺灣之珍貴史料，其重要性值得重視。

（五）臺灣宗教藝術文物

此批有關臺灣宗教藝術文物之資料乃日治時代臺北帝國大學增田福太郎教授（1903～1982）所搜集。增田教授畢業於東京帝國大學法學部。昭和四年（1929）應臺灣總督府之邀，來臺擔任宗教調查官，針對臺灣宗教進行調查。次年（1930），任臺北帝大理農學部助教授，教授農業法律學，其後嘗兼任臺北帝大附屬農林專門部教授，至昭和十四年（1939）年止。增田先生在臺期間主要進行臺灣宗教調查研究，著作甚豐，包括《臺灣本島人の宗教》、《臺灣の宗教：農村を中心とする宗教研究》、《東亞法秩序說：民族信仰を中心として》等書，可謂爲日治時代研究臺灣宗教之先驅者。

臺灣光復後，增田先生所收集之此批文物資料由臺灣大學所承接，今藏於新館特藏組。此批資料，多屬於圖籤類文物，有來自廟宇、佛壇、道壇所印製之神佛畫像、靈籤、符咒以及各種祭拜用之紙錢。另外亦有一部分爲取材於寺廟之明信片

---

[19] 此三種為〈重建海東書院碑記〉、〈臺陽捐建考棚官紳士民姓名銀數碑記（甲）〉、〈八里坌渡頭修路碑記〉，參見洪淑芬：〈臺灣古拓本與《淡新檔案》在研究上的相互為用〉，「金石拓片數位典藏研討會」，中央研究院歷史語言研究所主辦，2004 年 12 月 9 日～10 日。

（繪葉書）。目前該批藏品仍保持相當鮮明之色彩，真實反映出日治時期臺灣宗教之樣貌，除具備藝術欣賞之價值外，對於研究臺灣歷史、宗教、圖籤文學者而言，爲極珍貴之研究材料。

（六）臺灣舊照片

臺灣大學圖書館將館藏臺灣研究資料舊籍圖書中之照片，選擇與臺灣相關之舊照片，加以數位化，並建置 Metadata「詮釋資料」，爲臺灣發展蛻變之軌跡留下記錄性之影像資料。

目前本校圖書館已數位化之臺灣舊照片，約有三萬七千多筆，收錄於文建會「國家文化資料庫」中。此批照片包括日治時期臺灣自然景觀、歷史、人文、社會、經濟、風俗民情、古建築物等內容，對研究日治時期之臺灣，提供豐富具體之素材。

（七）臺大近代名家手稿

臺灣大學圖書館爲充實館藏資源，乃擬定計畫主動蒐集近代名家手稿真蹟。自民國八十九年（2000）起，先以本校教師及校友中，屬文學、史學、哲學名家之手稿爲蒐集範圍，將俟較具規模及經驗後，再漸次擴大搜集範圍至於其他學科領域。[20]目前已入藏王文興（1939～）、林文月（1933～）、臺靜農（1903～1990）、鄭騫（1906～1991）、白先勇（1937～）、葉慶炳（1927～1993）、葉維廉（1937～）、王禎和（1940～1990）、楊雲萍等名家之手稿資料，並曾於本校圖書館舉行王文興、林文

20 參見柯慶明：「王文興教授手稿資料展」摺頁說明（臺北：臺灣大學圖書館，2000 年 11 月）。

月、臺靜農、葉維廉、楊雲萍等教授之手稿資料展。[21]參觀者多留下極深刻之印象。

此批手稿真蹟保存諸名家之創作或著作手稿，書信資料，字畫、插圖及個人筆記、日記等，爲近代臺灣留下極珍貴之史料，亦可爲研究諸名家其人、其書提供寶貴之材料。

（八）中文線裝臺灣關係圖書

臺灣大學圖書館所藏中文普通本線裝書中，有極多涉及臺灣資料者，中文善本中亦偶有之。此等與臺灣有關之中文舊籍，《臺灣文獻叢刊》雖頗多嘗加以標點刊行，提供究者之便利，[22]然其原本圖書仍具有版本校刊之價值。此外亦有未嘗被影印或標點刊行者，如（明）陳仁錫（1579～1634）之《潛確居類書》、（清）唐贊袞《臺陽集》、（清）陳瓊（1656～1718）《海康陳清端公詩集》、（清）孫元衡《片石園詩》、（清）葉世倬《退思堂文集》、（清）劉鴻翱《綠野齋前後合集》、（清）陳銓《粵鹺蠡測編》、《大清律例彙輯便覽》、《明季稗史彙編》等，

---

21 「王文興教授手稿資料展」於民國八十九年（2000）十一月十五日至十二月三十一日舉行。「林文月教授手稿資料展於民國九十年（2001）四月十二日至六月三十日舉行。「臺靜農教授手稿資料展」於民國九十年（2001）十一月二十三日至十二月三十一日舉行。「葉維廉教授手稿資料展」於民國九十一年（2002）九月十九日至十二月三十一日舉行。「王禎和先生手稿資料展」於民國九十二年（2003）十月一日至十二月三十一日舉行。「楊雲萍教授手稿資料展」於九十三年（2004）九月十四日至十二月三十一日舉行。

22 《臺灣文獻叢刊》由臺灣銀行經濟研究室編輯，自民國四十六年（1957）至六十一年（1972）出版三百九種著作，其中原本為民國以前之線裝書者約有四十餘種。

均具有極高之參考價值。若能將此類中文古籍加以彙編成目錄，當可更充分顯示本校豐富之臺灣資料館藏資源。

（九）荷據時期臺灣關係圖書[23]

臺灣大學圖書館藏有數種荷據時期臺灣關係圖書，可作爲研究荷據時期臺灣之重要參考資料。分述如下：

1. C.E.S.[24]撰 *'t Verwaerloosde Formosa*（《被遺誤之臺灣》）

本書爲被鄭成功逐出之荷蘭最後一任長官揆一（Frederick Coyett）所撰，1675 年（清康熙十四年）刊於阿姆斯特丹。作者曾被控須負失陷臺灣之責，被囚禁至 1674 年始被釋放。次年出版此書以申辯臺灣失陷並非彼等之責，乃由於公司當局之貽誤。此書不但可作爲研究荷蘭據臺時之重要參考史料，亦爲鄭成功攻臺經過唯一之西方資料。本校圖書館藏有此書一部，另藏有三種英譯本及三種中譯本。

2. François Valentyn 撰 *Oud en Nieuw Oost-Indien*（《新舊東印度誌》）

此書於 1724～1726 年出版，記述十七世紀荷蘭東印度各地之地理、歷史、宗教、貿易等情事，計有五卷，其中第四卷收有〈臺灣誌〉，敘述臺灣地誌、住民、通商貿易經過及宗教

---

[23] 本部分所述亦皆據「臺灣文獻資料合作發展研討會」中臺灣大學圖書館之報告文。見同註 5。另可參賴永祥、曹永和：〈有關臺灣西文史料目錄稿〉（一）～（四），《臺灣風物》第二卷第 5～9 期（1952 年 8 月～12 月）。

[24] C.E.S 可能是拉丁文 Coyett et Socii，意為「Coyett 及其同僚們」之略。Coyett 即為中國文獻裡的「揆一」。

信仰等。原書有五冊本及八冊本兩種版本，本校圖書館所藏爲較罕見之五冊本，另又藏 1856～1858 年之重刊本一部。

3. William Campbell（甘爲霖）牧師英譯 *Formosa under the Dutch*（《荷蘭人佔據下之臺灣》）

此書刊於 1903 年，包括三部份，第一部爲《新舊東印度誌》之英譯，第二部爲 Grothe 所撰《早期荷蘭的傳教史料》之英譯，第三部爲《被遺誤之臺灣》之英譯。此書可謂研究荷據時期臺灣之最基本入門參考書。本校藏有原刊本一部。另臺北成文出版社及南天書局亦曾影印行世。

4. Pieter van Dan 著 *Beschryving van de Oost-Indische Compagine*（《東印度公司誌》）

此書作者於十七世紀末曾任東印度公司之貿易長官，受公司董事會之委託，利用公司各種祕密文書，經八年編撰而成。本書成於十八世紀初，原僅爲密件稿本，1927 年至 1954 年間，始由 F. W. Stapel 等人校注，收錄於《荷蘭史料叢刊》。本書第二卷第一冊第二十二章乃記述自荷蘭早期求市至據臺，嗣後被鄭成功逐出與清朝聯軍企圖收復臺灣，並與清廷交涉通商貿易等情況。本書乃研究荷據臺灣及清、荷關係史之重要文獻。

5. Isaac Commelin 編《東印度公司的創業與發展》

此書收輯荷蘭東印度公司成立前和成立後向各地發展時期之各種主要航海記或旅行記。1645 年刊於荷蘭阿姆斯特丹。

6. Albrecht Herport 所撰之旅行記

此書之著者爲瑞士人，服務於東印度公司，奉命參加遠征軍來臺增援，後來參加熱蘭遮城保護戰。本書爲著者之旅行記，本校所藏爲德文重刊本。

7. M. C. Sibellius 所著之《臺灣土人五千九百人改信》

此書乃原由 Sibellius 以拉丁文所寫之書信，後由 Jessci 英譯並加序文，收入 Campbell 於 1889 年出版之《臺灣傳教成功記》第一冊中。本書對研究荷據時代外國傳教士在臺傳教之情形有極高之參考價值。

三、臺灣大學圖書館所藏珍本臺灣研究資料之整理

臺灣大學今所藏珍本臺灣研究資料，除「楊雲萍文庫」及「臺大近代名家手稿」外，其餘多數承接自臺北帝國大學。數十年來曾對所藏此類資料作過整理，尤以近年來所進行之典藏數位計畫最具明顯成效。茲將以往整理之情況及未來之努力方向略作陳述：

（一）目錄之製作：

臺灣大學早期有關臺灣研究資料分藏於特藏組、歷史系、人類學系、法學院分館……等二十餘處。除歷史系於民國五十年（1961）編製《國立臺灣大學文學院歷史系藏書目錄第六冊：中日文臺灣史》及圖書館閱覽組於民國五十八年（1969）起編製《國立臺灣大學圖書館臺灣文獻目錄（工作用手稿本）》以外，其餘各處之臺灣資料雖製有卡片，然缺乏一完整目錄，難

以估計其全貌。其後經本校臺灣研究社學生之協助，於民國七十七年（1988）起陸續編成《國立臺灣大學農業經濟學系圖書館日文臺灣資料目錄》、[25]《國立臺灣大學人類學系圖書館藏日文臺灣資料目錄》、[26]《國立臺灣大學法學院舊藏日文臺灣資料目錄》[27]等目錄。其後於民國八十一年（1992）遂有圖書館所編《臺灣大學舊藏日文臺灣資料目錄》之出版。然十餘年來，由於民國八十七年（1998）十一月圖書館新館之啓用，臺灣資料得以更加集中，便於核對，實有必要編製一套更完整確實之臺灣資料總目錄。目前由本校東亞文明研究中心與圖書館合作進行編纂之《臺灣大學所藏珍本東亞文獻目錄——臺灣資料篇》即希冀達到部分目標。

本校所藏舊有臺灣資料中，仍有部分尚未完成內容細部之分類，如「岸裡大社文書」、「田代文庫」等。新入藏之部分，如「臺大近代名家手稿」、「楊雲萍文庫」等之細部整理編目更是有待未來努力。

（二）整理、影印

本校歷史系曾於民國八十二年（1993）四月起，整理《淡新檔案》，八十四年（1995）九月由臺灣大學出版《淡新檔案》校註排印本第一至四冊，涵蓋行政編之總務及民政二類。[28]臺

---

[25] 臺北：臺灣大學農業經濟學系出版，1988 年。

[26] 臺北：臺灣大學人類學系出版，1989 年。

[27] 臺北：臺灣大學法學院出版，1992 年。

[28] 參見陳維昭：〈淡新檔案序〉、孫震：〈淡新檔案序〉，《淡新檔案（一）》（臺北：臺灣大學圖書館，1995 年）。

大圖書館於八十六年（1997）起接續《淡新檔案》之整理出版工作，由歷史系吳密察教授主持，率領歷史所研究生進行，於民國九十年（2001）出版第五至八冊，涵蓋行政編之財政及建設二類。民國九十三年（2004）出版第九至十二冊，涵蓋行政篇之建設、交通及軍事三類。近期將出版第十三至十六冊，行政編至此將完整出版。

另本校曾於八十七年（1998）三月出版《國立臺灣大學藏岸裡大社文書》，乃以原件逐件以電腦掃描或照相製版刊印。[29]

本校圖書館未來應與校內相關領域教師加強合作，將所藏珍本臺灣資料作精細、深入之研究、整理，並將其整理成果出版，以利廣大讀者之利用。

（三）數位化

臺灣大學圖書館執行「數位典藏國家型科技計畫——臺灣大學典藏數位化計畫」之子計畫「臺灣文獻文物典藏數位化計畫」，自民國九十一年（2002）至九十五年（2007）止，將《淡新檔案》、《伊能嘉矩手稿》、《臺灣古碑拓片》等資料群加以數位化。另圖書館於九十年（2001）至九十一年（2002）文建會「國家文化資料庫——岸裡大社文書典藏數位計畫」、「國家文化資料庫——歷史老照片典藏數位計畫」，九十三年（2004）「國立臺灣大學圖書館、行政院文化建設委員會國家文化資料庫

---

[29] 參見《國立臺灣大學藏岸裡大社文書（一）・凡例》（臺北：臺灣大學，1998年）。

『臺灣宗教藝術』數位化合作計畫」等。經過此等數位化計畫，本校所藏臺灣資料將增加其使用之便利。

四、臺灣大學圖書館所藏珍本臺灣研究資料之利用

近年來，「臺灣研究」之風氣日興，吸引更多學者投入此領域之研究。臺灣大學因其創建歷史之特殊，收藏有豐富珍貴之臺灣研究資料。若能充分利用、發揮此份珍貴資源，將可提昇本校在國際之地位，吸引更多海內外學者至本校研究交流，使本校成爲臺灣研究之重鎭。此外，本校教師以地利之便應多利用此項資源從事研究，一方面建立本校臺灣研究之學術成就，以便與海內外學者進行交流。一方面可作爲教學之素材，引導學生進行相關研究，以達到薪火相傳之目的。

欲使研究者更方便利用館藏珍本臺灣資料進行研究，則如何增進資料借閱、利用之方便性爲未來宜思考之方向。然館藏資料之保護與讀者利用之方便性間如何取得平衡，亦爲值得深思之問題。

五、結語

以上對臺灣大學所藏珍本臺灣研究資料之收藏、整理與利用作簡略之敘述。欲建立一所世界一流大學，必先有豐富之圖書資源。本校未來應更積極搜集有關臺灣研究之珍貴資料，更加豐富館藏，使臺灣大學向世界一流大學之目標邁進。

讀《留書》與《明夷待訪錄》隨劄

鄭吉雄*

黃梨洲（宗羲，1610～1695）於順治年間著成《留書》，針對和明朝滅亡有關的幾個大問題，提出激烈的批判。至康熙三年（1664）梨洲再發表《明夷待訪錄》，即以《留書》部分內容為底稿。〈留書題辭〉說：

> 癸巳秋，為書一卷，留之篋中。後十年，續有《明夷待訪錄》之作，則其大者多採入焉，而其餘棄之。甬上萬公擇謂尚有可取者，乃復附之《明夷待訪錄》之後，是非余之所留也，公擇之留也。癸丑秋，梨洲老人題。[1]

「癸巳」當順治十年（1653）。依照梨洲的講法，他並沒有完全阻止萬公擇將《留書》附於《待訪錄》之後的做法——當然，也許是有某種原因讓他無法阻止。但梨洲說「非余之所留，公擇之留也」，顯然也沒有完全同意公擇的做法。他在《留書・自序》中說：

> 古之君子著書，不惟其言之，惟其行之也。僕生塵冥之中，治亂之故，觀之也熟。農瑣餘隙，條其大者，為書

---

* 現任國立臺灣大學中國文學系教授。

[1] 黃宗羲：《留書》，收入《黃宗羲全集》（杭州：浙江古籍出版社，1985 年）冊 11，頁 14。

> 八篇。……吾之言，非一人之私言也。後之人苟有因吾言而行之者，又何異乎吾之自行其言乎？是故其書不可不留也。[2]

根據這篇〈自序〉，梨洲著書的目的是要條陳重大的「治亂之故」，而提出「行其言」——也就是提出改革辦法，冀能將著書所立之說，變成具體政策。然而就現存的五篇《留書》的內容考察，梨洲寫作時絕大部分是「批判」，連具體的「建言」都很少，更遑論實行的方案了。《留書》此一體例，和《待訪錄》每篇文章的最後部分均有提出具體方案的形式，是截然不同的。倘將《留書》五篇逐一分析：〈文質〉篇針對蘇洵（1009～1066）所說「人喜文而惡質」之論，反過來論證一般人喜質而惡文，因爲「天下之爲文者勞，而爲質者逸，人情喜逸而惡勞，故其趨質也，猶水之就下」。禮教日壞日頹的基本原因，是因爲禮是「文」而非「質」的緣故——將繁複的禮儀簡化很容易，要建立禮文卻很難。〈封建〉篇主張恢復封建，卻沒有列出具體地方制度的方案；〈衛所〉篇分析「天下之害，未有盛于衛所」，並沒有提出一種新的兵制。〈朋黨〉篇分析君子小人之判，反對「小人無朋，惟君子有之」的說法。〈史〉篇批評著史者沒有嚴華夷之辨，亦沒有發揮褒貶的力量，「使亂臣賊子得志於天下」。也許我們可以說，現存的五篇《留書》，內容的「精神」雖然接近於「行」；但綜觀整體內容，卻傾向於批判，並沒有像《待訪錄》那樣具體地條列治法所應遵循的制

---

[2] 同前註，頁 1。

度，欠卻「行」的指引方針。

到了撰寫《待訪錄》，梨洲才做了一個大翻轉，也就是在每篇的最後部分提出具體的新方案、新制度。這和該書〈序〉蘊含「待新王之訪」的意味有關嗎？我無法斷言。然而，說《待訪錄》是一部迴異於《留書》的新著，也並不完全正確。讀者也許應該注意，《待訪錄》其實是一部新、舊雜陳的著作，部分內容是從《留書》改編而成的，因爲今本有些篇章，甚至仍然遺留晚明歷史背景的痕跡。首先我們可以檢查一下的，是《留書・封建》篇和今本《明夷待訪錄・方鎭》篇的關係。

首先，〈封建〉稱「自秦至今一千八百七十四年，中國爲夷狄所割者四百二十八年，爲所據者二百二十六年」，秦始皇帝元年爲西元前 221 年，往後計算一千八百七十四年，則爲順治九年壬辰（1652），距離《留書》撰成只差一年。換言之，順治九年非常有可能就是〈封建〉篇的撰著時間。這段計算年數的文字，竟然同時出現在十年之後發表的《明夷待訪錄・方鎭》篇中，不能不讓人感到奇怪。我們有理由相信，〈方鎭〉篇可能是根據〈封建〉篇修改而成的。

比較這兩篇的內容，不難發現，究竟要提議恢復「封建」抑或恢復「方鎭」的問題，顯然曾一度困擾過梨洲。今本《留書》和《待訪錄》仍然保留了這樣的痕跡。梨洲最初在〈封建〉篇中主張恢復封建。他說：

自三代以後，亂天下者無如夷狄矣，遂以為五德沴眚之運。然以余觀之，則是廢封建之罪也。[3]

又說：

自秦至今一千八百七十四年，中國為夷狄所割者四百二十八年，為所據者二百二十六年，而號為全盛之時，亦必使國家之賦稅十之三耗於歲幣，十之四耗於戍卒，而以至於秦二千一百三十七年，獨無此事，此何也？豈夷狄怯於昔而勇於今哉，則封建與不封建之故也。[4]

又薦女以事之，卑辭以副之，夫然後可以僅免。乃自堯

梨洲在〈封建〉篇中強烈主張恢復封建制度，其意甚明。然而在今本《明夷待訪錄》中，梨洲其實保留了兩種意見。第一種意見載於〈方鎮〉篇：

今封建之事遠矣，因時乘勢，則方鎮可復也。……是故封建之弊，強弱吞併，天子之政教有所不加；郡縣之弊，疆埸之害苦無已時，欲去兩者之弊，使其並行不悖，則沿邊之方鎮乎！[5]

明白指出「封建之事遠矣」，「方鎮」才是取代封建與郡縣的最佳折衷辦法。但在〈原法〉篇中梨洲又提出了第二種意見：

苟非為之遠思深覽，一一通變，以復井田、封建、學校、

---

[3] 同前註，頁 4。
[4] 同前註，頁 5。
[5] 黃宗羲：《明夷待訪錄》，收入《黃宗羲全集》冊 1，頁 21。

卒乘之舊，雖小小更革，生民之戚戚終無已時也。[6]

又提到要「復封建之舊」。很明顯地，〈原法〉篇的論點與〈方鎮〉篇的主張是矛盾的，反而與《留書》的〈封建〉篇的觀點相合。換言之，今本《明夷待訪錄》的〈方鎮〉和〈原法〉兩篇兩段文字並存，其實等於在同一書中收納了兩個矛盾的觀點。

後世的讀者其實並不容易根據上述的情況推斷出梨洲的定論為何，因為文獻不足，後人並不容易弄清楚形成這些情形的所有可能性。也就是說，這種矛盾的情形有很多可能性：可能表示今本《待訪錄》仍保留了若干底本的原貌，也有可能表示梨洲故意留下了一些線索，透露他作為明遺民的基本立場：他寄託希望於未來，暗示未來的聖王要「攘夷」也不妨考慮恢復封建制度；甚至也有可能藉由呼籲清聖祖採用方鎮制度，來寄望未來有一天某一「方」之「鎮」能推翻滅明之滿清。不過作為歷史家的梨洲可能沒有預料到，在他撰寫《明夷待訪錄》後的二百七十年，中國深陷於閥割據的混亂局面中，他的「方鎮」思想竟爾以出乎他意料以外的歷史情態，變成真實，而更多的生靈竟因而塗炭了。

進一步探索，〈封建〉篇雖是今本《待訪錄・方鎮》的原稿，但〈方鎮〉篇應該也不完全是入清以後的新著，這一點，在相關的文獻中證據還是很清楚。全謝山（祖望，1705～1755）

---

[6] 同前註，頁 7。

所稱的《留書》(見《鮚埼亭集・梨洲先生神道碑文》)，可能就是《明夷待訪錄》的底稿，〈封建〉篇即在其中。梨洲成書以後，才改易書名爲《明夷待訪錄》，以寄託他欲效法箕子待新王之訪的想法。[7]唯〈方鎮〉原文稱：

> 宜將遼東，薊州、宣府、大同、榆林、寧夏、甘肅、固原、延綏俱設方鎮，外則雲、貴亦依此例，分割附近州縣屬之。務令錢糧兵馬，內足自立，外足捍患；田賦商稅，聽其徵收，以充戰守之用。[8]

如果讀者稍事檢索，查閱一下梨洲所指的這些可以設「方鎮」的邊疆，將不難發現這段文字所述「俱設方鎮」的疆域，其實是明朝時期的疆域，而不是順治、康熙時期的疆域。由遼東至延綏，是明代最北邊的邊界，遼東以北，尚有海西女真和北山女真部，都被摒隔在文章所提出應設立的方鎮界域之外。梨洲在寫〈方鎮〉篇時，南明仍在反抗，明朝尚未真正滅亡。如果說當時梨洲「待訪」之意，是要待南明新王之訪，而非待滿清

---

[7] 《明夷待訪錄・題辭》:「吾雖老矣，如箕子之見訪，或庶幾焉。豈因夷之初旦，明而未融，遂祕其言也！」周武王訪箕子事，見《尚書・洪範》。「洪」訓「大」,「範」訓「法」,「洪範」即治國大法之意。《易》「明夷」內卦為「離」象火(喻太陽)，外卦為「坤」象地,《象傳》稱「明入地中」，而梨洲「夷之初旦」一語，即指滿州(東夷)將要興盛;「明而未融」一語，指明朝(實即為南明)尚未滅亡。梨洲以箕子自比，無異喻康熙為周武，故錢賓四稱「梨洲晚節多可譏。」(見錢穆:《中國近三百年學術史・自序》〔臺北：臺灣商務印書館，1957年〕，頁1。)陳寅恪云:「太沖撰《明夷待訪錄》，自命為殷箕子，雖不同於嵇延祖，但以清聖祖比周武王，豈不愧對關中大儒之李二曲耶？惜哉！」(參陳寅恪:《柳如是別傳》〔臺北：里仁書局，1981年〕第五章「復明運動」，下冊，頁844。)

[8] 同註5，頁22。

皇帝之訪，也不能說完全不可能。到了康熙三年（1664），梨洲懷著「箕子待訪」的心情撰寫《明夷待訪錄・自序》，希望所建議改革的制度，能被康熙帝所接納時，他既沒有將「俱設方鎮」的疆域擴及於北山（今外興安嶺），便顯示他在心理上並沒有完全接受滿清建立的政權。換言之，單單持《明夷待訪錄・自序》「待訪」之意，以懷疑梨洲的晚節，也並不是完全公允的。

據黃炳垕《梨洲先生年譜》，梨洲於康熙元年（1662）始著《待訪錄》，而完成於康熙三年。但事實上從〈封建〉篇看，作爲《待訪錄》的前身，《留書》的撰著年份至遲爲順治九年（1652）。那麼《待訪錄》的整個撰著時間，就不應是三年而是十二年。由〈封建〉改寫爲〈方鎮〉，中間竟經歷了十年以上的時程。

我們有理由相信《待訪錄》是梨洲的一部新著。這部新書，誠然並非如黃炳垕所說歷經三年寫成，而是經過多年的醞釀、修訂才寫定。但用一個較寬鬆的標準看，也不能說黃炳垕完全錯。這當中最主要的原因，應該就在於《待訪錄》具有新的寫作目標，與《留書》不同。簡而言之，這兩部書的文章體例看似相近，實則大異其趣：《留書》只著重批評舊制度，而《明夷待訪錄》則重在研擬新制度。舉例來說，《留書・田賦》，疑即《明夷待訪錄・田制》的底稿，但前者著重批檢討歷史，後者則著重討論新制。像〈封建〉篇也只有對歷史上封建的廢行與得失作分析，並未提出具體建設的方案。如果這些文章收入

《待訪錄》，與其他論文的體例是不一致的。難怪萬公擇選取《留書》附於《待訪錄》之後，梨洲特別強調「非余之所留也，公擇之留也」。

當然，歷來的學者認爲今本的《待訪錄》篇數較原本少，這就要視乎這所謂的「原本」，是否包括《留書》和《待訪錄》所有的篇章了，否則，《留書》與《待訪錄》仍應被視爲不相同的兩部書，比較妥當。

後記

本文創稿於 1995 年。約在 1989 年，我購得《黃宗羲全集》的第一、二冊，讀到了黃梨洲《明夷待訪錄》未刊文〈文質〉、〈封建〉二文，以及吳光教授的介紹，頗覺驚喜，但感到尚有剩義，未被抉發，於是隨手寫了幾條筆記，一直沒有發表，也未有機會質正於吳教授。1993 年 3 月我在寧波大學「浙東學術國際研討會」上宣讀了〈黃梨洲恢復證人書院在學術史上的意義〉一文，探討梨洲的政治改革思想，並計畫寫〈黃梨洲晚節考〉，以《全集》未出齊而沒有動筆。之後，我的注意力一度轉到南宋的浙東學術，1994 年在美國訪問一年，又暫時擱下了清初的一段。1995 年 6 月自美返台，才讀到《黃宗羲全集》第十一冊，得窺現存《留書》五篇的面貌，心中驅使自己釐清梨洲思想若干重要問題的力量愈來愈大。唯自完成〈萬斯同的經世之學〉[9]一文之後，因爲事忙，偶將本文擱下，遂爾遺忘，不意轉眼又已十年。今年整理舊稿，因重新董理此文，提供學界朋友卓參。一得之愚，敝帚自珍，讀者哂正爲幸。

---

[9] 鄭吉雄：〈萬斯同的經世之學〉，《臺大中文學報》第 8 期（1996 年 4 月），頁 195～217。

日本近代以來出版的漢籍叢書

連清吉*

一、前言：時代的思潮與文化發展的軌跡

根據町田三郎先生的說法，明治時代的學術思潮可分爲四個時期，第一期（明治元年〔1868〕～十年代初期〔1877〕）是漢學衰退而啓蒙思想隆盛的時期，第二期（明治十年代〔1877〕～二十二、三年〔1889、1890〕）是漢學復興的時期，第三期（明治二十四年〔1891〕～三十六年〔1903〕）是東西哲學的融合與對日本學術關心的時期，而第四期（明治三十七、八年〔1903、1904〕～大正初期）是日中學術綜合而「日本化」學術鼎盛的時期。[1]此一學術思潮變遷的趨勢正可以用「中心文化向周邊擴張」而後促使「周邊地區文化自覺」之「螺旋史觀」[2]說明其文化發展的軌跡。明治維新以後，由於「文

---

* 現任日本長崎大學環境學院副教授。

[1] 町田三郎先生於明治時代分期的論述，見於所著：〈明治漢學覺書〉，《明治の漢學者たち》（東京：研文出版，1998 年），頁 3。本文所引述的是町田三郎先生於 2001 年 12 月 26 日，在臺灣淡江大學中國文學系舉辦的「中日比較學術研討會」專題演講的講稿。

[2] 「螺旋史觀」是內藤湖南所提出的，其以為：文化傳播的路徑不是直線的，而是螺旋狀而提昇。（〈學変臆説〉，《涙珠唾珠》，《內藤湖南全集》第一卷所收，東京：筑摩書房，1996 年。）至於以「螺旋史觀」探究東亞文化發展的論述，參連清吉：〈以內藤湖南的螺旋循環史觀論近世以來中日文化傳播的軌跡〉，《慶祝莆田黃錦鋐教授八秩日本町田三郎教授七秩嵩壽論文

明開化」的風潮興盛，全面歐化的結果，始導致江戶時代以來漢學傳統的衰微，這是歐陸文化輸入日本所產生的文化現象。明治十年（1877）以後，如何起弊振衰以重建傳統文化的呼聲響起，在政教合一的前提下，於明治十六年（1883）東京帝國大學設立了培育具備漢學修養而能經世濟民人才的「古典講習科」，而獲得官方支持的「斯文會」也於明治十四年（1881）成立，展開其宣揚以忠孝愛國宗旨而復興傳統思想的文化活動。這是受到全盤西化的刺激而產生恢復傳統之自覺性反省的文化現象。唯「古典講習科」未必能擔負培養經濟人才的時代使命，終不敵西化是尙的橫流，設立五年，即明治二十一年（1888）就廢止了。至於「斯文會」也在歐化主義的聲浪中，被批判爲政治的附庸，於明治二十三年（1890）中止其維繫傳統文化的活動。[3]在「傳統與現代」的抗衡中，轉化「文化攘夷」[4]爲「融合東西」或「綜合日中」的動向是明治第三、四期的新的文化自覺與開展。以融合東西哲學爲主旨，用西洋哲學史的方法而整理日本傳統學術的代表性著作是井上哲次郎（1855～1944）的《日本倫理彙編》。至於以綜合日中學術的

集》（臺北：文史哲出版社，2001 年），頁 339～355。

[3] 有關「古典講習科」的論文，參見町田三郎：〈東京大學「古典講習科」の人人〉，《明治の漢學者たち》（東京：研文出版，1998 年），頁 128～150。至於明治期的漢學研究動向，則參見坂出祥伸：〈中國哲學研究の回顧と展望〉，《東西シノロジー事情》（東京：東方書店，1994 年），頁 17～46。又「斯文會」於大正八年（1919），以東亞學術研究會為主體而重新展開其學術文化事業。

[4] 所謂「文化攘夷」是從文化的觀點說明日本近代以來，知識階層如何對抗西洋文明與中國學術文化。參見連清吉：〈日本幕末以來的文化攘夷論〉，《中國文哲研究通信》7 卷 1 期（1997 年 3 月），頁 9～19。

觀點而顯揚江戶時代儒者的成就，則有服部宇之吉（1867～1939）的《漢文大系》。

二、井上哲次郎的《日本倫理彙編》

井上哲次郎於東京大學在學時，雖然是主修西洋哲學；但是由於中村正直（1832～1891）的影響，對漢學也極爲關心。明治二十三年（1890），結束六年歐洲留學的生活回國，乃嘗試以西洋學術文化的觀點取捨傳統漢學家的著述，構築新的東洋學問體系。《日本陽明學派之哲學》（明治三十三年，1900）、《日本古學派之哲學》（明治三十五年，1902）、《日本朱子學派之哲學》（明治三十九年，1906）是其代表性的三部著作，[5] 與此三部著作相爲輔成的是其與蟹江義丸（1872～1904）共編的《日本倫理彙編》。《日本倫理彙編》於明治三十四年（1901）編輯完成，自該年八月起，由育成會分三次出版，於明治三十六年（1903）八月刊行完成。根據井上哲次郎序文的敘述，全書編輯的主旨有二，其一在於當代東洋傳統的儒佛思想衰微，日本固有道德主義不興，乃欲融合東西的道德主義以振興日本固有的道德；其二在於西洋倫理的書籍易得而日本倫理的典籍難尋，乃按學派分類日本倫理書籍，陸續刊行以補教育缺陷之一端。至於編輯的〈凡例〉則有：

---

[5] 井上哲次郎有自述其生平的《井上哲次郎自傳》（東京：富山房，1975 年）。至於《日本陽明學派之哲學》等三部著作的論述，參見町田三郎：〈井上哲次郎と漢學三部作〉，《明治の漢學者たち》（東京：研文出版，1998 年），頁 231～246。

（一）本書選擇日本固有倫理書之主要者，依學派而分類之，欲以便學者之研究，因名曰倫理彙編。

（二）雖主要倫理書，坊間多流傳者或不取而代之以世間罕見者，如捨大鹽中齋之《洗心洞箚記》而取其《大學刮目》即是。

（三）本書各卷卷首附序說，略述採錄學者事蹟著書，揭示輯錄書籍之解題。

（四）本書為存輯錄書之原貌，故有誤字、脱字、衍字者及語格假名使用之誤謬者，皆不改訂。

（五）原本無句讀者附之，漢文而無訓點者施之，俾初學者易讀也。[6]

《日本倫理彙編》依據學派而收錄江戶時代以來儒者及其著作，有陽明學派三卷，古學派三卷，朱子學派二卷，折衷學派一卷，獨立學派與老莊學派合爲一卷，合計十卷，採錄學者三十六人，著錄書籍七十七部二百七卷。茲比較其所著的《日本陽明學派之哲學》等三部著作，或可進一步地窺知井上哲次郎編纂《日本倫理彙編》的用意與問題所在。

---

6 〈凡例〉原為日文，筆者譯為中文。

	《日本倫理彙編》	《日本陽明學派之哲學》等三部著作
著書的著錄	詳	略
輯錄的書目	少	多
學派的分類	多	少
學派思想流衍	略	詳
採錄的學者	少	多
學者的著述生平	略	詳

《日本倫理彙編》輯錄的書目雖不及《日本陽明學派之哲學》等三部著作的多，但是在書目的解題卻比較詳細。唯各卷的開端雖有學派思想淵源的敘述，於儒者的著述生平亦有論述，卻沒有《日本陽明學派之哲學》等三部著作的精詳，故《日本倫理彙編》是叢書性質的資料彙編而非系統性的學術論著。井上哲次郎於〈序文〉指出：

> 《日本倫理彙編》所輯錄的是日本固有道德的倫理書，但是探究其所著錄的書目，大抵是江戶時代的先哲遺著，著述的內容未必只是道德倫理的心性之學，亦有如大鹽中齋《增補孝經彙注》之集釋性的著述，伊藤東涯《古今學變》辨析學術源流的論著，三浦梅園《贅語》、《敢語》、《梅園拾葉》、帆足萬里《入學新論》之具有

邏輯辨證性的論著。[7]

就此現象而言，其所謂的「倫理」既包含心性道德的意義，也有哲學論理的意義。至於《日本倫理彙編》所收錄的折衷學派、獨立學派與老莊學派，井上哲次郎未有如《日本陽明學派之哲學》的學術性論著，或許折衷學派、獨立學派與老莊學派並不是江戶時代學術思想的主流，雖名之爲「學派」卻未必有流長的淵源，故無學術性的專著，用以論述其哲學體系與思想流變。雖然如此，獨立學派所採錄的三浦梅園（1723～1789）與帆足萬里（1778～1852）雖出生於九州東北部小藩，卻融合東西哲學而開展具有論理性之「條理學」與「窮理學」，其學風超卓於當世。[8]至於老莊思想之所以流行，乃因爲德川中期以來，儒者文人感受到儒教禮樂的僵化，故有以老莊自然無爲其爲精神的寄托或遊於藝的理想歸趨，甚至以老莊思想爲其自在於入世與出世之間的人生觀的根據。因此，不但中國老莊注疏的版本有所輸入，江戶儒者於老莊思想的論述與注釋也不少，而文人詩文集中亦不乏談論老莊思想的文字。[9]至於片山世璠

---

7 〈序文〉原為日文，筆者譯為中文。

8 內藤湖南稱三浦梅園的《三語》是江戶時代具有創見的著作之一〈近世文學史論・儒學下〉，《內藤湖南全集》第一卷（東京：筑摩書房，1970年），頁 58。至於三浦梅園的生平與思想，參見島田虔次：〈三浦梅園の哲學〉，《三浦梅園》（《日本思想大系》41，東京：岩波書店，1982 年），頁 635～672。田口正治：《三浦梅園》（東京：吉川弘文館，1967年）。帆足萬里的學術生平則參見帆足圖南次：《帆足萬里》（東京：吉川弘文館，1966年）。

9 德川中期以來，儒者文人如何優遊以老莊思想的論述，參見中村幸彥：〈近世文人意識の成立〉，《中村幸彥著述集》第十一卷（東京：中央公論社，1982 年），頁 375～407。至於江戶時代老莊思想和文獻學的研究，則參見

（兼山，1730～1782）、井上金峨（1732～1784）之折衷漢宋學問的折衷學是開啓考證學的先聲，自大田錦城（1765～1825）以迄安井息軒（1799~1876）的考證學不但是江戶後期學問的主流，於日本近代中國的研究也有深遠的影響，考證校勘與哲學義理分屬不同的學問領域，不在井上哲次郎的學問體系中，因此《日本倫理彙編》沒有收錄考證學方面的論著，其著作中，也沒有系統性研究考證學派的書目。《日本倫理彙編》最大的疑問是未採錄林羅山（1583～1657）及其門下弟子的著作。林家朱子學是江戶時代學問的主流，寬政（1789～1800）異學之禁，即爲了依繫林家朱子學的正統性而頒行藩學禁止教授朱子學以外的學術的禁令。江戶後期以來，朱子學雖逐漸式微，卻依然保有其官學的地位，明治以後，以東京大學爲中心的東京中國學的學風還是以探究宋學的幽微爲究極。井上哲次郎之所以不收錄林羅山的生平著述的原因，或如其在《日本朱子學派之哲學》所說的：

> 林羅山雖博聞強記，著作等身，大抵粗雜，皆非多年研究精粹之作，或可資參考，而學者不可或缺者殆稀。然其為德川時代之鉅儒，蓋無人得以否定。[10]

林羅山的著書粗雜精粹與否，頗有是非爭議，而林羅山既是江

武內義雄：〈日本における老莊學〉，《武內義雄全集》第六卷（東京：角川書店，1978 年），頁 226～238。大野出：《日本の近世と老莊思想》（東京：ぺりかん社，1997 年）。連清吉：《日本江戶後期以來的莊子研究》（臺北：學生書局，1998 年）。

[10] 見〈林羅山——第一事蹟〉，《日本朱子學派之哲學》第一編第二章（東京：富山房，1905 年），頁 57。

戶時代的大儒，並且林家朱子學於日本近世以來中國學的影響深遠，於林羅山及林家朱子學存而不論，固有商議的所在。

三、服部宇之吉的《漢文大系》

由服部宇之吉編集的《漢文大系》刊行於明治四十一年（1909）到大正五年（1916）的八年間。共二十二卷、收載三十八種書籍、由富山房出版。全書按四部分類的話，可分爲：

經部：易經、書經、詩經、春秋左氏傳、禮記、四書、弟子職、小學。

史部：戰國策、史記（列傳）、十八史略。

子部：老子、莊子、墨子、韓非子、管子、荀子、淮南子、七書、孔子家語、近思錄、傳習錄。

集部：楚辭、唐詩選、三體詩、古文真寶、文章規範、古詩賞析。

服部宇之吉編集《漢文大系》的目的有二：一爲系統的介紹具有代表性而且是常識性的中國古典及其精審的注釋。二爲蒐集日本幕末到明治時代儒學者的研究成果。至於《漢文大系》所顯示的意義，則在於吸收中國最新的學術研究，評價日本幕末以來的漢學研究成果。因爲《漢文大系》所收集的中國古典注釋不但有唐宋及其以前的注解，更值得留意的是清人注釋的收集，如孫詒讓（1848～1908）的《墨子閒詁》、王先謙（1842～1917）的《荀子集解》。至於本國前人的注釋，特別是諸子的注疏，更是大量的收錄。如安井息軒的《四書注》、《管子纂詁》，太田全齋（1759～1829）的《韓非子注》等。因此，《漢文大系》的編集固然可以代表日本近代學術研究的成果，更重要的是，隨著日本近代化國家確立的時代背景，在學術研究上，日本也有足以與中國最新學問、即清朝學術比肩的研究成果，特別是諸子研究，日本的研究未必遜於清朝。這或許是服部宇之吉編集《漢文大系》的用心所在。[11]

與《漢文大系》幾乎同時出版而性質和旨趣略有不同的是《漢籍國字解全書》。《漢籍國字解全書》於明治四十二年（1910）到大正六年（1917）的八年間，由早稻田大學出版部分四次出版。收集了江戶時代的國字解、即所謂「先哲遺著」和新的注解而成。特別是以代表日本漢學之頂點的元祿（1688～1704）至享保（1716～1736）年間的先哲論述為主。

第一輯：四書、易經、詩經、書經、小學、近思錄、老子、莊子、列子、孫子、唐詩選、古文真寶。

第二輯：春秋左氏傳、傳習錄、楚辭、管子、墨子、荀子、韓非子。

第三輯：禮記、莊子、唐宋八家文讀本。

第四輯：文章規範、續文章規範、十八史略、戰國策、國語、淮南子、蒙求。

所謂漢籍國字解，是中國古典的國字化，即融和漢學與國學，

---

[11] 關於《漢文大系》的論說，參見町田三郎先生：〈《漢文大系》について〉，《九州大學文化史研究紀要》34（1989 年 3 月）。

形成日本文化的重要關鍵。換句話說是漢學的日本化。因此，《漢籍國字解全書》雖然和《漢文大系》同樣是整理漢籍，但是《漢籍國字解全書》的主要目的在保存日本文化的遺產與發揚近代日本學術研究的成果，不止是可以作爲江戶到明治大正期漢學史的參考資料，更是探究日本近代學術文化的重要依據。再者，《漢文大系》的編集有兼收中國與日本於漢學研究成果，進而顯示日本漢學特色的用心。《漢籍國字解全書》則全盤顯示漢學日本化的色彩，換句話說，日本本土文化意識的顯揚是《漢籍國字解全書》的編集目的。[12]

四、大正期的漢籍叢書

就漢籍叢書的刊行而言，大正至昭和初期是日本「本土文化意識」高揚的時期。《日本詩話叢書》、《日本藝林叢書》、《崇文叢書》、《日本儒林叢書》是反映當時「日本的」意識的產物。服部宇之吉主編的《漢文大系》雖有江戶先儒的學術成果足以匹敵中國清朝學問的用心，其編纂的宗旨畢竟在於綜合中日學術的精華。但是《日本詩話叢書》、《日本藝林叢書》、《崇文叢書》、《日本儒林叢書》等書則繼承《漢籍國字解全書》顯揚日本漢學的旨趣，具有濃厚的日本學問優越性的色彩。

《日本詩話叢書》十卷，池田蘆洲（1864～1934）編輯，

---

[12] 關於《漢籍國字解》的論説，參見町田三郎先生：〈《漢籍國字解》全書〉，《東洋の思想と宗教》第 9 號（早稻田大學東洋哲學研究會，1992 年 5 月），頁 1～16。

文會堂書店於大正九年（1920）一月到十一年（1922）六月，陸續出版，昭和四十七年（1972）六月，鳳出版復刻刊行。全書收錄江戶時代，特別是中期以後文人儒者的詩話五十三人六十六種。池田蘆洲於〈例言〉敘述其編纂的趣旨：

> 慶元以來學者輩出，詞華之富，遙超前世，詩話之撰不勝指僂，而其書大抵絕版，故獲之甚難。今不計保存之，則前輩苦辛之著書終至歸於絕滅。是余所以企叢書之舉也。
>
> 版本既如此，況纔傳寫本者也。如本叢書所收古賀侗庵《非詩話》、津阪東陽《葛原詩話糾謬》、友野霞舟《錦天山房詩話》、乙骨耐軒《讀瀛奎律隨刊誤條記》，未刊行，實貴重之書也。今皆得其裔孫之承諾，玆得收之叢書中，深余之所幸也。
>
> 原著漢文作者，譯之邦文，與原文對照，以便披讀。漢文者自有漢文之格調，譯之邦文，往往失其語氣，於韻語最有此病。故當今譯之，不必拘於邦語之語格，要在發揮漢文之面目而已。
>
> 原本往往有魯魚之訛今明明可知者，斷然正之。其所引證之語句而可疑者，務搜原書而參之，且取（國分）青厓翁校閱之勞，庶幾得正舊本之誤。
>
> 舊本間有為提行闕字者，今一切平行以一體例。
>
> 每篇揭著者略傳及解題，以便讀者。

> 校字一事，古人皆難之，況余公私繁冗，安能保其無誤，江湖君子幸有所指摘則幸甚。[13]

則意在存前人之著書以免於亡逸不傳，又顧全原本之真實無訛，既和漢並存，又考校舊本之缺漏。至於《日本詩話叢書》的內容，富士川英郎的論述，大抵可分為五類，一、說明詩的意義及作詩方法的入門書，如祇園南海（1676～1751）《詩學逢原》，三浦梅園《詩轍》。二、積極地展開自身的詩論，如山本北山（1745～1812）《作詩志彀》攻擊荻生徂徠（1666～1728）一派的詩風而排斥徂徠所尊崇的李于麟而推崇袁宏道（中郎，1568～1610）的性靈說。三、考釋中國詩詞中難解的字句及草木鳥獸蟲魚之名，如六如上人《葛原詩話》。四、敘述日本漢詩的歷史，如江村北海（1707～1782）《日本詩史》。五、選別中國與日本古今詩詞，並注釋賞析，或記述詩人逸事，如菊池五山《五山堂詩話》。[14]

《崇文叢書》是崇文書院於大正十四年（1925）至昭和七年（1932）陸續刊行，全書分二輯收錄先哲，特別是江戶時代儒者十八人二十四部一百二十冊的名著。其中關於經書論述的有安井息軒《毛詩輯疏》、《書說摘要》，增島蘭園《夏小正校注》、《讀左筆記》，片山世璠《論語癈疾》，竹添井井（1842～1917）《論語會箋》，藪孤山（1735～1802）《崇孟》。文字聲韻的論著有釋空海（774～835）《篆隸萬象名義》、中井履軒（1732

---

13 〈例言〉原為日文，筆者譯為中文。

14 〈「詩話」についての雜談〉，《新日本古典文學大系》月報28（東京：岩波書店，1991年8月第六十五卷附錄），頁1～4。

～1817）《諧音瑚璉》。諸子的論述有蒲坂青莊《韓非子纂聞》，荻生徂徠《讀呂氏春秋》，古賀侗庵（1788～1847）《崇程》，海保漁村（1798～1866）《讀朱筆記》。至於文集、隨筆等著作則有太宰春台《紫芝園漫筆》，林述齋（1768～1841）《蕉窗文草》、《蕉窗永言》，松崎慊堂（1771～1844）《慊堂全集》，古賀侗庵《侗庵非詩話》，海保漁村《傳經廬文鈔》，並河天民（1679～1718）《天民遺言》，釋萬庵《萬庵集》，賴春水（1746～1816）《東遊負劍錄》，朝川善庵（1781～1849）《樂我室遺稿》。換句話說此叢書所收載的，大抵以經傳論孟諸子宋學的論著居多，即使所收近世儒者文集的論述亦多以經說理學爲主，至於史部的著作及論述則付之闕如，蓋可窺知編輯者以爲江戶漢學的成果在於經學、諸子學與宋明理學的見解。

《日本藝林叢書》十二卷，池田四郎次郎（1864～1933）、三村清三郎（1876～1953）、濱野知三郎（1879～1941）共編，六合館於昭和二年（1927）十二月至四年（1929）十月陸續刊行。昭和四十七年（1972）鳳出版復刻出版。全書收錄日本近世漢學者及國學者的隨筆類著書，內容有論辨、考證、紀行、日記、書信、詩話、文話、隨筆、雜記等。此叢書所收載的，大抵以未刊行、絕版或藏書家所珍藏的典籍爲主，於書籍的流傳有其重要的地位。其編纂的旨趣雖未有注記，每卷分別由池田四郎次郎、三村清三郎、濱野知三郎撰述「解題」，說明收載書籍的要旨、版刻、來歷及著者的傳略。如卷一所收猪飼彥博（1761～1845）《驅睡錄》三卷的池田四郎次郎解題：

> 猪飼彥博，字希文，號敬所，通稱太郎右衛門，近江人。學於巖垣龍溪門下。天資謹愨，富記性，凡讀書，一過眼則終身不忘。經史之外，廣涉群書。……最明經書，特精通三禮，有《讀禮肆考》、《西河折妄》之著行世。……弘化二年[15]十一月十日歿，年八十五。此書雖敬所翁緒餘之書，有經書歷史之考證，文章詩歌之評論，或述文字之用法，討俗語之出典。時遇讀書會心之處，則一一抄出，供誦讀之便，又登載其書之目次而資他日之搜索等。……原本係三村清三郎之藏，敬所翁自筆之稿本也。本文往往有有塗抹之處，又有蠹蝕之處。今其所引古書者，一一就原書校訂，尚缺明確者，疏記之於欄外，又蠹蝕等字形不明之所，則填方圍活字而存疑，不敢妄補填一字。稿本欄外往往有翁自筆寫入者，今存之，余之校訂注記者，冠一案字以別之。[16]

又卷六所收喜多村信節《嬉遊笑覽》與卷十一所收松崎慊堂《慊堂日歷》的濱野知三郎解題，不但著錄其版本、收藏所在及著者的學問性格，更詳細地評述其內容與價值。濱野知三郎稱前者爲：

> 考證隨筆之巨擘。總目分居處、容儀、服飾、器用、書畫、詩歌、武事、雜伎、宴會、歌舞、音曲、玩弄、祭祀、行遊、慶賀、方術，娼妓、言語、飲食、火燭、商

---

[15] 按：弘化二年為 1845 年。
[16] 原文為日文，筆者譯為中文。下同。

賈、乞士、禽蟲、草木等二十四門，每門更舉幾多細目，一一徵之古書古語等而考證之。……作者……博聞強記，好抄錄諸書，又作群書索引供之座右。……考究論證一事一物，必先期遡其語源，博搜廣求，和漢不問，雅俗不擇……交遊有太田全齋。……

至於《慊堂日歷》的著錄則曰：

《慊堂日歷》一云《慊堂日錄》，縱六寸一分，橫四寸二分，綴以薄葉紙而成冊。現歸靜嘉堂文庫所藏。此書原有二十四冊，今逸第一、第二兩冊而不能審其所在。……其內容頗廣泛，自日常行事、門客來往詩文和歌、見聞瑣事、閱讀圖書之摘錄批評至家庭社會之情事，不問雅俗，不擇和漢，入微涉細，苟目睹耳觸，毫無所洩。……其精力絕倫，筆力遒勁，其研究心隨所洋溢，至老不衰。……吾曩接史料通覽之刊行，得容易繙讀幾多貴重日記之便者為歡喜，而近代學者之日乘上梓甚少者，每為遺憾之所。《慊堂日歷》稍異於其撰，有如日記加以一種隨筆之感，若求其類，則可比諸曾國藩之日記、李慈銘之《越縵堂日記》也。《越縵堂日記》特資學者研究者不少，《日歷》之益後進亦不遜於彼。……學徒日集其門，侯伯亦多請聽其講說……其所深許者不過狩谷棭齋、市野迷庵、山梨稻川等數人。……

即於著錄書籍的內容、來歷與著者的學問特質、交遊知己皆有記述。

《日本藝林叢書》之值得留意的是《慊堂日歷》的收載。《慊堂日歷》的作者松崎慊堂是日本江戶時代後期重要的儒者，致力於漢唐注疏的研究，其所著《日歷》固爲日記，如濱野知三郎的解題所述，內容廣泛，鉅細靡遺，不但可以窺知其學問性格，亦可藉以探究當時儒林掌故與社會情況。若再參採龜井昭陽（1773～1836）的《空石日記》、廣瀨旭莊（1807～1863）的《日間瑣事備忘錄》、安井息軒的《北潛日抄》，則可究明江戶後期的學術動向。由此可見《日本藝林叢書》以第十一、十二卷之兩卷收載《慊堂日歷》是有其意義的。

《日本儒林叢書》正編六冊、續編四冊、續續編三冊、儒林雜纂一冊，關儀一郎編，昭和二年（1927）十二月以後陸續發行，昭和四十七年（1972）鳳出版復刻出版。全書分隨筆部（卷一、二、七、九、十、十二），史傳書簡部（卷三），論辨部（卷四），解說部（卷五、六、八、十、十一）雜部（卷十二）、詩文部（卷十三）、儒林雜纂（卷十四），一～六卷共收錄江戶時代，特別是元祿（1688～1704）以來，儒者的著書一百七十三種二百六十卷。此叢書雖未論及選錄編輯的旨趣，各卷之首以類似解題的〈例言〉簡述所收書籍的要旨、版本及著者略傳。如第一卷所收《間居筆錄・四卷・寫本・伊藤東涯著》的〈例言〉記載著：

> 本書屬東涯晚年之稿，據其嗣東所編次校訂，（序文參照）上中下三卷及拾遺一卷而成。本篇主論道義學事，拾遺讀老子、觀梵書二篇，前者斥老子林注以儒書解老

> 子，後者舉宋儒與佛教類似點，論宋學之異於孔子之道。
>
> 所收本據伊藤家所藏東所校訂本也。而以同家當主伊藤顧也氏之好意，得收於本叢書而刊行，謹表感謝之意。
>
> 著者伊藤東涯名長胤，京都人，仁齋之長子也。博覽強記，能紹述家學，著述極多。元文元年[17]歿，年六十七。

又《瑣語・二卷・五井蘭洲著》：

> 本書錄學事史談、其他見聞之雜事，且述感想者，警拔而有妙趣。如下卷春和陽舒章，可見其感慨之一端。中井竹山跋云：高卓瀟洒警發益多。可謂適評。所收本據明和四年刊本。
>
> 著者蘭洲大阪之儒者。名純禎，字子祥。其學以程朱為宗。寶曆十二年[18]歿，年六十六。有非物篇、質疑篇、考槃堂漫錄等著。[19]

戰後有關日本思想、文學、文化的叢書陸續問世，如鳳出版復刻的《日本詩話叢書》、《日本藝林叢書》、《日本儒林叢書》，岩波書店出版的《日本思想大系》、《日本近代思想大系》、《日本古典文學大系》、《新日本古典文學大系》，筑摩書房的《近代日本思想大系》、《明治文學集》，ぺりかん社刊行的《近世儒家文集集成》、《近世儒家資料集成》，中央公論社發行的《日

---

17 按：元文元年為 1736 年。

18 按：明和四年為 1767 年，寶曆十二年為 1762 年。

19 〈例言〉原為日文，筆者譯為中文。

本の名著》，明德出版社印行的《叢書日本の思想家》，汲古書院的《詞華日本漢詩》、《詩集日本漢詩》，日本評論社的《明治文化叢書》等，大抵都是接續大正昭和初期的遺緒而致力於顯揚「日本的」學術文化的產物。

五、結語：戰前的京都中國學與北京、巴黎的漢學並駕齊驅

自江戶時代（1603～1867）以來，以東京爲中心的關東與以京都爲中心的關西所呈現的社會文化諸相有顯著的差異。大抵而言，蓋如內藤湖南所說的：江戶（東京）是政治的中心而京都則是文化的中心。[20]於江戶形成的林家朱子學雖然既是日本近世的先聲，又是日本近世學術的主流，但是探究其學問的宗旨，無非是德川幕府的御用之學，明治期井上哲次郎的《倫理彙編》與《日本陽明學派之哲學》等三部著作是日本近代融合西洋學問而樹立「日本的」學問的啓蒙之作，服部宇之吉主編的《漢文大系》是綜合日中學問而顯揚江戶漢學的代表作。至於東京成立的「斯文會」則在發揚「國體」而具有濃厚的政治色彩。相對地，江戶時代的關西，如京都伊藤仁齋（1627～1705）的古義學，大阪中井履軒與筑前（今福岡縣）龜井昭陽的經學，大阪富永仲基的「加上說」，杵築（今大分縣）三浦

---

[20] 參見內藤湖南：《近世文學史論》的〈序論〉及〈儒學下・東西儒風の異同〉，《內藤湖南全集》第一卷（東京：筑摩書房，1970 年），頁 23，頁 50～52。

梅園與日出（今大分縣）帆足萬里的「窮理學」與「條理學」都是具有獨特見地的學問。大正、昭和年間以西田幾多郎（1870～1945）爲中心的京都大學哲學研究室的西洋，特別是德國哲學的研究，則以「西田哲學」而知名於西洋哲學研究界。在中國學方面，則內藤湖南（1866～1934）與狩野直喜（1868～1947）或可並稱爲京都近代中國學的雙璧，二人不但各有專擅，內藤湖南沈潛於東洋文化史與滿清史的研究，狩野直喜則致力於中國經學、文學與清朝制度史的鑽研，又開啓日本研究敦煌文物的先聲，且能爲漢詩文而與當時中國的文人學者酬唱應對。故其所窮究的是能與中國傳統知識分子比肩的通儒之學。其弟子如武內義雄（1886～1966）、神田喜一郎（1897～1984）、宮崎市定（1901～1995）、吉川幸次郎（1904～1980）等人亦能繼承師學，既有堅實的學問素養，成就博學旁通的學問，又能優遊於詩文藝術，發揮京都中國學的學問性格，使京都的中國學得與北京、巴黎分庭抗禮，並列爲世界漢學的中心。至於以小島祐馬（1881～1966）、青木正兒（1887～1964）、本田成之爲中心成立的「支那學社」而刊行的《支那學》[21]雖只有十三卷，卻是以清朝考證學與西歐史學的實證方法研究東洋學問，開拓漢學研究新領域的象徵性刊物。換句話說大正至昭和初期於東

---

[21] 有關「支那學社」及《支那學》的學術史地位，參見坂出祥伸：〈中國哲學研究の回顧と展望〉，《東西シノロジー事情》（東京：東方書店，1994年），頁 46～79。連清吉譯：〈中國哲學研究的回顧與展望——以通史的觀點〉，《國際漢學論叢》第一輯（臺北：樂學書局，1999 年），頁 47～96。及張寶三：〈日本近代京都學派對注疏之研究〉、〈日本近代京都學派經學研究年表〉，《唐代經學及日本近代京都學派中國學研究論集》（臺北：里仁書局，1998 年），頁 135～312。

京出版的漢籍叢書是日本「本土文化意識」高揚時期的產物，「斯文會」的文化活動所反映的是「日本的」意識。但是京都的西洋哲學和中國學則以「世界性學問」爲究極，內藤湖南與狩野直喜的學問及《支那學》的結晶不但意味著日本近代中國學的樹立，也確立了日本東洋學於世界漢學的地位。

關於日本最古的印刷品《百萬塔陀羅尼》西傳中國的記錄

陳　捷[*]

一、前言

日本最古的印刷品《百萬塔陀羅尼》是指西元 770 年日本稱德天皇爲紀念平定藤原仲麻呂（706～764）的兵亂、感謝三寶加護和祈願無垢淨光大陀羅尼的功德而下命印造的陀羅尼經咒。據史書記載，當時共造了一百萬座木制小塔來存放這些經咒，所以一般稱之爲《百萬塔陀羅尼》。[1]百萬塔陀羅尼在印造之後分別藏於元興寺、藥師寺、興福寺、法隆寺、東大寺、西大寺等十座大寺，[2]但經過漫長的歲月，到江戶時代，就只有分藏於奈良法隆寺的部分存世了。法隆寺的百萬塔陀羅尼也有不少流失，不過到明治四十一年（1908）調查時，尚有小塔

* 日本國文學研究資料館副教授。

1 《續日本紀》寶龜元年（770）四月二十六日：「戊午□初天皇八年，亂平，乃發弘願，令造三重小塔一百萬基，高各四寸五分，基徑三寸五分。露盤之下，各置根本、慈心、相輪、六度等陀羅尼。至是功畢，分置諸寺，賜供事官人已下仕丁已上一百五十七人爵，各有差。」

2 《東大寺要錄》卷一載孝謙天皇天平寶字八年，「又緣兵革事，乃發弘願，令造三重小塔一百萬基，……是功畢，分置十大寺，賜供事官人已下仕丁已上一百五十七人爵，各有差。」關於十大寺，據藤原公賢撰《拾芥抄》下卷，當為「大安寺、元興寺、弘福寺、藥師寺、四天王寺、興福寺、法隆寺、崇福寺、東大寺、西大寺」等十座大寺。

四萬三千九百餘座，陀羅尼較完整的有一千七百餘卷，斷片二千三百餘卷。[3]

1966 年 10 月，在韓國慶州佛國寺發現西元八世紀印刷品《無垢淨光大陀羅尼經》的消息通過新聞報導傳布到世界各地。這一迄今已發現的世界最古的印刷品的出現，在印刷史研究者中間引起了極大的反響。但是，中國當時正處於文化大革命初期的混亂之中，大陸學者初次得知這個消息，已經是十幾年後的 1978 年。[4]在此以前，日本的《百萬塔陀羅尼》一直被認為是世界現存最古的印刷品。儘管如此，在中國學界有關印刷史的論著中，對《百萬塔陀羅尼》大多語焉不詳，略有論及者，內容也基本沿襲卡特《中國印刷術的發明及其西傳》

---

[3] 平子鐸嶺：《百萬塔肆考》，明治四十一年（1908）刊。

[4] 中國大陸最早提及韓國慶州佛國寺陀羅尼印刷品的文字見於 1978 年發表於專門介紹外國新書消息的《國外書訊》上的陳政周的書評〈國外談中國古代的偉大發明印刷術〉(1978 年第 6 期)。但是，該文主要內容是介紹卡特著《中國印刷術的發明及其西傳》的日文譯注本《中國印刷術：發明與西傳》(藪內清、石橋正子譯注，「東洋文庫」本〔東京：平凡社，1977年〕)，對韓國慶州佛國寺陀羅尼經只是一帶而過，並未引起學者們的充分重視。翌年，胡道靜通過當時擔任芝加哥大學遠東圖書館館長的友人錢存訓博士的介紹得知這一發見，很快在當時擁有廣泛讀者的書評雜志《書林》上發表了題為〈世界上現存最早印刷品的新發現〉的短文，向大陸學界報導了這個消息(《書林》1979 年第 2 期)。此後，《書林》又刊登了專門研究印刷史的美國學者 L.C.Goodrich 在十多年前發表的關於慶州佛國寺陀羅尼經的論文的譯文(L.C.Goodrich 著，梁玉齡譯：〈關於一件新發現的最早印刷品的初步報告〉，《書林》1980 年第 2 期)，中國大陸很多學者是通過這兩篇文章才了解到韓國慶州佛國寺陀羅尼經的存在的。韓國慶州佛國寺陀羅尼經發現及介紹到中國的過程，可參照錢存訓：〈現存最早的印刷品和雕版實物〉，《中國古代書籍紙墨及印刷術》(北京：北京圖書館出版社，2002 年修訂版) 所收。

（T.F.Carter：*The invention of printing in China and its spread westward*）或朝倉龜三、禿氏祐祥等二、三十年代日本學者的印刷史論著。究其原因，恐怕還要歸結於中日學術界的長期隔絕，中國學者對《百萬塔陀羅尼》了解甚少，即便是印刷史研究的專家，也很少有親眼看到實物的機會。

其實，在十九世紀八十年代，中國學者就已經對《百萬塔陀羅尼》的經卷和存放經卷的小塔加以記錄，數年之後，又有中國學者在日本購買到《百萬塔陀羅尼》並帶回中國。在敦煌藏經洞尚未發現的當時，《百萬塔陀羅尼》是唯一傳世的早於北宋版的印刷品。遺憾的是，這一重要的發現當時並未引起中國學術界的重視，《百萬塔陀羅尼》曾經傳到中國的史實也幾乎不爲人知。筆者遍檢中國近代以來出版的有關印刷史的著作，未見有人言及此事。時至今日，恐怕即便是研究東亞早期印刷品的專家們也無人知曉了。

筆者在研究近代中國學者在日本搜訪古書的歷史時，接觸到一些《百萬塔陀羅尼》傳入中國的記錄。本文擬通過這些記錄，對《百萬塔陀羅尼》傳入中國的背景、過程以及近代中國學者關於《百萬塔陀羅尼》的研究加以考察。

二、中國人關於《百萬塔陀羅尼》的最早記錄——楊守敬的《留真譜》

要考察中國學者關於《百萬塔陀羅尼》的研究，首先需要了解是誰最早注意到其存在和價值。但是，翻閱現有的各種有關印刷史的論著，卻會意外地發現從中找不到有關論述。如下文所述，雖然近年曾有學者指出《百萬塔陀羅尼》可能曾經由日本的遣唐使或學問僧帶到中國，但並未提出任何可以證明這一說法的依據。從《百萬塔陀羅尼》問世的背景看，只能說這一推測難以成立。

據筆者管見，中國學者關於《百萬塔陀羅尼》的最早記錄，當屬以在日本搜求古籍並協助駐日公使黎庶昌（1837~1897）刊刻《古逸叢書》而聞名的學者楊守敬（1839～1915）編撰的《留真譜》。

光緒六年（日本明治十三年，1880），楊守敬應中國近代首任駐日公使何如璋（1838～1891）之邀前往日本。直到光緒十年（日本明治十七年，1884）回國，在東京居住了四年。在此期間，他擔任公使館隨員，在完成公使館日常公務的同時，遍訪東京的藏書之家和經營舊書的書肆，與日本學者、藏書家密切往來，在調查、收集和研究流傳日本的中國古籍方面付出了巨大的精力，取得了豐碩的收獲。在日期間，除了大力蒐集古籍和協助黎庶昌刊刻《古逸叢書》之外，楊守敬還爲自己收購、抄錄或經眼的珍本古籍撰寫解題，分別說明各書的傳承淵源及其版本特徵與價值。同時，爲如實記錄這些善本珍書的形式特徵，將各書的序跋、刊記、題識或首頁行格等文獻鑒定的重要標識按原狀摹寫下來，留爲書影。回國之後，他將自己撰寫的古籍解題選擇編輯爲《日本訪書志》，又將摹寫的書影編爲《留真譜》，於光緒二十七年（日本明治三十四年，1901）刻印出版。這兩部著作不僅代表了楊守敬在古典文獻學方面的重要成就，也是清末版本目錄學的代表著作。

我們在《日本訪書志》以及楊守敬留下的其他文字資料中找不到關於《百萬塔陀羅尼》的敘述，但是，《留真譜》中卻留下了《百萬塔陀羅尼》的圖像資料。如圖一所示，《留真譜》初編卷十一佛部收錄了《百萬塔陀羅尼》經咒和存放經卷的小塔的圖版。其中陀羅尼經咒的圖版摹刻了比較完整的《相輪陀羅尼》一卷二十三行，卷端卷末的蟲蛀小孔亦均如實摹刻，以示逼真（圖一B，參頁220）。[5]小塔的圖版（圖一A，參頁220）爲說明小塔由可以分離的上下兩部組成的結構和存放陀羅尼的圓孔的位置，將上部的相輪部分與下部的底座部分分開圖示，相輪圖下寫著「真男」、「小足」、「ㄗ」等字的圓圈表示小塔九輪底部用墨筆書寫的字跡，弧線旁寫著「云二四十八」云云和「元年十月十二弓張」等表示小塔底座的底部用墨筆書寫的字跡。根據日本學者對《百萬塔陀羅尼》的研究，「真男」、「小足」和「ㄗ」等是製造小塔的工匠的人名（其中「ㄗ」是「部」的省略字），「云二四十八」及「元年十月十二」等則是製造小塔的時間。

但是，由於《留真譜》本來是爲研究版本目錄的專家提供參考驗證的資料而編，除少數書影刻入楊守敬親筆撰寫的說明

[5] 按《百萬塔陀羅尼》共有根本、自心印、相輪、六度等四種咒文，印刷時使用了九種印版。

之外，大多數書影未附任何解說。《百萬塔陀羅尼》和木塔的兩幀圖版也未有任何說明文字。所以，從《留真譜》中，我們不能了解楊守敬是否曾經親眼見到過百萬塔及塔中所藏經卷，或者說，《留真譜》所記是楊守敬根據經眼的實物留下的記錄還是另有資料來源。我們也無法由此判斷楊守敬對百萬塔及塔中經卷的知識了解到何種程度，對《百萬塔陀羅尼》的價值究竟如何認識。

關於《留真譜》的編撰經過，楊守敬在其序文中曾有簡要的說明：

> 著錄家於舊刻書多標明行格，以為證驗。然古刻不常見，見之者或未及卒考，仍不能了然無疑。余於日本醫士森立之處見其所摹古書數巨冊（或摹其序，或摹其尾，皆有關考驗者），使見者如遘真本面目，顏之曰《留真譜》，本〈河間獻王傳〉語也。余愛不忍釋手，立之以余好之篤也，舉以為贈。顧其所摹多古鈔本，於宋元刻本稍略。余倣其意，以宋元本補之。又交其國文部省書記官巖谷修與博物館局長町田久成，得見其楓山官庫、淺草文庫之藏。又時時於其收藏家傳錄祕本，遂得廿餘冊。即於其國鳩工刻之。以費重，僅成三冊而止。歸後擬續成之，而工人不習古刻格意。久之，始稍有解，乃增入百餘翻。

據此可知，楊守敬編撰《留真譜》最初受到了從森立之（1807～1885）處得到的《留真譜》稿本的啓發。由於楊守敬序中有

「余於日本醫士森立之處見其所摹古書數巨冊」之語，所以很容易被誤認爲他得到的資料是森立之摹寫的。但是據筆者考證，楊守敬從森立之處得到的《留真譜》實際上是江戶時代後期另一位重要的考證學家小島寶素（尙質，1797～1847）的稿本。[6]也就是說，楊守敬的《留真譜》實際上從書名到內容都直接繼承了小島尙質的《留真譜》，並在其基礎上根據他當時可以見到的日本官私收藏加以補充。

但是，對《留真譜》中《百萬塔陀羅尼》圖版資料來源問題的探討爲我們考察《留真譜》的編撰過程又提供了新的線索。因爲我們發現，《留真譜》中收錄的《百萬塔陀羅尼》圖版顯然有另外的文獻依據，那就是江戶時代的考證學者穗井田忠友（1792～1847）和狩谷棭齋（1775～1835）等人對《百萬塔陀羅尼》的研究。

首先，讓我們先看一下穗井田忠友的考證筆記《觀古雜帖》。

穗井田忠友是日本天保七年（清道光十六年，1836）正倉院開封時擔任古器物、古文書整理的著名學者。他的考證筆記《觀古雜帖》中有「百萬塔並塔中所納陀羅尼」一條，是日本歷史上最早的較爲詳細的關於百萬塔及陀羅尼的研究。內容涉及百萬塔及陀羅尼的大小、形制、木塔上墨筆書寫的字跡的釋義、《無垢淨光大陀羅尼經》的由來、功德以及關於《百萬塔

[6] 參見拙著：《明治前期日中學術交流の研究》第三部第四章（東京：汲古書院，2003 年），頁 466～475。

陀羅尼》爲歷史上最古印本的考證等。[7]值得注意的是，《觀古雜帖》中收錄了百萬塔小塔、兩種《自心印陀羅尼》及一種《相輪陀羅尼》的圖版，而其中百萬塔小塔圖與楊守敬《留真譜》所錄幾乎完全相同（圖二，參頁221）。

穗井田忠友在介紹自己根據的資料來源時云：

> 前圖所載自心印咒二本並「真男」「云二」為忠友藏之，相輪咒與「て」為崇蘭館福井氏之藏，「小足」為大坂人松山貞主藏，元年為壬生寺寶淨律師之愛玩也。[8]

這裡的「真男」、「云二」和「て」、「小足」等顯然指寫有這些字跡的小塔。可見，《觀古雜帖》的小塔和經卷圖版是穗井田忠友綜合自己以及他曾見到的崇蘭館福井氏、大坂人松山貞主和壬生寺寶淨律師收藏的百萬塔及陀羅尼的特徵繪製的。很難想像楊守敬在距《觀古雜帖》刊刻四十年之後在東京看到與穗井田忠友所見完全相同的百萬塔和陀羅尼並做出與穗井田忠友如此相似的記錄，所以，我們認爲，楊守敬《留真譜》所收百萬塔小塔圖版的資料依據應該就是穗井田忠友的《觀古雜帖》。

不過，這裡還存在著另外一個問題。因爲對比圖一和圖二，可以清楚地看到，儘管《留真譜》的百萬塔圖版與《觀古雜帖》非常相似，但陀羅尼的圖版卻相差較遠。上文已經介紹，

---

[7] 穗井田忠友：《觀古雜帖》，日本天保十二年（清道光二十一年，1841）刊本。下文所引穗井田忠友說均出此書。

[8] 原文日文，筆者譯。

《留真譜》中所錄《相輪陀羅尼》爲完整的一卷二十三行，卷首卷末的蟲蛀處也儘量保留原貌。《觀古雜帖》雖然也收錄了《相輪陀羅尼》，但是只摹刻了其中前八行，以下全部省略。也就是說，《留真譜》中的百萬塔圖雖出自《觀古雜帖》，但《相輪陀羅尼》圖則應該有另外的依據。

那麼，《留真譜》中《相輪陀羅尼》圖版的資料究竟出自何處呢？

如下文所述，明治四十一年（清光緒三十四年，1908），法隆寺爲維持自身的生存，曾經以用百萬塔換取捐款的方式徵集基金。楊守敬在日本的明治十三年（1880）到明治十七年（1884），距《百萬塔陀羅尼》從法隆寺大量流出的時期尚早二十餘年，當時社會上流傳的《百萬塔陀羅尼》應該並不多見。但是，從楊守敬在日期間所處的環境看，我們仍然有理由認爲，他並不是完全沒有機會見到《百萬塔陀羅尼》。楊守敬往來較多的日本學者如森立之、巖谷修（1834～1905）、向山榮（1826～1897）、重野安繹（1827～1910）、島田重禮（1838～1898）、町田久成（1838～1897）、寺田弘、島田蕃根（1827～1907）等都是熟知日本印刷文化的藏書家或在修史局、博物館等處任職的學者，楊守敬很有可能通過他們了解到《百萬塔陀羅尼》的存在。但是，這只是根據當時狀況的一種推測，要證明《相輪陀羅尼》圖版的資料來源，還需要更爲具體的證據。

仔細觀察圖一B所示《留真譜》收錄的《相輪陀羅尼》圖版，可以發現，除了卷端、卷尾處摹刻的蟲蛀痕跡以外，經咒的尾部還刻有一個書寫體的「甲」字。這個字與《相輪陀羅尼》內容完全無關，所以，單就《留真譜》圖版來看，會有一種不可思議的感覺。不過，這個看似不可思議的文字，卻爲我們考證該圖版的資料來源提供了重要的線索。因爲我們知道，江戶時期的考證學派學者狩谷棭齋在日本寬政十年（清嘉慶三年，1798）曾刻印過《稱德天皇百萬塔及塔中安置經本》，將法隆寺藏百萬塔小塔的側面圖和《相輪陀羅尼》一卷加以摹刻，該卷《相輪陀羅尼》經咒的尾部也可以看到與《留真譜》所收《相輪陀羅尼》圖版同樣的書寫體的「甲」字[9]（圖三，參頁222）。

觀察圖三題爲「塔中安置經本」的《相輪陀羅尼》圖版，可以看到，該經咒卷首上緣與下緣部分、「無垢淨光經」五個文字的右下方和下方、卷尾的上緣和下緣等處摹刻的蟲蛀部分的形狀，與圖一B《留真譜》的《相輪陀羅尼》圖版十分相近，經咒最後一行的「引」、「吽」、「莎」等文字左側如實地摹刻了原件在印刷時留下的墨痕，這一特徵也與《留真譜》的《相輪陀羅尼》圖版完全一致。特別值得注意的是，經咒尾部的書寫體文字「甲」字，其文字特徵與《留真譜》的極爲相似。根據這些特點可知，《留真譜》的《相輪陀羅尼》圖版與《稱德天皇百萬塔及塔中安置經本》摹刻的《相輪陀羅尼》之間，顯然是有相承關係的。

那麼，楊守敬所根據的是否有可能不是狩谷棭齋的刊本而

---

9 《稱德天皇百萬塔及塔中安置經本》，寬政十年（清嘉慶三年，1798）刊刻。日本《國書總目錄》著錄為《百萬塔考》，佐佐木氏竹柏園藏本。

是狩谷棭齋摹刻該本時依據的《相輪陀羅尼》原件呢？

按《稱德天皇百萬塔及塔中安置經本》的卷末有一則陰刻的狩谷棭齋識語，對《續日本紀》所載百萬塔及陀羅尼問世的原委、該摹刻本所根據的小塔與陀羅尼的出自、樣式、保存狀態以及《百萬塔陀羅尼》的價值等一一加以說明。其文曰：

> 右小塔及經本今見在大和國法隆寺東圓堂，丹碧剝落殆盡。其材露盤以上用櫻木，以下用檜，九輪與塔身牝牡合之，虛其中心納經。其經則印刻，獨末題「甲」字為肉書。其紙類土佐紙，質不精好也。以一幅紙搨以小片為褾而卷不施軸。今所摹大皆如圖矣。按《稱德天皇紀》……，分置諸寺云。然特法隆存焉，他所未聞有之也。檜木香氣如新，經則紙已爛然，殆不勝卷舒。而文字鮮明，點畫不壞，如有神護之者。其筆跡似唐人書帶分法者，結構巧妙不可言，神韻大類西大寺所藏御書，則或同一宸翰亦未可識也。藤原貞幹曰銅板也。又曰：由此觀之，我邦印刻之行也尚矣。此物也奇甚，好古之士，不可模刻以傳也。於是乎有此舉焉。寬政十年[10]八月十二日真末謹識。藤原茂利書。

由此可知，狩谷棭齋刊刻《稱德天皇百萬塔及塔中安置經本》時所依據的是法隆寺東圓堂所存小塔及塔中所納經咒印本。論及上文提到的經咒尾部書寫體文字「甲」字時的「肉書」一詞指書寫而非刻印，因此，這個「甲」字是狩谷棭齋根據他所見

---

[10] 按：寬政十年為 1798 年。

到的《相輪陀羅尼》上書寫的文字摹刻的。

接著我們再來考察狩谷棭齋刻印《稱德天皇百萬塔及塔中安置經本》時的底本。

日本靜嘉堂文庫收藏的松浦武四郎舊藏品中有一件《相輪陀羅尼》（圖四A，參頁223），卷首和卷末的確有蟲蛀的痕跡，其位置與形狀也和《稱德天皇百萬塔及塔中安置經本》及《留真譜》的《相輪陀羅尼》圖版十分相似。經咒最後一行的「引」、「吽」、「莎」等文字左側的墨痕和經咒尾部以墨筆書寫的「甲」字等特徵亦與《稱德天皇百萬塔及塔中安置經本》吻合。收藏這卷《相輪陀羅尼》的桐木箱（圖四B，參頁224）的箱蓋上有狩谷棭齋親筆所題「百萬塔中所納無垢淨光經陀羅尼」十四字，箱蓋背面有向山榮書寫的松浦武四郎（1818～1888）明治十年（1877）〈識語〉云：

> 此經原狩谷棭齋翁所珍藏，後得之於柏木某之家。函上題簽即翁手書。明治十年八月十五日，松浦弘志，黃村書。

按：松浦弘即松浦武四郎，柏木某當指收藏家柏木貨一郎，號探古。根據這段〈識語〉可知，該卷本爲狩谷棭齋舊藏，經柏木氏而爲松浦武四郎收藏。[11]根據以上情況可知，這件《相輪陀羅尼》應該就是狩谷棭齋摹刻的《稱德天皇百萬塔及塔中安

---

[11] 該件後來與松浦武四郎的其他藏書一起歸入靜嘉堂文庫。關於靜嘉堂文庫所藏《百萬塔陀羅尼》，請參看增田晴美：〈静嘉堂文庫所蔵の百萬塔及び陀羅尼について〉，《汲古》第37號（東京：汲古書院，2000年6月）。

置經本》中《相輪陀羅尼》部分的底本。

向山榮號黃村，江戶末年為幕府外交官，明治維新以後賦閑。他和〈識語〉中提到的柏木某即柏木貨一郎，都曾經積極協助楊守敬訪書、刻書。楊守敬在《日本訪書志》卷首所附「日本訪書志緣起」中提到三位與自己交往密切的日本藏書家，其中便有向山榮的名字（另外兩位是森立之和島田重禮）。《留真譜》中收錄了根據柏木貨一郎藏書摹寫的舊鈔本《左傳》、根據向山榮藏書摹寫的有貞和三年宗重題識的《論語》等書的圖版。[12]從這一點看，楊守敬確實是有可能通過他們看到這件《相輪陀羅尼》的。

但是，我們將《留真譜》、《稱德天皇百萬塔及塔中安置經本》及靜嘉堂文庫所藏松浦武四郎舊藏《相輪陀羅尼》這三種資料放在一起仔細比較，便可以清楚地看出，《留真譜》的圖版顯然與《稱德天皇百萬塔及塔中安置經本》更為接近。通過實際的比較，可以確定，《留真譜》不是從《相輪陀羅尼》實物直接摹刻，而是根據狩谷棭齋的《稱德天皇百萬塔及塔中安置經本》摹刻的。

楊守敬曾對他的日本友人表示，在日本學者之中，他最為敬佩的人是狩谷棭齋。他注意收集狩谷的著作及曾經其收藏的古籍，熱心研究狩谷的校勘和批注。《留真譜》摹刻狩谷棭齋

---

12 見楊守敬：《留真譜》初編第一冊、第二冊。關於楊守敬與向山榮的交往，請參看拙著：《明治前期日中學術交流の研究》第三部第四章第六節的有關部分，頁 502～513。

刊印的《稱德天皇百萬塔及塔中安置經本》中《相輪陀羅尼》圖版這一事實，可以看做是楊守敬受到狩谷影響的又一個例證。由此可知，楊守敬確實看到過《稱德天皇百萬塔及塔中安置經本》，當然同時也會看到該卷卷末的狩谷棭齋〈識語〉，了解狩谷以及狩谷引用的另一位江戶時期的考證學家藤原貞幹（1732～1797）關於《百萬塔陀羅尼》的認識。

以上，我們對《留真譜》所收《百萬塔陀羅尼》資料來源進行了考察。從吸收《觀古雜帖》、《稱德天皇百萬塔及塔中安置經本》的例子看，至少可以肯定，楊守敬已經掌握了江戶時期以來日本學者關於《百萬塔陀羅尼》研究的基本資料和他們對《百萬塔陀羅尼》的基本認識。不過，在出現確鑿的證據以前，我們仍然無法確認楊守敬是否確實見到過《百萬塔陀羅尼》的實物。從這個意義上說，下文將要介紹的陳矩則是有明確文字記載的見到過《百萬塔陀羅尼》的第一人。

三、陳矩和《百萬塔陀羅尼》的西傳

陳矩（1851～1939），一作榘，號衡山，貴州省貴陽人。《明詩紀事》著者陳田之弟，《貴州通志》有傳。陳矩自幼好學，以鄉里前輩學者鄭珍（1804～1864）、莫友芝（1811～1871）爲楷模。兩度落第之後放棄科舉考試，專心鑽研經史百家與金石之學。[13]光緒十四年（日本明治二十一年，1888），他應同鄉

---

[13] 陳矩：《靈峰草堂集》（清光緒二十四年〔1898〕成都刻本）卷頭清光緒十九年（1893）劍川趙藩序。

黎庶昌之邀前往日本任公使館隨員，[14]在東京居住了大約三年。在日期間，他與日本文人及朝鮮外交官往來頻繁，在積極觀察日本的社會、風俗及學術的同時，特別注意收集古代典籍、文物和金石資料，熱心提倡並協助友人刊行流傳於日本的珍本古籍。[15]歸國後歷任四川省臺州、天泉、三合等縣知縣及天全州知州等職。辛亥革命後，他暫時擔任四川地方長官，不久便回到故鄉貴州，先後擔任國學講習所所長、貴州省立圖書館館長、貴州通志局分纂、貴州文獻徵輯館編審等，致力於編纂地方志、保存鄉邦文獻等貴州地方文化事業。民國二十八年（1939）卒，享年八十八歲。著有《天全石錄》、《日本金石志》、《石鼓文全箋》、《貴州通志・金石稿》、《靈峰草堂集》（收錄《悟蘭吟館詩集》、《東瀛草》、《東游文稿》、《滇游草》等詩文集）和《入蜀文稿》等。其中《東瀛草》和《東游文稿》分別收錄了陳矩在日期間寫作的古今體詩和文章。這些詩文集不僅是了解陳矩在日本的體驗和見聞的好資料，而且記錄了作者在日期間收集文物和古籍的實際經驗，可從中窺見陳矩收集古文獻文物的背景、渠道和他對此傾注的巨大熱情。

《東瀛草》卷首有與陳矩同爲駐日公使館隨員的姚文棟序文云：

> 近貴陽陳子衡山有搜奇嗜古之癖，嘗使日本，集其金石

---

[14] 陳矩〈跋夷牢亭圖〉：「光緒己丑春，從節使黎先生於日本。」見《靈峰草堂集》。光緒己丑為光緒十五年（1889）。

[15] 關於陳矩在日訪書和刊刻流傳於日本的古書的情況，參見拙著：《明治前期日中學術交流の研究》第三部第二章第六節，頁298～316。

> 文字為書，時人以比之歐陽永叔。又以其餘事為詩，舉身所游歷，耳目所睹聞者，壹於是發之。[16]

姚文棟本人就非常熱心於搜求古書，[17]被這樣的人評爲「有搜奇嗜古之癖」，可見陳矩在收集方面的熱情。

通過熱心的收集活動，陳矩得到了不少善本古籍和珍貴的金石資料，並在回國時把這些文獻運回了中國。《東瀛草》所收〈歸國期近留別海上諸名流〉第二首：「昨年訪古上蓬萊，謬被群推博雅才。祕笈壓裝光照海，魚龍知我泛槎回。」注語云：「余居東近三載，獲遺書百餘卷，宋元槧本書二百餘卷，日本金石四千餘宗，名人著述未刊行者五百餘卷。」該詩詩題下注有「時庚寅九月也」六字，知其作於陳矩回國前不久的光緒十六年（日本明治二十三年，1890），從中可以窺見陳矩在訪求古書和金石資料方面的收穫。陳矩編集的石譜《天全石錄》卷首所附其學生楊贊襄〈序〉中「先生歸自日本也，袖有東海矣」所附注語亦云：「使日本時，得古本逸書數百卷，金石三千餘種，時人以比之歐公。」[18]雖然具體數字與陳矩詩注互有出入，但都強調他從日本帶回了大量古籍和金石資料。

根據《東瀛草》和《東游文稿》可知，陳矩不僅見到過《百萬塔陀羅尼》，而且曾經購得一座藏有陀羅尼印本的小塔並攜

---

16 姚文棟：〈序〉（清光緒十七年〔1891〕）。

17 關於姚文棟在日本訪書的情況，請參看拙稿：〈姚文棟の日本における古籍蒐集活動について〉，《汲古》第 40 號（東京：汲古書院，2001 年 12 月），頁 47～51。

18 《天全石錄》楊贊襄序，靈峰草堂叢書本，清光緒二十九年（1903）版。

帶回國。下面我們就考察一下這兩部著作中出現的對《百萬塔陀羅尼》的記錄。

《東瀛草》中有一首題爲〈日本天平寶字塗金經筒歌筒得之二上山僧房錢琴齋觀察德培所贈天平寶字當唐肅宗至德二年〉的詩作，是爲紀念得到公使館同事錢德培所贈日本天平寶字塗金經筒所作。該詩內容如下：

琳宮貝闕燦雲霞，釋典琛藏洵足誇。

宮錦為衣水晶軸，泥金書字走龍蛇。

百萬靈塔藏無垢，(神護景雲時制木塔百萬，藏無垢淨光經)

寫經復有光明後。(後寫經流傳於世者尚有，曾獲二卷)

年深卷軸恐飄零，器以代囊束紫綬。

此器深藏二上山，僧房千載共雲間。

文字撐腸誇富有，參禪豈是頑石頑。

一朝鬼舶來神宇，屠豕刲牛污淨土。

西法崇尚佛法衰，不誦金經學西舞。

飄零重器知何年，幾伴銅駝泣荒煙。

舉世紛紛重玉帛，購求孰肯捐俸錢。

嗜奇幸有琴齋氏，奇物購歸貽知己。

款識半封鸚鵡斑，塗金蝕處銅花紫。

楠公一鏡早收藏，天永古鈴勝圭璋。

並此已足稱三絕，夜深射斗生寒芒。

詩中歌詠了自古祕藏於二上山的天平寶字塗金經筒，對黑船來航以後日本社會崇拜西洋、廢佛毀釋的背景和佛寺珍藏的寶物大量散逸的現象發出感慨，更對用私人俸祿收購貴重文物的同事錢德培的見識加以賞贊。二上山是日本奈良縣與大阪府交界處的一座山，山上的著名寺院當麻寺創建於奈良時代以前，從江戶到明治時代一直是賞花的名勝。每當花季，會有很多文人墨客聚集到這裡。或許清國公使館的錢德培等人也曾到過此地並和寺僧有過交往。不過，日本歷史上大量製造經筒是在平安時代中期以降末法思想盛行之後，天平寶字時代已有經筒存在的說法是很難成立的。[19]這裡值得注意的是，陳矩在吟詠「天平寶字塗金經筒」的同時，在詩句的注語中提到光明皇后寫經和百萬塔無垢淨光經。這是陳矩關於《百萬塔陀羅尼》的最早記錄。雖然陳矩在這裡沒有作進一步說明，但是我們知道，至少在這個時候，陳矩已經了解到《百萬塔陀羅尼》。

《東游文稿》中收錄的《黔靈山藏塔記》是陳矩回國之後所作，該文記述了他到日本以後在書肆偶然購得《百萬塔陀羅尼》的經歷。根據這篇文章，陳矩曾在東京上野的一家書肆買到百萬塔小塔一座及陀羅尼一卷。這篇文章是明確記載《百萬

[19] 當麻寺及天平寶字經筒的可信性問題，承日本埼玉學園湯淺吉美教授賜教。此外，這件經筒應該也被帶回中國，後來不知去向。這裡吟詠的內容是近代中國人有關經筒的最早記錄，在中國人關於經筒的研究史上具有重要意義。

塔陀羅尼》曾經傳入中國的重要文獻，但似乎未受到學界的注意。所以，我不避繁冗，將其全文抄錄如下：[20]

> 甚矣，日本國人之好佛也，於神護景雲之造塔可概見矣。考日本《孝謙天皇紀》神護景雲四年[21]四月戊午：初，天皇八年亂平，乃發弘願，令造三重小塔一百萬基，高各四寸五分，基徑三寸五分，露盤之下，各置根本、慈心、相輪、六度等陀羅尼。功畢，分置諸寺。光緒戊子，余隨使日本。十二月十六日，偶游東京上野書肆，見此一基，為法隆寺舊藏。書賈初不知貴，以錢數千取之。考塔式與《孝謙天皇紀》所記，無毫髮異。惟所記乃日本天平尺，與今尺稍有異耳。塔底有墨書數字，多不可辨。塔中藏經卷，以工部營造尺度之，高一寸九分，長一尺五寸九分。紙厚如錢，色等硬黃，墨色如翠，字畫古勁，類六朝碑。古香襲人，覽之忘倦，可寶也。曩閱陸深《燕閑錄》，隋文帝開皇十三年十二月八日，敕廢像遺經，悉令雕板。又《筆叢》，雕本肇自隋，行於唐世，擴於五代，精於宋人。余始未然其說，今據神護景雲刊本經（神護景雲四年當中國唐代宗大歷五年），是異國刊本之行已始唐代，則二說必有所本矣。嗟乎！斯塔也，造時雖計以百萬，然流傳至今，已千餘年矣。潮蒸蟲蝕，消磨幾盡，存者如晨星，得者等麟角。余幸

---

[20] 陳矩：〈黔靈山藏塔記〉，《東游文稿》。

[21] 按：神護景雲四年為 770 年；天皇八年為 600 年；隋文帝開皇十三年為 593 年。

> 獲此完整者，殆有天焉。然浮屠氏之珍，自度不能常有，不若仍寄之浮屠氏，因置之黔靈山藏經樓中。又恐歲月逾遠，當復遺失。並志巔末，勒諸石，以永其傳焉。

這篇文章在引用《續日本紀》孝謙天皇紀中關於《百萬塔陀羅尼》的記載，並對他自已在上野書肆以廉價購得百萬塔小塔及陀羅尼經卷的經過之後，對小塔的形制、陀羅尼的尺寸、用紙、墨色、字體等一一加以說明。根據這篇文章可知，陳矩到日本之後不久的光緒十四年（1888）十二月十六日（日本明治二十二年，1889 年 1 月 17 日）在東京上野一家書肆偶然見到這座小塔，因爲書肆主人對其價值不夠了解，所以只費數千錢即購得而歸。文章中雖然未說明依據何在，但是顯然可以看出，陳矩對《百萬塔陀羅尼》出自法隆寺的情況是了解的。此外，他購到的小塔中確實藏有經卷，但遺憾的是文章中沒有記錄塔中所藏究竟是《百萬塔陀羅尼》中《根本》、《自心印》、《相輪》、《六度》四種經咒中的哪一種。小塔的大小、形制與《續日本紀》的記錄基本相同，經卷紙高爲工部營造尺 1 寸 9 分，長爲 1 尺 5 寸 9 分，即 6.08mm×50.88mm，這與現存的《百萬塔陀羅尼》的尺寸也基本一致。[22]如前所述，百萬塔小塔基壇的側面和底部、相輪柄的底部和請花部分等都有用墨筆書寫的文字。陳矩雖然注意到小塔底部的文字，但由於難以辨認，所以對文字的內容沒有做進一步的考察。

---

[22] 清代工部營造尺 1 尺相當與 32 厘米，見丘光明編著：《中國歷代度量衡考》（北京：文物出版社，1992 年）。

關於木版印刷技術的起源，宋代以後學者的著述中留下了種種的意見。如明代陸深（1477～1544）《河汾燕閑錄》云：「隋文帝開皇十三年（593）十二月八日，敕廢像遺經，悉令雕撰。」並以此爲印刷術的起源。明代胡應麟（1551～1602）《少室山房筆叢》也引用陸深之說，認爲印刷技術開始於隋代。[23]陳矩以前曾經對陸深和胡應麟的說法不以爲然，但是《百萬塔陀羅尼》令他改變了自己的想法，開始重新思考中國印刷技術的起源問題，並開始相信陸深與胡應麟認爲印刷技術始於隋代的說法亦占一理。

在異國他鄉偶然以廉價得到的這座百萬塔小塔和陀羅尼印本對陳矩來說似乎有著特殊的意義。回國以後，他考慮到這種原爲佛寺收藏的珍寶不應永遠留在自己手邊，所以把它捐贈給故鄉貴陽黔靈山佛寺。他又怕小塔和陀羅尼會隨著歲月的流逝而散失，特意記下這段淵源，並將其刻石，以便傳於後世。

黔靈山是坐落在貴陽市西北方向的一座名山，山上有康熙年間創建的著名佛寺弘福寺。陳矩詩集《悟蘭吟》中收有〈癸酉秋日游黔靈山題壁〉、〈重游黔靈山〉等游黔靈山時吟詠的詩作，從「僧房味禪悅，日夕尚句留」（〈癸酉秋日游黔靈山題壁〉）等詩句中可以窺見他和黔靈山以及弘福寺的關係之深。從這些情況看，捐贈《百萬塔陀羅尼》的佛寺或許就是弘福寺。不過，

---

[23] 陸深與胡應麟均未明確說明，其實「隋文帝開皇十三年（493）十二月八日，敕廢像遺經，悉令雕撰」云云的記載出自（隋）費長房《歷代三寶記》卷十二。這條記錄現在仍然經常被印刷史研究者引用，但關於「雕撰」一詞的解釋則各有不同。

經過清末以來一個世紀的變遷，特別經過文化大革命，弘福寺經受了徹底的破壞，建築物及石碑均遭到摧殘，僧侶離散，藏書也完全被毀。2000 年 12 月，筆者有機會前往黔靈山，當時，弘福寺的復興事業正在進行，寺院的規模和各種活動日漸繁盛。但是，藏經樓的舊藏書完全沒有保留，刻有陳矩《黔靈山藏塔記》的石碑也無處可尋。陳矩也許不會想到，不僅他擔心小塔和陀羅尼再度散佚的顧慮不幸成爲現實，就連他爲向後世人傳達《百萬塔陀羅尼》曾經傳入中國這一事實而建立的石碑也去向不明。

四、近代以來中國學界對《百萬塔陀羅尼》的認識及楊守敬、陳矩對《百萬塔陀羅尼》記錄的意義

以上，我們對楊守敬《留真譜》關於《百萬塔陀羅尼》的記錄和陳矩將《百萬塔陀羅尼》帶回中國的原委進行了考察。下面，我們從當時的背景討論楊守敬、陳矩關於《百萬塔陀羅尼》的記錄的意義並簡單回顧一下他們之後的中國學者對《百萬塔陀羅尼》的研究。

十九世紀七十年代以前的中國文獻中從來沒有關於《百萬塔陀羅尼》的記載。清光緒三年（日本明治十年，1877）以何如璋爲首的清國駐日公使團到達日本並在東京建立了清國駐日公使館以後，歷屆駐日公使和公使館成員在執行公使館的公務之外，積極從事各種文化活動。其中有不少人注意到在日本流傳的中國古代文獻，除了以編刻《古逸叢書》著名的黎庶昌、

楊守敬以外，何如璋、徐承祖、黃遵憲（1848～1905）、姚文棟以及陳矩等人都曾關注日本的漢籍古書。但是，從通過詩歌形式向世人傳達流傳到日本的古本舊籍信息的黃遵憲《日本雜事詩》以及楊守敬、姚文棟等向國內友人報告日本收藏古籍情況的書信來看，當時學者最爲關注的是包括日本刻本在內的中國古籍的古鈔舊刻，特別是國內已經散逸無存而日本尚有保留的所謂佚存書，他們收集日本古寫經和舊鈔本的目的，也多出於對其文字校勘以及書法方面價值的重視。[24]當時的國內學界對他們的期待也有同樣的傾向。在這種情況下，像《百萬塔陀羅尼》這樣的早期印刷品，如果不是別具慧眼，一般人即便有機會見到，也不會予以特別重視。

從日本古書市場的情況看，明治中期以後，古文獻的價值開始逐漸受到重視，明治維新以後因無人光顧而衰落一時的古書市場也開始重新整合並形成新的格局。但是，由於長期以來日本學界除個別學者以外對《百萬塔陀羅尼》的價值缺乏充分認識，所以《百萬塔陀羅尼》在當時古書市場上的價格尚不是很高。陳矩能夠在舊書店用比較便宜的價格買到，下文所述法隆寺將其做爲謝禮贈予捐款者，都可以做爲《百萬塔陀羅尼》在當時並未受到日本社會充分重視的旁證。

---

[24] 黃遵憲：《日本雜事詩》初刊本第六十二（定本第六十七）、六十三（定本第六十八）、六十四（定本第六十九）、七十三首（定本無）和初刊本未收定本補入的第六十八首、七十八、七十九首，楊守敬致慈銘書簡（《越縵堂日記》光緒六年〔1880〕十二月二十日〔北京：中華書局，1963 年〕）及姚文棟：《答東洋近出古書問》（《讀海外奇書室雜著》）。

前面已經提到，存放在法隆寺的百萬塔及塔中的陀羅尼到江戶時代已有大量散失，但是近代以後的大規模的流出，則是在明治維新以後新政府爲建立國家神道而推行「廢佛毀釋」政策以後。特別是日本明治四十一年（清光緒三十四年，1908），法隆寺爲恢復寺院，賣掉了三千座小塔以及其中的陀羅尼。[25]爲了不給世人留下法隆寺出售寺中寶物的印象，當時採取了向社會公開徵集捐款並以百萬塔小塔及陀羅尼做爲回贈的方式。關於贈送的條件，從長澤規矩也《圖解和漢印刷史》收錄的當時法隆寺事務所制定、頒布的「百萬塔讓與規定」可窺見一斑。[26]據說爲了維持寺院的生存，這樣的情況後來也曾有發生。[27]但是，楊守敬和陳矩在日本的年代距《百萬塔陀羅尼》從法隆寺大量流出的時期尚早二十年左右，當時在古書市場上流通的《百萬塔陀羅尼》應該非常有限。

綜合以上情況，我認爲楊守敬對《百萬塔陀羅尼》的記錄以及陳矩從書肆中發現《百萬塔陀羅尼》並將其購回中國的行動堪稱慧眼獨具。儘管楊守敬對百萬塔及陀羅尼的歷史及其在印刷史上的價值未做文字說明，但是從他見到過狩谷棭齋摹刻的《稱德天皇百萬塔及塔中安置經本》及穗井田忠友《觀古雜帖》這一事實可以推知，他至少讀過狩谷棭齋和穗井田忠友關於《百萬塔陀羅尼》的論述和考證，因此，應該是在了解《百

---

25 高田良信：《近代法隆寺の歷史》（京都：同朋舍，1980 年 5 月）。中根勝《百萬塔陀羅尼の研究》據「百萬塔讓與規定」認為此時流失的小塔為一千四百座。

26 長澤規矩也：《圖解和漢印刷史》（東京：汲古書院，1976 年）。

27 同註 25。

萬塔陀羅尼》在印刷史上的重要價值的前提下，將其收入《留真譜》的。《留真譜》對百萬塔及陀羅尼的記錄，第一次爲中國學界提供了當時世界上最古的印刷品的圖像資料。陳矩在偶然的情況下見到百萬塔及其中所藏陀羅尼印本並毫不猶豫地將其購歸，也說明了他的判斷眼光。陳矩購得《百萬塔陀羅尼》在 1889 年 1 月，是敦煌藏經洞發現的十一年之前。當時中國學者尚無機會見到宋代以前的印刷品實物，關於早期印刷技術的知識幾乎完全是通過文獻記載。陳矩帶回的《百萬塔陀羅尼》是當時中國學者可能見到的最古的印刷品實物，更爲難得的是，陳矩不僅僅將《百萬塔陀羅尼》做爲古董珍賞，而且認識到這是早期印刷品的寶貴實例，是思考中國印刷技術起源問題的重要參考資料，這在當時可稱卓見。此外，陳矩能夠引用日本文獻《續日本紀》與得到的百萬塔及陀羅尼實物相互照合，注意到現存百萬塔小塔及陀羅尼經咒的形制與日本古代文獻記載一致，這也是他在日本吸收的日本歷史文化知識的應用。

在楊守敬和陳矩之後言及《百萬塔陀羅尼》的中國學者中，據筆者管見，當以王國維（1877～1927）爲最早。王國維在爲湖州天寧寺塔中發見的顯德二年（955）印造的《寶篋印陀羅尼》所寫的跋文〈顯德刊本寶篋印陀羅尼經跋〉中這樣寫到：

> 又日本神護景雲四年（當唐大歷三年）[28]所造百萬木塔，其中各有刻本無垢淨光經中陀羅尼一卷（所見有根本陀

[28] 按：日本神護景雲四年為 770 年；唐大歷三年為 768 年。疑為王國維筆誤。

羅尼、相輪陀羅尼、自心印陀羅尼、六度陀羅尼凡四種。）……日本百萬塔中所有刻本陀羅尼大小亦與此略同，其制當出於唐。是唐大歷以前必已有此種印本，而世無傳者。

這裡，王國維用自己曾經見過的日本《百萬塔陀羅尼》的例子說明唐代可能有這種將印本經卷納入木塔的習慣。[29]據此可知，在撰寫這篇跋文時，王國維對《百萬塔陀羅尼》中包括的《根本》、《相輪》、《自心印》、《六度》四種經咒均曾寓目。王國維自光緒二十六年十二月（1901 年 1 月）至翌年夏天在日本東京物理學校留學，辛亥革命以後的宣統三年十月（1911 年 12 月）又從羅振玉（1866～1940）再度渡日，寓居京都，直到民國五年（1916）舊曆正月（1916 年 2 月）回國。他見到《百萬塔陀羅尼》大約就是在住在京都的這段時間裡。

但是，楊守敬、陳矩以及王國維的見聞在當時以及以後的學界中似乎並未引起注意。例如在中國印刷史研究領域頗具影響的孫毓修（1871～1922）《中國雕板源流考》（商務印書館，1918 年初版）在言及「雕板之始」時，舉出「日本所藏永徽六年（655）阿毗達磨大毗婆娑論刻本」做爲現存的早期印刷品的實例，對《百萬塔陀羅尼》卻隻字未及。[30]與日本人學者頗

[29] 王國維：〈顯德刊本寶篋印陀羅尼經跋〉，《觀堂集林》卷二十一。

[30] 所謂「永徽六年阿毗達磨大毗婆娑論刻本」，是指三井高堅所藏《阿毗達磨大毗婆娑論》第一四四卷。因其紙背押有「大唐蘇內侍寫真定本」楷書木刻朱印，一時被認為是初唐刊本。如羅振玉：《莫高窟石室秘錄》云：「予於日本三井聽冰氏（高堅）許見所藏《永徽六年阿毗達摩大毗婆娑論》卷一百四十四，其紙背有刻木楷書朱記，文曰「大唐蘇內侍寫真定本」九字，

有交流的葉德輝（1864～1927）的版本目錄學名著《書林清話》也完全沒有言及《百萬塔陀羅尼》。

1925 年卡特（1882～1925）《中國印刷術的發明其及西傳》的出版，對中國的印刷史研究產生了重大的刺激和影響。該書第七章討論《百萬塔陀羅尼》的部分很快由向達（1900～1966）翻譯爲中文，以〈日本孝謙天皇及其所印百萬卷經咒〉爲題，發表於當時在中國學界頗具影響的《圖書館學季刊》上。這篇文章的發表，使中國學術界終於開始注意到《百萬塔陀羅尼》的存在。[31]向達並於 1928 年發表了論文〈唐代刊書考〉，在引用卡特的著作和朝倉龜三《日本古刻書史》的論述後明確指出：「現今世界上最古之印刷品，當推寶龜本《陀羅尼經》。」[32]但是，向達這篇論文的主題是考察唐代的印刷，關於《百萬塔陀羅尼》，只推測其刊印有可能是受到中國影響，並未做更進一步的考察。[33]此後，做爲中國古代四大發明之一的印刷技術的研究取得了長足的進展，關於中國印刷史的論文、專著也

與宋藏經紙後之「金粟山藏經記」朱記同。此為初唐刻本之確據。」對其真偽絲毫未加懷疑。但該本後來經鑒定確為贋品，向達《唐代刊書考》曾引用新村出《典籍叢談》中〈唐宋版本雜話〉一文指出該本不足為據。

31 向達譯：〈日本孝謙天皇及其所印百萬卷經咒〉，《圖書館學季刊》第二卷第 1 期（1927 年 12 月）。向達根據日本人學者的論著，在譯文中訂正了卡特關於孝謙天皇刊陀羅尼六種的論述的錯誤，在譯文末尾的「譯者補注」中，根據朝倉龜三《日本古刻書史》，敘述了四種陀羅尼的內容，並介紹了大屋德成《寧樂刊經史》對陀羅尼的研究。

32 向達：〈唐代刊書考〉，《中央大學國學圖書館第一年刊》（1928 年 11 月），後收入《唐代長安與西域文明》（北京：三聯書店，1957 年 4 月）。

33 「唐代日本文化大都傳自中土，……則刊印陀羅尼經恐亦有所受也。顧文獻無徵，今不具論。」同前註。

層出不窮。但是，由於中日兩國學術交流的長期隔絕，中國學者對《百萬塔陀羅尼》的知識以及日本學界研究《百萬塔陀羅尼》的最新成果所知甚少，即便是專門研究印刷史的學者，也很少有機會見到《百萬塔陀羅尼》的實物。或許正因如此，直到近年出版的中國印刷史的論著中有關《百萬塔陀羅尼》的記述，根據的仍然是卡特《印刷技術的起源其及西傳》、朝倉龜三《日本古刻書史》、[34]木宮泰彥《日本古印刷文化史》、[35]禿氏祐祥〈百萬塔陀羅尼考證〉、[36]藤田豐八（1869～1929）〈支那印刷の起源について〉[37]等二十世紀二、三十年代的著述。[38]有的學者，如中國印刷史研究的權威張秀民先生，在很長的時期裡甚至對《百萬塔陀羅尼》的真偽也表示懷疑。[39]又如在近年

[34] 1909 年初版，1984 年複製版。

[35] 富山房，1932 年初版，1965 年再版。

[36] 《龍谷學報》第 306 號（1933 年 6 月），後收入《東洋印刷史研究》（武藏村山：青裳堂書店，1981 年）。

[37] 《劍峰遺草》，1930 年。該論文的中譯文以〈中國印刷起源〉的題目刊登於《圖書館學季刊》第六卷第 2 期，因此為較多的中國學者閱讀。

[38] 如《雕版印刷源流》（北京：印刷工業出版社，1990 年）收錄的相關論著，又如潘吉星著：《中國科學技術史——造紙印刷卷》（北京：科學出版社，1998 年 8 月），宿白著：《唐宋時代的雕版印刷》（北京：文物出版社，1999 年 3 月）等。

[39] 張秀民先生在其著名論文〈中國印刷術的發明及其對亞洲各國的影響〉中提出若干理由，對《百萬塔陀羅尼》的可靠性表示懷疑。其主要理由有：一、《百萬塔陀羅尼》經卷上沒有刊刻年月，因此無法確定印刷的具體時期。二、《東大寺要錄》中的「摺本」一詞不能解釋為「印本」的意思。三、《續日本紀》的記錄雖然被認為是最有力的證據，但該記錄只說造百萬小塔並將陀羅尼放置於露盤之下，並沒有涉及「印刷」的詞彙。四、在《百萬塔陀羅尼》之後的三、四百年間完全沒有進行其他印刷事業，這樣大規模的印刷事業對社會及文化完全沒有影響，這與一般的情理不合。見《光明日報》1952 年 5 月 30 日，同年《文物參考資料》第 4 期轉載。後

出版的有關印刷史的論著中對《百萬塔陀羅尼》記載最為詳細的潘吉星先生的著作中，在記述了《百萬塔陀羅尼》的印刷之後說：

> 此經印成後，日本遣唐使、學問僧可能攜入中國以禮物相贈，然今已不知去向。[40]

認為《百萬塔陀羅尼》有可能由日本的遣唐使或學問僧帶到中國。我們在本文開頭曾經介紹，印造《百萬塔陀羅尼》的事業是稱德天皇在平定了藤原仲麻呂的叛亂之後，為感謝三寶加護、消滅罪業和祈願國家安泰而進行的，因為按《無垢淨光大陀羅尼經》的說法，抄寫並念誦陀羅尼經咒的時候，可以消除一切罪孽，壽命福聚無限。從印造《百萬塔陀羅尼》的目的看，恐怕很難得出遣唐使會把它做為禮物帶到中國的推論。從這些例子可以知道，中國印刷史研究界對《百萬塔陀羅尼》問世的歷史背景和社會環境尚缺乏充分的理解。

當然，張秀民先生與潘吉星先生都是筆者所尊敬的碩學。這裡舉出的兩個例子，是希望能夠說明，像他們這樣博學的印刷史研究專家，對《百萬塔陀羅尼》的基本情況的了解也有不

收入《張秀民印刷史論文集》（北京：印刷工業出版社，1988 年 11 月版）。後來出版的中國印刷史研究的名著《中國印刷術的發明及其影響》（北京：人民出版社，1958 年初版，1978 再版；臺北：文史哲出版社，1988 年；廣山秀則譯《中國の印刷術——その歷史的發展と影響》，東京：關書院，1960 年）中也繼承了這一觀點。但是近年刊行的《中國印刷史》（上海：上海人民出版社，1989 年）中對這一舊說有所修改。

[40] 潘吉星著：《中國科學技術史——造紙印刷卷》（北京：科學出版社，1998 年），頁 530。

足之處。正如楊守敬對《百萬塔陀羅尼》的記錄以及陳矩曾將《百萬塔陀羅尼》帶回中國的史實被完全忘卻這一事實所象徵的那樣，在中國印刷史研究領域，對《百萬塔陀羅尼》的關注實在是太少了。

本文考察了楊守敬《留真譜》中關於《百萬塔陀羅尼》的記錄以及陳矩將《百萬塔陀羅尼》帶回中國的史實，並希望通過對十九世紀末以來中國學界對日本《百萬塔陀羅尼》研究史的簡單回顧，重新認識和評價楊守敬以及陳矩記錄、介紹《百萬塔陀羅尼》的貢獻和意義。

自西元八世紀以來保存於日本法隆寺的《百萬塔陀羅尼》在十九世紀末傳入中國的史實本身是研究明治時代日本文物流傳狀況的重要例證，同時，楊守敬和陳矩對《百萬塔陀羅尼》的介紹，又是我們探討近代以來中國學術界關於中國印刷術起源研究歷史的寶貴線索。楊守敬對《百萬塔陀羅尼》的記錄和陳矩將其帶回中國的史實被完全忘卻，這其中固然有偶然因素，但也從一個側面反映出近代以來中國印刷史研究者們對《百萬塔陀羅尼》的研究缺乏重視的事實。

做爲早期印刷品的實例，《百萬塔陀羅尼》不僅是日本印刷文化史上的重要文物，而且對東亞印刷技術起源問題的研究也具有重要意義。近年，一部分韓國學者以韓國慶州佛國寺發現的《無垢淨光大陀羅尼經》爲物證，主張韓國是世界上最早發明印刷術的國家。在這一背景下，中國學者對印刷技術究竟誕生於何時、何地等有關印刷術起源的問題也抱有極大的關心。但是，或許是因爲討論者們的注意力多集中於究竟是哪個國家最早發明了印刷術的問題，同樣是東亞早期印刷品的重要資料的《百萬塔陀羅尼》似乎並沒有引起學者們應有的注意。

韓國慶州佛國寺《無垢淨光大陀羅尼經》的年代既早於日本《百萬塔陀羅尼》十餘年，印刷技術也具有比《百萬塔陀羅尼》更加成熟的一面。但是，從研究資料的角度來看，韓國慶州佛國寺《無垢淨光大陀羅尼經》、日本《百萬塔陀羅尼》以及中國自敦煌藏經洞重見天日以來發現的一系列早期印刷品，都是探討東亞印刷技術起源的寶貴資料。特別是在目前慶州佛國寺陀羅尼經實物即便是研究印刷史的專家也難能一見的情況下，對尙有相當數量的實物傳世的《百萬塔陀羅尼》的具體而深入的考察、研究，或許是更爲有益的事。

關於《百萬塔陀羅尼》的印刷，還有很多不解之謎。解開這些謎團，一定有助於我們了解包括中國、韓國在內的東亞地區印刷術發明初期的種種問題。本文對十九世紀末已經注意到《百萬塔陀羅尼》價値的楊守敬和陳矩留下的有關《百萬塔陀羅尼》的記錄的考察分析，目的固在追尋清末學者在日本的學術活動的軌跡，以便進一步梳理近代中日學術交流的脈絡，更希望借助這段被人們忘卻的歷史，喚起研究古代印刷史的學者們對《百萬塔陀羅尼》的進一步重視。

圖一 楊守敬《留真譜》所收百萬塔小塔及陀羅尼圖版

A 百萬塔小塔

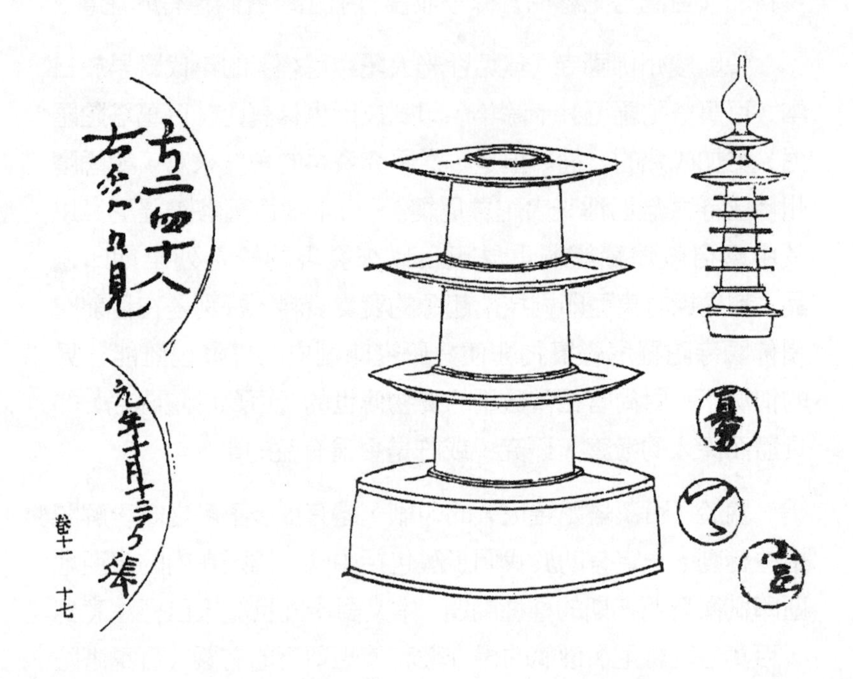

B 相輪陀羅尼

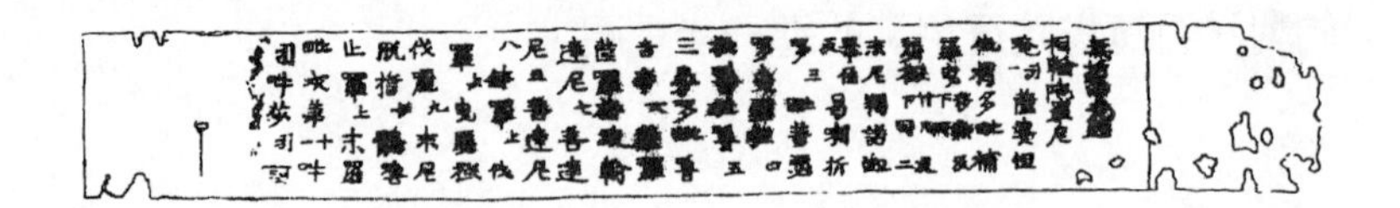

圖二 《觀古雜帖》所錄百萬塔及塔中所納陀羅尼

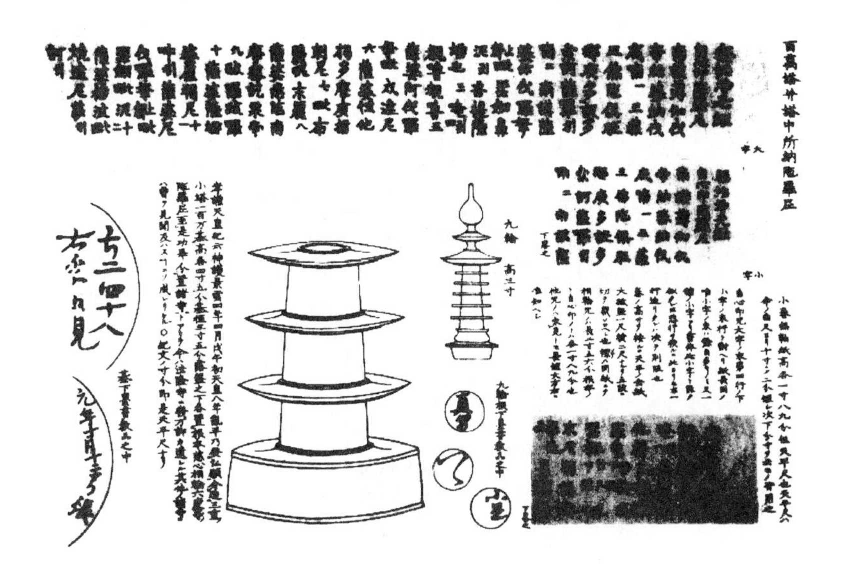

圖三 狩谷棭齋刊《稱德天皇百萬塔及塔中安置經本》

（天理圖書館藏）

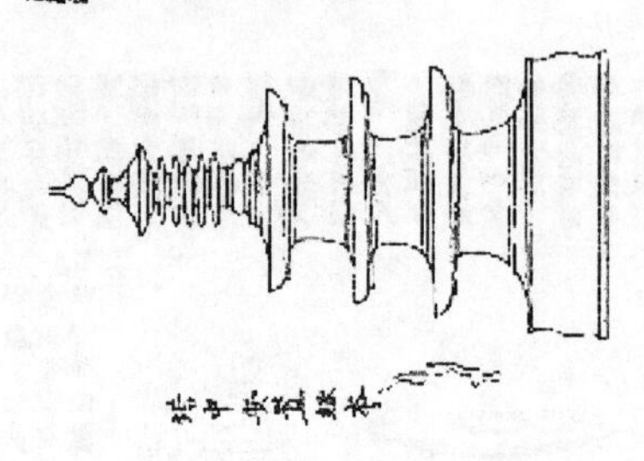

圖四A 靜嘉堂文庫所藏狩谷棭齋舊藏《相輪陀羅尼》

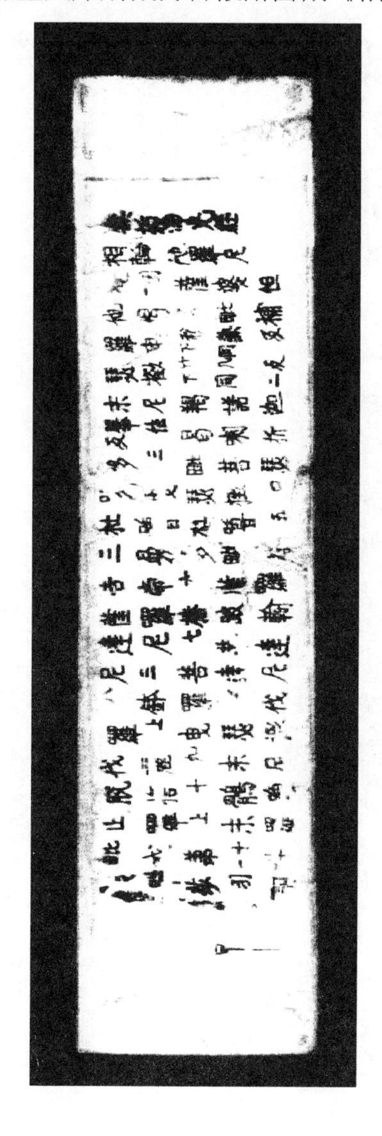

圖四B 收藏箱蓋的狩谷棭齋題字及向山榮書松浦武四郎識語

傳播與回流
——「和刻本」漢籍的淵源與價值[**]

趙飛鵬[*]

一、「和刻本」的發展

文化研究學者有所謂「回流」之理論，也就是說：任何兩個文化體系之間的交往互動，都不是單向的，而是雙向的。如同波浪的前進，必然有「傳播」與「回流」的現象。中、日兩國之間的書籍流通，也可以藉此加以說明。[1]

中、日兩國一水之隔，自古以來交流就甚爲頻繁。最早有徐福渡日的傳說，代表中國與日本文明傳承的關係。此時是否有中國典籍傳入，史無記載，但是推測是有的。[2]明確的文字

---

* 現任國立臺灣大學中國文學系副教授。

** 本文於「臺灣日本韓國東亞文獻資源與研究主題學術研討會」中提出後，承蒙特約討論人潘美月老師、張寶三教授、同窗鄭吉雄教授、日本國文學研究資料館陳捷教授提出寶貴意見，均已納入本文修訂，附筆在此一併致謝！

1 司馬雲杰：《文化社會學》（濟南：山東人民出版社，1990 年），頁 362～363；王勇：《中日書籍之路研究》（北京：北京圖書館出版社，2003 年），頁 10～13。

2 宋代開始已有人相信日本存藏許多中土佚籍，如歐陽脩〈日本刀歌〉云：「徐福行時書未焚，逸《書》百篇今尚存，令嚴不許傳中國，舉世無人識古文。」（《居士外集》卷四，《歐陽脩全集》本〔北京：中國書店，1994 年〕）。

記錄始自隋唐以後，日本因實行「大化革新」，遣唐僧與留學生源源不絕前來中國讀書、求經，中國古籍也從此大量傳入日本。《舊唐書・日本國傳》記載：「開元初，又遣使來朝，所得賜賚，盡市文籍。」一直到了明代，這種情形依然未改。鄭若曾（1503～1570）《籌海圖編》卷二指出「倭人」喜好的物品有：「絲綢、藥材、古字畫、古書」等。然而書籍輸入的速度，顯然無法全然滿足日本社會對於學習中國文字、文化的大量需求，於是日本人開始自行翻印中國書籍。這就是「和刻本」產生的背景。

所謂「和刻本」，又稱爲「日本刻本」，是指古代日本以中國歷代之寫本或刻本爲底本，加以翻刻或重刊之書籍。[3]關於「和刻本」出現的時代，歷來有不同的說法，[4]學界從前的看法是以「寶治本《論語》」爲日本出版史上「和刻本」漢籍「外典」（佛教以外的典籍）之始。「寶治」是日本後深草天皇的年號，寶治元年（南宋理宗淳祐七年，1247），有署名「陋巷子」者刊印《論語集注》，底本是朱熹（1130～1200）的《論語集

---

[3] 關於「和刻本」的定義，歷來也有許多討論。參見長澤規矩也：《和刻本漢籍分類目錄》（東京：汲古書院，1976年）；川瀬一馬：《五山版の研究》（日本古書籍商協會，1970年）；王勇：〈和刻本與華刻本〉，《中日書籍之路研究》，頁238～241等。

[4] 本節所述，大抵依據楊維新：〈日本版本之歷史〉，《圖書印刷發展史論文集》（臺北：文史哲出版社，1982年），頁399～414；鄭梁生：《元明時代東傳日本的文獻》（臺北：文史哲出版社，1984年），頁146～156；嚴紹盪：〈日本刊印之漢籍研究〉，《漢籍在日本的流布研究》（南京：江蘇古籍出版社，1992年），頁121～166；王寶平：《中國館藏和刻本漢籍書目・序言》（杭州：杭州大學出版社，1992年）等。

注》，距離寧宗嘉定四年（1217）劉瀹初次刊行朱子《四書集注》才不過三十年，可見日本翻刻中國古籍的迅速。

其次，是「元亨本《古文尚書》」。後醍醐天皇元亨二年（元英宗至治二年，1322），沙門素慶刊行《僞古文尚書》十三卷，並在其跋文中提出了「儒以知道，釋以助才」的說法。此後不久，1324 年又有玄惠刊《詩人玉屑》；1325 年，圓澄刊《春秋經傳集解》，同年宗澤刊《寒山詩集》。

早期「和刻本」中最著名的是「五山版」。「五山」是鎌倉時代（1186～1330）至室町時代（1338～1573）京都附近寺廟的總名。主要的寺廟包括南禪寺、天龍寺、建仁寺、東福寺、萬壽寺、建長寺、圓覺寺、壽福寺、淨智寺、淨妙寺等。當時正值中國禪宗傳入日本，兼與宋學並興，受到幕府將軍的大力支持，各大寺廟逐漸成爲學術、文化的重心。爲了適應五山學僧鑽研禪學與漢文化的需要，覆刻中國文獻典籍的事業，便在「五山十刹」之間盛行起來，出現大規模以宋元版爲底本的覆刻本。其中又以「臨川寺本」最爲有名。

京都臨川寺，位於都城西郊大堰河畔，嵐山腳下。開基住持是夢窗疏石（1274～1351），其大弟子春屋妙葩（1311～1388）在 1341 年（元順帝至正元年）刊印《佛果圜悟禪師心要》；1351 年（至正十一年），在京都天龍寺主持刊印《明教大師輔教編》；1358 年（至正十八年），刊印《詩法源流》；1359 年，刊印《蒲室集》；1361 年，刊印《范德機詩集》；1363 年，刊印《翰林珠玉》；1371 年，刊行《宗鏡錄》。這些刊本都是以元刻本爲底本加以摹刻的。

其他著名的「五山版」漢籍，還有 1284 年（元世祖至元二十一年）淨智寺釋正念主持刊印的《大休和尚語錄》；1288 年（至元二十五年）建長寺刊印的《禪門室訓集》；同年四月，東福寺釋湛照、師元二人合刊《應安語錄》與《密庵語錄》等。除佛經、語錄之外，還有許多「外典」的刊行。據統計，「五山版」漢籍外典可考者，凡經部十一種、史部六種、子部十三種、集部三十六種，合計六十六種。

在五山版之外，最著名的和刻漢籍當推「正平本《論語》」。正平是日本南北朝時代南朝後村上天皇的年號，正平十九年（元順帝至正二十四年，1364）有堺浦（今九州地區）人士道祐，出資刊行《論語集解》十卷，據日本《泉州志》所載：

> 道祐，足利義男之四子，俗名祐氏者也。幼而喪父，共其母來居於當津，薙髮號道祐。初學天台，後謁大谷本願寺覺如上人，為一向專修念佛者。足利尊氏至任將軍，依同姓舊緣，除寺地租稅，封田若干戶。

可知其人與幕府爲遠親。此書清初曾傳入中國，錢曾「述古堂」藏有一通影寫抄本，因不明日本版刻歷史，誤以爲朝鮮本。後流入黃丕烈（1763～1825）「士禮居」，始訂正之。錢遵王藏本輾轉歸陸心源（1834～1894）「皕宋樓」，今存於日本「靜嘉堂文庫」。

與五山版差不多同時期，日本民間也出現以營利爲目的的

「坊刻本」，這些版本也是以宋、元刊本爲底本照樣摹刻的。據木宮泰彥的調查統計，1336～1473 年之間刊行的坊刻本有：佛經、論、僧傳等十九種；語錄、清規等四十七種；詩文集二十九種；史書五種；儒書、醫書、字書等九種，共計一百九種。這也反映出日本知識界的大量需求。

「和刻本」還有一個非常值得注意的現象，就是實際從事刻板的雕刻工匠，有一些是從中國沿海地區移民到日本的中國人，他們所刊印的書籍，可以說是真正的宋元版，只是在日本出版印行的而已，這可能是最早的「移地生產」與「技術轉移」的記錄！早在 1289 年（元順帝至正二十六年）時，就有徐汝舟、洪舉二人合刻的《雪竇明覺大師語錄》行世。而後日僧義堂周信（1325～1388）在其《空華日用工夫略集》「應永三年（1370）九月二十二日」條中記載：「唐人刮字工陳孟千、陳伯壽二人來，福州南臺橋人也。丁未年（1367）七月到岸。」另外，《師守記》一書「貞治六年（1367）七月二十一日」條下云：「今日唐人八人抵嵯峨，是爲菩薩去年渡唐，渡日本唐人也。形木開之輩也。」形木開即雕版之意。當時正值元末明初，天下擾亂，沿海居民多有東渡避禍者。而日本國內則是五山印版書籍正盛，需要大量工匠。這些刻版工人之中有一部分也正是在此環境之下受邀赴日。

在這些渡日刻工裡，最著名的是陳孟榮與俞良甫二人。陳孟榮與前述的陳孟千（或謂當作陳孟才）應是同族，刻書甚多，如曾協助春屋妙葩（1311～1388）在 1371 年刊行《宗鏡錄》

一百卷。另外曾參與刊刻的書籍還有《禪林類聚》、《天童平石和尚語錄》、《昌黎先生聯句集》、《重新點校附音增註蒙求》、《集千家註分類杜工部詩》等。俞良甫則是渡日刻工裡較有文化水準及國族意識者，其所刻書後，往往有跋文自述心情。如《新刊五百家注音辨唐柳先生集》跋云：「祖在唐山福州境界，福建行省興化路蒲田縣仁德里臺諫坊住人俞良甫，久住日本京城附近，幾年勞碌，至今喜成矣。」（1387 年刊）又《李善注文選》跋云：「《文選》之板，世鮮流布，童蒙不便之。福建道興化路蒲田縣仁德里人俞良甫頃得大宋尤袤先生之書，於日本嵯峨自辛亥起刀，至今苦難始成矣。」（1374 年刊）又有一些刊本之後自署「俞良甫學士」，可見其並非普通的刻字工人。俞良甫所刻之書，目前可考者共有九種，為紀念其事蹟，特稱為「俞良甫版」。據統計，現存和刻本中可考的中國刻工約有六十餘人，實際人數應超過百人。[5]

十六世紀時，和刻本還有名為「博多版」者，亦值得注意。博多即今九州福岡地區，1528 年（享祿元年，明世宗嘉靖七年）有博多富商阿佐井野家刊刻《醫書大全》與《韻鏡》，並在書前序文中首次提出覆刊時應注意校勘的觀念。其他重要的「博多版」還有 1533 年（天文二年，嘉靖十二年）刊印的「天文本《論語》」，又稱「南宗寺本《論語》」，此書相傳是以唐人歐陽詢（557～641）手書之摺本為底本，臨摹刊成，故文獻價值頗高。1494 年（明應三年，明孝宗弘治七年）有相國寺僧光源

---

[5] 李國慶：〈中國的雕板刻工在日本〉，《中日漢籍交流史論》（杭州：杭州大學出版社，1992 年），頁 315～331。

號葉巢子，刊印《增註唐賢絕句詩法》。

德川家康（1543～1616）在 1603 年（慶長八年，明神宗萬曆三十一年）任「征夷大將軍」，開府於江戶，也開啓了和刻本的新紀元。江戶時代日本版刻事業最大的特色是活字版——也就是所謂「官版」——的大量出現，此時印刷漢籍的重心也由民間、寺廟轉移到朝廷、幕府，全面帶動了和刻本漢籍的進步。日本活字印刷當起於 1396 年（應永三年，明太祖洪武二十九年）覆刊俞良甫版的《五百家注韓柳文集》，此後直到十六世紀末，才又廣泛應用。日本活字刊本可分爲三大系統，一是「敕版」，即天皇敕令排印之書，如《錦繡段》、《勸學文》、《四書》、《五妃曲》、《新雕皇朝類苑》等。二是「伏見版」，是德川家康在伏見創設的學校所刊，有《孔子家語》、《三略》、《六韜》、《周易》、《七書》等。三是「駿河版」，即德川家康在其根據地江戶修建的駿府，以銅活字所印之書，有《大藏一覽》、《群書治要》等。

江戶時代私人印書的風氣也較前代爲盛，著名的有「甫庵版」的《補注蒙求》、「直江版」的《增補六臣注文選》等。到了江戶後期，私人刻書多以營利爲目的，價值已不如古代和刻本遠甚。

二、國內「和刻本」的存藏概況

「和刻本」除了在日本國內流傳之外，也大量回流於中國，這與江戶時代中日商船的往來，與藏書家注意及之而大力訪求有關。因此大陸地區存藏的「和刻本」，爲數不少。1995年，杭州大學日本研究所教授王寶平主編的《中國館藏和刻本漢籍書目》由杭州大學出版社出版，基本反映了大陸所藏和刻本的面貌。反觀國內迄今尚無全面對於「和刻本」的調查與集中記錄，這一份重要的文獻資源未能得到應有重視，頗爲可惜。[6]希望未來能有學術機關主持調查、編印國內所藏和刻本的總目。國內現存的「和刻本」漢籍，主要集中在故宮博物院、臺灣大學等單位，國家圖書館及其所屬臺灣分館也有部分收藏。

故宮博物院所藏「和刻本」古籍，主要是來自楊守敬「觀海堂」舊藏。楊守敬（1839～1915），字惺吾，號鄰蘇老人，湖北宜都人。同治元年（1862）舉人，光緒六年（1880），應駐日公使何如璋（1838～1891）之邀，赴日擔任公使館隨員。當時正值日本明治維新期間，排斥舊學，故家藏書，大量流出，幾於論斤估值。楊氏乃趁機蒐購，或以所藏互易，收穫極豐。光緒十年（1884），差滿歸國，所得之書裝滿一船。十四年（1888），於黃州故居建藏書樓，以其地近蘇東坡「雪堂」，故題曰「鄰蘇樓」。民國建立，爲袁世凱（1859～1916）所迫，遷居北京，擔任政府顧問及參議。「觀海堂」之名，當起於此時。民國四年（1915）逝世，其後人將全部藏書售與北洋政府，

---

[6] 劉兆祐先生曾撰〈論中國古籍日本刊本之價值〉一文，刊登於《中國書目季刊》第二十七卷4期（1994年3月），頁44～62，提出應充分運用國內和刻本資源的呼籲。

十五年（1926），徐世昌總統（1855～1939）將其中十分之四、五，撥交故宮博物院圖書館保存。三十八年（1949）隨國民政府遷臺，成爲目前故宮藏書的主要部分。楊氏「觀海堂」所藏之和刻本，即得之於日本。其中不乏罕見之本，如：永祿七年（1564）刊《韻鏡》；寬政十二年（1800）刊《唐玄宗開元注孝經》；日本覆刊高麗藏本慧琳《一切經音義》等。

臺灣大學所藏「和刻本」古籍，主要是來自日據時期之臺北帝國大學舊藏。[7]「臺北帝國大學」爲日據時期臺灣最高學府，成立於 1928 年 3 月，隨即於 1929 年購入福州藏書家龔易圖（1839～1894）「烏石山房」藏書，凡二千九十九部，三萬四千八百零三冊。臺灣光復後，改制爲國立臺灣大學，並於圖書館設立特藏組。歷年來入藏圖書的重要來源還有：久保文庫（久保天隨原藏）、桃木文庫（桃木武平原藏）、石原文庫（石原幸原藏）等。目前臺灣大學所藏和刻本漢籍，共約四百六十一部，列入善本者有七十五部，七百四十三冊。其中頗多國內外均罕見之孤本，如：延享三年（1746）刊（明）閔光德撰《春秋左傳異名考》；承應三年（1654）村上平樂寺刊（明）林希元（1481～1565）撰《四書存疑》；寬文三年（1663）村上勘兵衛刊《山谷詩集注抄》；慶安三年（1650）刊（明）王世貞（1526～1590）編《有象列仙傳》等。

國家圖書館所藏「和刻本」古籍，主要來自抗戰期間所收

[7] 參考潘美月、夏麗月：〈臺灣大學館藏古籍的整理〉（兩岸古籍整理學術研討會論文，1996 年），及〈臺灣大學圖書館藏和刻本漢籍的收藏與整理〉（第三次兩岸古籍整理研究學術研討會論文，2001 年。）

購的故家舊藏。國家圖書館前身爲國立中央圖書館，民國二十二年（1933）開始籌備，正式成立於民國二十九年（1940）。當時正值對日抗戰全面展開，江南一帶故家藏書紛紛湧出，央圖在政府大力支持之下，展開搜購搶救古籍的工作。其中最重要的兩家是劉承翰「嘉業堂」與張均衡「適園」。張氏民國初年（1911）曾在上海與楊守敬有過書籍收售的往來，推測其中可能有和刻本。[8]另外原「中央圖書館臺灣分館」也藏有部分和刻本，則是接收自日據時期的「臺灣總督府圖書館」（成立於 1915 年）。

除上述三個機構所藏和刻本之外，東海大學圖書館也存藏若干和刻本，如：萬笈堂刊《曾茶山詩集》、三都書肆據明萬曆三十一年（1603）刊本重刊《朱子語類大全》等。[9]

三、「和刻本」的價值與運用

張惠寶、李國慶在〈中國圖書館所藏和刻本漢籍及其文獻價值〉一文中歸納出「和刻本漢籍的價值與功用」有四：

> 一、保存了在中土早已失傳的中國古籍。
>
> 二、在日本刊印的和刻本構成了中國古籍的又一個版刻系統。

---

8 蘇精：〈抗戰時期秘密搜購淪陷區古籍始末〉，《近代藏書三十家・附錄》（臺北：傳記文學出版社，1983 年），頁 233～236。

9 〈東海大學圖書館館訊〉，2004 年 3 月。

三、大量異本的出現足資校勘所需。

四、是中日兩國古代文化交流與融合的證物。

據此而知和刻本漢籍的價值，可以由文獻、文化、學術三方面加以考察。

（一）文獻方面：

首先，「和刻本」據以覆刻的底本，可分爲三類：一是自古抄本覆刊者；二是影刻宋元明清歷代刊本者；三是日本歷朝重刊者。然而不論其底本爲何，許多都是中土久佚或是罕見之書，在文獻的保存與輯佚上，貢獻甚大。所以蔣復璁先生（1898～1990）在〈中日書緣〉一文中，曾經指出：「中國經籍散入鄰邦，以日本爲最多，亦惟日本保存的經籍，能補充吾人之不足。」[10]以下略舉數例：

1.《群書治要》五十卷

《群書治要》是唐代初年（626）編輯的重要類書，（唐）魏徵（580～643）等撰。魏徵字玄成，魏州曲城人，《舊唐書》卷七一、《新唐書》卷九七有傳。《唐會要》卷三六：「貞觀五年九月二十七日，秘書監魏徵撰《群書治要》，上之。」阮元（1764～1849）《揅經室外集》卷二：「又《唐書》蕭德言傳云：太宗詔魏徵、虞世南、褚亮及德言裒次經史百氏，帝王所以興衰者上之……德言賚賜尤渥。然則書實成於德言之手，故《唐

[10] 劉百閔主編：《中日文化論集續編》（臺北：中華文化出版事業委員會，1963年）第二冊，頁339。

書》於魏徵、虞世南、褚亮傳皆不及也。」是書國內久佚，《四庫全書》亦未收，而日本藏有平安、鐮倉時代的寫本。元和二年（1616），德川家康曾據「金澤文庫」舊藏古寫本以銅活字排印出版。天明七年（1787）又據活字本重刊，民國十一年（1922）商務印書館在張元濟（1867～1959）主持下，出版《四部叢刊》初編，始據天明刊本影印收入本書，其中缺四、十三、二十等三卷，阮元所見應即是天明本。[11]清代考據學家，如王念孫（1744～1832）之《讀書雜志》校釋古籍，往往運用類書之資料，而其所據之《群書治要》僅爲舊抄本，且有錯誤，可證和刻本的重要。

2.《韻鏡》一卷

等韻之學，亦稱爲「七音之學」，其表現方式爲做成「等韻圖」，將聲與韻互相配合，用以闡明反切，辨析音值。等韻圖起於唐宋之際，到了清代，學者運用韻圖研究古音，達於極致。目前存世最早的韻圖即是《韻鏡》，但宋代以後久佚，直到清末楊守敬從日本發現之後，等韻之學又進入一個新境界。關於《韻鏡》的狀況，楊守敬《日本訪書志》卷四云：

> 是書不著撰人名氏。紹興辛巳張麟之得其本，別為之序例刊之，初名《指微韻鏡》。逮嘉泰三年，麟之又重為之序，蓋鄭夾漈《七音略・序》所云《七音韻鑑》者也。

[11] 近年於日本宮內廳書陵部又發現一種鐮倉時代古寫本，見吳金華：〈略談日本古寫本群書治要的文獻學價值〉，《文獻》第 3 期（2003 年），頁 118～127。

> 是宋代已經三刊，不知何故，元、明以來遂無傳本，著錄皆不之及。日本享祿戊子，清原宣賢合諸傳鈔本重刊之，頗有更改。又云永祿七年得慶元丁巳所刊原本重校之，始還其舊。其書直列十六，平上去入各四等，大致與《切韻指掌》、《四聲等子》略同。簡而不漏，詳而不雜，等韻書中，最稱善本。[12]

民國以後研究聲韻學的學者，很少有不言及此書者。[13]

3.《宋朝事實類苑》七十八卷

《宋朝事實類苑》原名《皇宋事實類苑》，《四庫全書》著錄，則簡稱爲《事實類苑》，僅六十三卷。（宋）江少虞編纂。江少虞，字虞仲，常山人。政和中進士，歷任建、饒、吉三州太守。是書完成於紹興十五年（1145），乃採集諸家記錄中有關北宋的朝野事蹟，選擇類次，彙編成書。全書共分二十四門，各以四字標題，其下再分列子目。所記時代起自宋太祖，止於宋神宗，凡一百二十餘年。書中所引諸家筆記，或久已失傳，或與今本內容頗有出入，幸賴此書得以保存。紹興二十三年（1153），建陽麻沙書坊曾出版此書之刻本，而後歷經元、明、清三朝，一直沒有再版，抄本流傳也很少。《四庫全書》所收者即爲傳抄本，既有缺卷，錯誤也多。直到 1911 年，才從日本找到元和七年（明天啓元年，1621）所刊木活字本，並傳入

---

[12] 紹興辛巳（1161），嘉泰三年（1203），日本享祿戊子（1528），永祿七年（1564），慶元丁巳（1197）。

[13] 參見高小方：《中國語言文字學史料學》（南京：南京大學出版社，1998年），頁 142～144。

中國，武進董康（1867～1947）據以重刻，是書才又顯於人世。近年來研究宋代歷史或文學的學者，常引用此書的材料。

其次，「和刻本」漢籍在版本學上有一個重要特點，就是在覆刻之初，秉持的是「一字不改，照樣翻刻」的原則，因此大部分的「和刻本」都保留了底本的原貌，幾乎絲毫不差。如其覆刻宋本時，原書中避諱缺筆之字，都一一照刻，很容易據以推斷底本的年代。甚至在覆刻宋、元刊本時，連書中的牌記都一起翻刻，可說是宋、元刊本的「拷貝本」。這在校勘古籍上，是非常重要的依據。如前述《宋朝事實類苑》一書，日本木活字本是完全根據紹興麻沙本翻印的，其目錄首行題爲「麻沙新雕皇朝類苑卷第目錄一」，目錄第三卷末又有「紹興二十三年（1153）癸酉歲中元日麻沙書坊印行」牌記一行，[14]即是顯例。

（二）學術方面：

從和刻本的刊印情況，可以印證日本學術發展的軌跡。據日本古代傳說，最早傳入日本的中國典籍是「《論語》十卷與《千字文》一卷」，從此儒學成爲日本文化極爲重要的組成部分。「寶治本《論語》」、「正平本《論語》」的相繼出現，說明孔子思想深遠的影響。五山時代，禪宗與宋學盛行，和刻本便出現大量的禪師語錄、宋儒語錄的覆刻本。江戶時代初期，朱子學成爲顯學，江戶中期，則出現古學派、國學派，促成日本

---

[14] 上海圖書館藏有木活字本全帙，參見《宋朝事實類苑》出版說明（臺北：源流出版社，1982 年）。

人研究傳統學術的風氣，此中和刻本傳播的影響，不容忽視。[15]此外，日本自古重視醫學，蒐藏的中國古代醫書甚多，覆刊中國醫書之多也是和刻本的特色之一。

（三）文化方面：

文化的傳播主要依賴人和書，日本古代由於自然環境限制，無法將留學生大量送入中國的太學，而中國士大夫渡海傳授學問者亦不甚多，因此通過書籍汲取中國文化，遂爲不得已之策。事實證明，書籍做爲文化傳播的媒介，比人能持續的時間更長，涵蓋的空間更廣。如果說絲綢是中國物質文明的象徵，則書籍凝聚了更多中華文明的精神創意，因而具有強大的再生能力，可以超越時空，影響後世。經由入華日人攜歸的漢籍，經過不斷傳抄、翻刻（即和刻本），而流布世間，再經過訓讀、闡釋而深入人心，對日本文化產生不可估計的影響。日本人通過閱讀中國典籍，接受了與中國人大致相近的薰陶，形成類似的道德觀念、審美意識、行爲規範、藝術情趣。他們的知識結構與心靈世界，具有東亞文明的普遍特徵，因而由心靈的發動而創造的文化，自然也具有東亞文明的普遍特徵。[16]

---

[15] 參考張琴鶴：《日本儒學序說》（臺北：明文書局，1987 年）；許政雄譯註：《日本儒學史概論》（臺北：文津出版社，1993 年）；王中田：《江戶時代日本儒學研究》（北京：中國社會科學出版社，1994 年）；鄭梁生：《元明時代東傳日本的文獻》（臺北：文史哲出版社，1984 年）。

[16] 參考王勇：〈絲綢之路與書籍之路——試論東亞文化交流的獨特模式〉，《中日書籍之路研究》，頁 1～14。

四、從《古逸叢書》之刊刻看中日書籍交流

由「和刻本」問題的探討，進一步可以研究日本所藏中國古籍回流之狀況。此處可以藉《古逸叢書》的刊印爲代表，來看中日佚書之傳播與回流，[17]做爲本文之結論。

《古逸叢書》收書凡二十六部，二百卷，是清末派駐日本公使黎庶昌與其隨員楊守敬在日本訪書時所輯刻，光緒十一年（1885）出版。因其中多古本逸篇，遂命名爲《古逸叢書》。[18]其所收書目及版本如下表：

書名	卷數	備註
覆元至正本《易程傳》	六卷	
附《晦庵先生校正繫辭精義》	二卷	楊氏有跋文
影宋蜀大字本《尚書釋音》	一卷	有潘錫爵跋文
影宋紹熙本《穀梁傳》	十二卷	楊氏有跋文及校記
覆日本正平本《論語集解》	十卷	楊氏有跋文
覆舊抄卷子本《唐開元御注孝經》	一卷	
影宋蜀大字本《爾雅》	三卷	楊氏有跋文
舊抄卷子殘本《玉篇》	三卷	楊氏有跋文
仿唐石經體寫本《急就篇》	一卷	
覆宋本《重修廣韻》	五卷	

---

[17] 關於《古逸叢書》的研究，參考陳東輝：〈從日本輯刻的古逸叢書及其文獻價值〉，收入《中日漢籍交流史論》，頁283～294；連一峰：《黎庶昌、楊守敬「古逸叢書」研究》（臺灣中國文化大學史學研究所1997年碩士論文）。

[18] 日本先前已有林天瀑（名衡，字述齋）所編印之《佚存叢書》，則此書之命名也應受其啟發。見楊守敬：《日本訪書志》〈緣起〉。

附校記	一卷	黎庶昌撰
覆元泰定本《廣韻》	五卷	
覆日本永祿本《韻鏡》	一卷	
影唐寫本《漢書・食貨志》	一卷	楊氏有跋文及校記
影宋本《史略》	六卷	
影舊抄卷子本《天臺山記》	一卷	
影宋本《太平寰宇記補闕》	五卷	楊氏有跋文
影舊抄卷子本《日本國見在書目錄》	一卷	
影宋臺州本《荀子》	二十卷	楊氏有跋文
集唐字《老子注》	二卷	
影宋本《南華真經注疏》	十卷	
附辨證、後語	八卷	
影北宋本《姓解》	三卷	
影舊抄卷子本《玉燭寶典》	十一卷	
影舊抄卷子本《文館詞林》	十三卷	楊氏有跋文
影舊抄卷子本《彫玉集》	二卷	
影舊抄卷子本《碣石調幽蘭》	一卷	
覆元本《楚辭集注》	八卷	
覆宋麻沙本《草堂詩箋》	四十卷	
附外集	一卷	
補遺	十卷	
傳序碑銘	一卷	
目錄	二卷	
年譜	二卷	
詩話	二卷	

（案：原書未依四部次序，當是按刻成時間排列，本文已改依四部，以便查檢。）

楊守敬，字惺吾，湖北宜都人，生平已見前。黎庶昌（1837～1897），字蒓齋，貴州遵義人。方二氏出使日本之時，正逢明治維新伊始，其國人唾棄漢學舊籍，於是乘機搜羅訪求，以賤價得之，並由楊氏倡言，黎氏促成，集其精粹刊刻成《古逸叢書》。《古逸叢書》的輯印成書，使千百年來流落異邦的遺文墜簡，得此契機復睹於中華子孫，正可補充我國秦火之後華夏典籍的闕佚，對於我國文獻的保存、文化的傳承、民族精神的賡續，影響至爲深遠。這部書無論由外觀形式、文獻內容、版本學上的意義、實用性及書法藝術等方面來看，都有可觀之處。在外觀形式上，由於主其事者楊守敬精於鑒別，眼界又高。加之日本覆刻工匠技藝高明，摹勒精審，毫髮不爽，力求恢復古書面貌。[19]而且裝幀精美，無論紙張、用墨都很考究，超越前古。是以叢書初刊成時，士林爭相購求，視若珍寶，讚嘆之餘，咸認爲與宋槧幾無差異。

至於其文獻內容之特色及價值，可以舉其犖犖大者如下：

（一）《古逸叢書》多保存中土久佚之古本，不傳之舊刊。於海外訪獲的這些逸書，內容廣泛，提供豐富文史資料，其價

---

[19] 楊守敬：《鄰蘇老人自訂年譜》「光緒九年（1883）」條下云：「是年仍經理刻書事。日本刻書手爭自琢磨，不肯草率。而日本人亦服我鑒別之精，每刻一書，先擇其藝之絕高者為準繩，餘人規模筆法，既成而後動工，故雖藝之次者，亦有虎賁中郎之似。然吾每至其家，閱工人所刻之板，不用印刷樣本，即以白板分好惡。」（收入《中國近代史料叢刊》〔臺北：文海出版社，1966 年〕）。

值或可比擬我國近代考古上的重大發現，如殷墟甲骨文、敦煌石室、流沙墜簡等之價值，也可視爲一種新發現的史料。可塡補我國學術史的空白處或因文獻不足而未涉及的研究領域。更可貴的是，這些逸書往往還引證及保存了許多久已亡佚的典籍，堪稱爲「逸書中的逸書」。由於這些逸書的引證，吾人可考知古逸書的崖略，則古逸書雖亡猶存，學術研究的價值極高。

（二）叢書中有些雖非逸書，但爲罕傳之名家精校本，或與中土傳本不同，多與石經文字或雕版初期的字句相同，可以校勘後世傳本的訛誤，提供辨僞、考證、訓詁等學術研究之資。

（三）《古逸叢書》所收錄之經書多爲名家注疏的較早版本，即所謂「典範」之本。如范甯（339～401）之於《穀梁》、郭璞（276～324）之於《爾雅》，儼然已成一家之學。

（四）叢書輯錄典籍內容廣泛，如《文館詞林》、《玉篇》、《廣韻》、《太平寰宇記》、《碣石調幽蘭》等書，提供文學、史學、文字學、聲韻學、語言學、地理、音樂等珍貴的史料，開拓這些學門研究的範疇。

（五）《古逸叢書》所收諸書多具備工具書性質，有實用價值。以當代字書考證當代事物，甚具學術價值。

（六）唐代乃我國書法藝術之顚峰極盛時期，名家輩出。《古逸叢書》中不少古抄本是於唐時傳入日本，多存唐人書法風格，頗具有藝術、文物之價值。

（七）在版本學上，《古逸叢書》之北宋本《爾雅》一書尤爲近古，五代長興舊監模式，庶幾可以想像。正平版《論語》，爲開創「和刻本五山版」經書之嚆矢，於版本學上意義重大。

此外，在文化上，《古逸叢書》發揮了輯逸、補闕的功能，保存中華文化遺產。《古逸叢書》刊成後，影響至爲深遠，一方面促使日人覺悟到維新以來唾棄漢學之不智與失策，重新重視漢學典籍，因而有收購歸安陸氏皕宋樓藏書，舶載東去，相繼成立「靜嘉堂文庫」、「東洋文庫」等漢籍文庫之舉，積極蒐訪世界各地之漢文資料。另一方面也激發了國人珍視華夏文化遺產，掀起學者赴日蒐訪海外逸書的熱潮，斐然有成，對中國文物的保存有莫大貢獻。《古逸叢書》同時開創輯刻逸書的風氣，其後商務印書館在張元濟主持下，影印出版了《續古逸叢書》，近年北京中華書局又編刻出版了《古逸叢書三編》，蔚成輯印佚存古籍的風氣。

綜合而論，考察《古逸叢書》各書之源流及傳播途徑，可瞭解中日典籍的交流歷史以及中國典籍在日本之流布及影響。《古逸叢書》所收既爲珍貴古籍，又有名手爲之剞劂，故能精美絕倫。無論在學術上、藝術及文化上均有極高的價値，同時由於刊刻於日本，是爲研究中日文化交流的最佳見證。至於黎、楊二賢海外訪書之舉，更對於保存中華文化做出努力與貢獻，樹立了讀書人立德、立功、立言不朽之風範。

附錄：國內現存「和刻本」經部漢籍目錄（初稿）：

書名	作者	版本	典藏地
周易十卷三冊	魏・王弼	足利活字五經本	故宮
周易十卷三冊	魏・王弼	足利活字五經本	故宮
周易注十卷五冊	魏・王弼	慶長十年（1605）刊本	故宮
周易注十卷二冊	魏・王弼	寶曆八年（1758）東都書肆刊本	故宮
周易注六卷二冊	魏・王弼	日本舊刊本	故宮
周易本義十二卷五冊	宋・朱熹	寬政元年（1789）刊本	故宮
周易本義十二卷五冊	宋・朱熹	寬政元年（1789）刊本	中央
周易音訓二卷二冊	宋・呂祖謙	弘化四年（1847）精溪文房本	故宮
泰軒易傳六卷六冊	宋・李正中	佚存叢書本	故宮
泰軒易傳六卷六冊	宋・李正中	佚存叢書本	故宮
周易程朱義傳二四卷八冊	宋・程子朱子	寬永四年（1627）刊本	臺大
周易二四卷八冊	宋・程子朱子	慶安元年（1648）刊本	臺大
周易二四卷十三冊	宋・程子朱子	享保九年（1724）京都今村八兵衛刊本	臺大

周易本義 十二卷七冊	宋・程子朱子	延寶三年（1675）刊本	臺大
周易本義 十二卷五冊	宋・程子朱子	寛政二年（1790）刊本	臺大
周易宗義 十卷十冊	明・程汝繼	日本影刊明萬曆三十七年 （1609）刊本	臺大
周易本義辨証 五卷三冊	清・惠棟	享和三年（1803）刊本	故宮
尚書十三卷四冊	漢・孔安國	慶長・元和間活字本	中央
尚書十三卷二冊	漢・孔安國	足利五經本	故宮
尚書十三卷三冊	漢・孔安國	足利五經本	故宮
尚書正義 二十卷二十冊	漢・孔安國	弘化四年（1847） 細川利和覆刊宋本	故宮
尚書十三卷六冊	漢・孔安國	天明八年（1788） 清原氏刊本	中央
尚書正義 二十卷二十冊	漢・孔安國	弘化四年（1847） 熊本文庫覆宋八行本	臺大
書經集註 六卷六冊	宋・蔡沈	享保九年（1724） 京都今村八兵衛刊本	臺大
書經講義會編 十二卷十五冊	明・申時行	延寶二年（1674）刊本	臺大
毛詩 二十卷十四冊	漢・鄭玄	五山本	故宮
毛詩二十卷五冊	漢・鄭玄	足利活字五經本	故宮
毛詩二十卷五冊	漢・鄭玄	足利活字五經本	故宮

毛詩二十卷五冊	漢・鄭玄	舊活字本	中央
毛詩蒙引 二十卷十冊	明・陳子龍	寬文十二年（1672）刊本	中央
詩蒙引 二十卷十冊	明・陳子龍	寬文十二年（1672）刊本	臺大
韓詩外傳 十卷五冊	漢・韓嬰	京師書坊翻明薛氏本	故宮
禮記二十卷六冊	漢・鄭玄	足利活字五經本	臺大
禮記二十卷十冊	漢・鄭玄	足利活字五經本	臺大
禮記存十卷五冊	漢・鄭玄	舊活字本	中央
禮記集說 三十卷十五冊	元・陳澔	寬文四年（1664）刊本	中央
禮記集說 三十卷十五冊	元・陳澔	享保九年（1724） 京都今村八兵衛刊本	臺大
春秋經傳集解 三十卷十三冊	晉・杜預	五山本	故宮
春秋經傳集解 三十卷十五冊	晉・杜預	五山本	故宮
春秋經傳集解 三十卷十五冊	晉・杜預	足利活字五經本	故宮
春秋經傳集解 三十卷十五冊	晉・杜預	足利刊本	故宮
春秋經傳集解 三十卷十五冊	晉・杜預	舊活字本	中央
春秋經傳集解	晉・杜預	舊刊本	中央

三十卷十五冊			
春秋經傳集解 三十卷十五冊	晉・杜預	安政三年（1856） 田邊氏覆宋本	中央
春秋穀梁傳 十二卷四冊	晉・范寧	金澤文庫刊本	故宮
（左氏）東萊博義 十二卷四冊	宋・呂祖謙	元祿十三年（1700）刊本	中央
左傳註解辨誤 二冊	明・傅遜	延享三年（1746）刊本	中央
左傳註解辨誤 二冊	明・傅遜	延享三年（1746）刊本	臺大
左傳註解辨誤 二冊	明.・傅遜	延享三年（1746）刊本	臺大
春秋左傳異名考 二卷一冊	明・閔光德	延享三年（1746）刊本	臺大
古文孝經孔氏傳 一卷一冊	隋・劉炫	寬政十二年（1800）刊本	中央
孝經一卷一冊	山本信友 校定	寬政九年（1797）刊本	故宮
孝經大義 一卷一冊	元・董鼎	正保四年（1647）刊本	中央
西河合集經問 九卷五冊	清・毛奇齡	寬政十一年（1799）刊本	中央
論語十卷五冊		正平原刊本	故宮
論語十卷二冊		天文二年（1533）刊本	故宮

論語十卷二冊		天文二年（1533）刊本	故宮
論語十卷二冊		天文二年（1533）刊本	故宮
論語十卷二冊		足利刊本	故宮
論語十卷二冊		足利刊本	故宮
論語集解存 八卷三冊		文化間（1804～1817） 覆刊正平本	故宮
縮臨古本論語集解 十卷二冊		天保八年（1837） 津藩有造館刊本	故宮
論語十卷二冊		日本舊刊本	故宮
論語義疏 十卷十冊		寬延三年（1750） 東都書肆刊本	故宮
論語義疏 十卷十冊		寬延三年（1750） 東都書肆刊本	故宮
論語集解 十卷五冊		正平間刊本	中央
論語筆解 二卷一冊	唐・韓愈	寶曆十一年（1761）刊本	臺大
孟子十四卷五冊		足利五經本	故宮
孟子十四卷五冊		足利五經本	故宮
大學章句 一卷一冊		日本刊本	故宮
四書輯釋大成 三十六卷十四冊	元・倪士毅	文化九年（1812） 覆刊元日新書堂本	中央
四書蒙引十五卷 二十冊	明・蔡清	寬永十三年（1636）刊本	中央

四書圖史合考 二十四卷二十五冊	明・蔡清	寬文九年（1669） 中野氏刊本	中央
四書便蒙講述 二十卷六冊	明・盧一誠	慶安四年（1651） 書林道伴刊本	中央
四書存疑 十四卷十四冊	明・林希元	承應三年（1654） 村上平樂寺重刊本	臺大
樂書要錄存 三卷一冊	唐・武則天	佚存叢書本	故宮
新刻釋名 八卷一冊	漢・劉熙	明曆二年（1656）刊本	故宮
新刊稗雅 二十卷四冊	宋・陸佃	日本翻明刊本	故宮
重脩玉篇 三十卷五冊	梁・顧野王	翻元至正二年（1342） 南山書院本	故宮
大廣益會玉篇 三十卷五冊	梁・顧野王	慶長間覆刊 元至正南山書院本	臺大
大廣益會玉篇 三十卷七冊	梁・顧野王	日本舊刊本	中央
龍龕手鑑 八卷七冊	遼・釋行均	翻明嘉靖高德山 歸直寺本	故宮
韻鏡一卷一冊	宋・張麟之	翻刻宋慶元三年 （1197）本	故宮
韻鏡一卷一冊	宋・張麟之	享祿三年（1530） 覆宋慶元本	故宮
韻鏡一卷一冊	宋・張麟之	享祿三年（1530）	故宮

		覆宋慶元本	
增修互注禮部韻略五卷六冊	宋・毛晃	翻元日新書堂本	故宮
古今韻會舉要三十卷十五冊	元・黃公紹	應永五年（1398）翻元刊本	故宮
古今韻會舉要三十卷十五冊	元・黃公紹	翻明嘉靖十五年（1536）江西刊本	故宮
篇海類編二十卷二十二冊	明・宋濂	寬文九年（1667）刊本	中央
韻府古篆彙選五卷五冊	清・陳策	元祿十年（1677）刊本	中央
纂圖附音增廣古注千字文三卷一冊	梁・周興嗣	日本刊本	中央
新刊增廣附音釋千字文註一卷一冊	梁・周興嗣	日本刊本	故宮
字考不分卷一冊	明・黃元立	慶安間翻刊明本	臺大
草書韻會五卷二冊	金・張天錫	日本舊刊本	中央
草書韻會不分卷二冊	金・張天錫	慶安四年（1651）秋田屋平左衛門刊本	中研
草書禮部韻寶一卷六冊		延享四年(1747)翻刊宋本	中研

※案：附表第四欄所稱「中央」係指原「國立中央圖書館」，今已更名爲「國家圖書館」。

清朝學者編撰的海東金石文集的種類和所藏現狀[**]

朴現圭[*]

一、前言

金石文幾乎是與人類自我意識俱來的悠久記錄文。其原始模型可以從人類周邊接觸到的具有自然狀態原樣的巖壁或石頭上找到。此後人類爲了長久保留記錄自然地使用生硬的物體雕刻文字。金石文載體的基本質地有青銅、鐵、石頭、巖石、木材、黏土等，但易於長久保留的金石類爲數最多，所謂的金石文就是直接從其主要材質金石中出來的。

所謂的金石學就是以金石文作爲研究對象的學問。從金石學研究的方向和方法來看，大致可分爲東洋金石學和西洋金石學。東洋金石學又可細分爲漢字文化圈和印度中東圈。在漢字文化圈國家中，中國較早涉足該領域並取得卓越成果。韓國很早就與中國有著密切的文化交流，因而也較早涉足該領域。羅麗時代金石文的創作和金石書體鑑賞等具有早期金石學水準，到朝鮮前期形成拓本集的出現等金石學研究的氛圍，朝鮮

---

* 現任韓國順天鄉大學中國語文學科教授。

** 本論文是韓國學術振興財團研究課題《中國所藏韓國金石文集的實査與分析》（2003-041-A00388）之一。

後期金石文研究和著書活躍開展。

海東金石文是古代韓國管轄地即韓國人遺留下的所有金石物的指稱。韓中學者很早以前就認爲海東金石文價值不菲。他們在研究古代文物的所在與分布，佛教的繼承與活動，書法與雕刻的審美，藝術水準的評價，社會文化的標準，文章技巧價值與特徵等多方面都引用海東金石文。尤其是對於研究韓國古代史，沒有海東金石文的就不可能做深度研究，因此學者給予這批文獻很高的評價。海東金石文集是把多種海東金石文收集整理編撰或研究分析的文獻。

清乾、嘉、道光年間，考證學之風盛行，金石研究順應了這一盛期。當時清朝學者們收集的金石文中，不僅有中國各地所產的金石文，甚至也有海外收藏的金石文。海外地區中最受他們關注的就屬朝鮮半島了。從他們編撰的早期海東金石文集的編撰過程看，憑藉朝鮮和清朝學者們之間的友好關係，在共同編撰和考證方面相互幫助的情況相當多。這是東洋金石文研究中鮮有的有趣現象。

本論文正將著力刻畫這幾點。其中一環就是清朝學者們編撰的海東金石文集有哪些，同時在編撰過程中我們能看到的兩國學者間的交流關係和參與此事的程度，及共同了解此後海東金石文集的編纂過程，現存與否和收藏處等。爲提高本文論述的集中性，資料的範疇將限爲清朝學者們致力研究的海東金石文集，而其他參與程度微弱的文獻或拓本以後另談。

二、翁方綱編纂本《海東金石文字記》

翁方綱（1733～1818）與其子翁樹崑是海東金石學研究中不容忽視的學者。翁氏父子與當時在北京（燕京）的朝鮮使臣們互相交流切磋，從他們那得到了許多珍贈的海東金石文原本，當時朝鮮學者們評價翁方綱爲清朝的大學者，且極爲重視與翁方綱的交往。

《海東金石文字記》是翁方綱收集海東金石拓本整理而成的海東金石文集，書名簡稱爲《海東金石記》。現在《海東金石文字記》的收藏處不詳，但幸好民國學者們曾閱覽此書，並留下一些資料。1934 年 4 月傅增湘（1872～1949）在葉啓勳的府中閱讀了此書，且留有簡略的註解。此書是翁方綱收集本，共有五卷。[1]葉啓勳在《續修四庫全書總目提要》中也曾記述有家藏的《海東金石文字記》。[2]我們通過葉啓勳的注解可大致了解此書收錄的海東金石文的內容。

《海東金石文字記》分本編四卷和附錄一卷。本編卷一收錄了相當於陳朝至唐朝時期的作品；卷二收錄了唐、後梁、後周時期的；卷三收錄了後晉、遼、金、宋時期的；卷四則收錄了明代的海東金石文。每卷收錄的金石文後面都記述有文獻的

---

1 傅增湘：《藏園群書經眼錄》（北京：中華書局，1983 年 9 月）卷六〈史部四・金石類〉「海東金石記五冊・翁覃溪方綱手稿本」（葉定侯藏書，甲戌四月閱）。定侯，是葉啓勳之字。

2 參照《續修四庫全書總目提要（稿本）》冊四，《海東金石文字記》四卷《瑣記》一卷。據《續修四庫全書總目提要（稿本）》的〈提要撰者表〉說，《海東金石文字記》的解題，由葉啓勳擔任。

建立年代，編撰者和書寫人的名字、字體等；以及全文和原金石物的大小、橫寬、現存字數等。其中〈和州藥師寺碑〉中有翁方綱的「丁巳冬十月蘇齋記」兩行題記，〈聖德大王新鐘之銘〉中有翁樹崑的「嘉慶二十年大興翁樹崑手識」題記。[3]附錄一卷是下一節所講的翁樹崑《碑目瑣記》。翁方綱在嘉慶二十三年（1818）去世，翁樹崑題記是嘉慶二十年（1815）。由此可見，《海東金石文字記》的編撰時期是在嘉慶二十年至二十三年間。

下面將對《海東金石文字記》的編撰者問題進行分析。我們通過曾閱讀《海東金石文字記》的民國學者們的記錄，可知道此書爲翁方綱編撰或其手稿本，同時，此書還蓋有翁方綱的「大興翁氏石墨書樓珍藏圖籍」印章。翁氏很早就對海東金石文特爲關心，並做了考證工作。他的文集《復初齋文集》中就收錄有五篇關於海東金石文本的註解。[4]《海東金石文字記》中的〈和州藥師寺碑〉中也有翁方綱的字跡。由此看《海東金石文字記》的編撰者非翁方綱莫屬。

翁方綱爲此書的編撰者，是不可否認的事實。其子翁樹崑也積極參與了編纂工作。其理由羅列如下，第一，《海東金石文字記》附錄《碑目瑣記》的作者是翁樹崑。第二，《海東金石文字記》中的《聖德大王新鐘之銘》中有翁樹崑的題記。第

[3] 嘉慶二十年，當西元 1815 年。

[4] 《復初齋文集》卷二十四載〈跋平百濟碑〉、〈新羅鍪藏寺碑殘本跋〉、〈新羅雙谿寺碑跋〉，卷二十五載〈跋高麗靈通寺大覺國師碑〉（目錄作卷二十四），卷二十六載〈跋高麗重脩文殊院記〉。

三，現存資料中翁方綱考察的海東金石文，全是高麗以前的作品，而翁樹崑的札記本《碑目瑣記》卻記述了與明朝相對應的朝鮮時期的金石文。第四，翁氏父子對海東金石文都懷有極大的興趣，翁樹崑比其父親更爲積極。由此筆者推測翁樹崑對《海東金石文字記》的編纂工作也做出了很大的貢獻。

三、翁樹崑編纂本《碑目瑣記》

翁樹崑曾沈醉於海東金石文的收集與考證。每次與朝鮮使臣接觸時就收集海東金石拓本，同時通過第三者與遠在韓半島的朝鮮友人進行不間斷的書信往來，收集相關的拓本和資料。從他給朝鮮學者李光文（1778～1838）、沈象奎（1766～1838）、洪顯周（1793～1865）等寄的書信看，爲了全面的收集海東金石文，曾給他們寄去《碑目》。[5]又他還給金正喜（1786～1856）寄去自己考證過的海東金石釋文以求指正。現高麗大學「華山文庫」中收藏翁樹崑的釋文本《平百濟塔》，就是一例。在該書中有翁樹崑對碑石的批注和碑文的議論等內容，這點的詳細分析另有論述。[6]

翁樹崑對海東金石文研究的決定版，可從《碑目瑣記》中看出。《碑目瑣記》在海內外學界中被認爲是失傳之物，但是

---

[5] 藤塚鄰著，藤塚明直編：《清朝文化東傳の研究；嘉慶・道光學壇と李朝の金阮堂》（東京：國書刊行會，1975 年）；朴熙永譯，韓譯本（漢城：Academy House，1994 年），頁 182～197。

[6] 朴現圭：〈清翁樹崑的海東金石資料之札記〉，未刊稿。

筆者在北京國家圖書館收藏札記本《海東文獻》中查找到實物證據。[7]北京國家圖書館收藏《海東文獻》，是主要記述翁樹崑對海東文獻和金石文本的感想的札記本。《海東文獻》中海東金石文解題，與（朝鮮）徐有榘（1764～1845）在《東國金石》（《林園十六志・怡雲志》卷五〈藝翫鑒賞〉附錄）中引用翁樹崑的《碑目瑣記》完全一致。由此可知，《海東文獻》中包含了《碑目瑣記》內容。

《海東文獻》原來是一堆稿紙，道光三十年（1850）年劉位坦加以收集整理，共四十一頁。根據編書順序內容羅列如下：1.劉位坦序一頁，2.海東人簡歷和文獻記錄二頁，3.海東金石文三十種題解八頁，4.洌上筆石刻本二頁，5.古梅園墨譜收錄碑文之考證二頁，6.海東刻文二頁，7.海東金石文十種題解二頁，8.海東樓亭一頁，9.海東資料和書信一頁，10.海東金石文四種題解三頁，11.東國書籍目錄八頁，12.其他海東資料九頁。

《海東文獻》是翁樹崑在嘉慶十八至二十年（1813～1815）他去世之前分成幾次完成的文獻。此書的價值大約可從三方面看。第一，翁樹崑精密細緻地考證過海東金石文拓本和文獻。第二，以札記的形式記述了翁樹崑在考證的過程中的感想。第

[7] 《北京圖書館古籍善本書目》（北京：北京圖書館，1987 年）記載《海東文獻》的著者是翁樹培，此應修改爲翁樹崑。《海東文獻》的劉位坦序文明記有「此冊爲蘇齋嗣君樹崑星源先生札記」，此書捺有「翁樹／崑印」（白方印）的印章，還有其編纂年度和內容是翁樹培死後（嘉慶十六年，1811）完成的。

三，海東金石文條中記述有翁樹崑尋找或是查考過的拓本數量和贈送人的名字，由此可見他與朝鮮學者們的交流爲歷史史實。至於更詳細的內容，請參考筆者另文。[8]

四、趙寅永撰，劉喜海增補本《海東金石存考》

劉喜海（1793～1852）是清代金石文大家，對金石文本的熱情著實讓人欽佩。他的家裡到處堆滿金石原物和拓本，甚至連每次外職回來的行李都裝滿金石文。他和他的家庭很早就與朝鮮學者們結下了很深的緣分。嘉慶、道光年間，他從前來北京的朝鮮使臣處得到許多海東金石拓本及相關信息，終於編纂了《海東金石存考》這部海東金石鉅著。

《海東金石存考》是朝鮮和清朝學者合作的代表著作之一。朝鮮的趙寅永（1782～1850）和劉喜海是由金石而結下因緣的。趙寅永不僅贈給劉喜海許多金石文拓本，還爲他提供了有關海東金石的貴重資料。純祖十七年（嘉慶二十二年，1817），趙寅永創作了《海東金石存考》，第二年春天就把書寄給了劉喜海。這就是原撰本《海東金石存考》。此書記載了趙寅永所知的海東金石文的種類及其所在地，作者和書寫者，建立年代等。其中收錄的海東金石有新羅時期二十八種，高麗時期六十九種，總共九十七種（其中金文只有二種，其餘全是石

[8] 朴現圭：〈海東金石文的新資料：（清）翁樹崑《碑目瑣記》〉，《季刊書誌學報》20號（1997年9月），頁83～105。朴現圭：〈清翁樹崑的《海東文獻》之分析〉，《順天鄉語文論集》5輯（1998年8月），頁233～254。

文)。又正文末尾劉海喜添加了高麗金文一種和石文一種。該書還有趙寅永和劉喜海的印章,及劉氏在嘉慶二十三年(1818)寫的題識。原撰本《海東金石存考》自劉喜海死後,流失在書肆。1931 年日本學者藤塚鄰(1879~1948)在北京來薰閣收買了此書,並把它帶回了東京,可惜的是該書在 1945 年美軍攻擊東京時被燒燬了。幸好藤塚鄰在他的論文中登載了原撰本《海東金石存考》的內容和幾張照片。[9]

劉喜海得到原撰本《海東金石存考》後,才有可能系統地收集海東金石文,並加以考證。其後他和親友李璋煜共同補訂了《海東金石存考》。劉喜海和李璋煜補訂過的原稿現在已佚失,所幸現在留有兩種摹寫本。劉喜海把此書寄給朝鮮金命喜,後來徐相雨曾抄寫此書。任昌淳(1914~1999)珍藏本是徐相雨抄本;嶺南大學「東濱文庫」的藏本是經尹宗儀從徐相雨本再摹寫的本子。通過嶺南大學的藏本,可知劉喜海珍藏的海東金石拓本用紅色標誌(新羅十五種,高麗四十二種);李璋煜珍藏本用黑色標誌(新羅十六種,高麗四十二種)。[10]

劉喜海除了和李璋煜合作完成補訂本《海東金石存考》外,還編撰了新的增補本《海東金石存考》。劉喜海增補本的特徵是正文末尾附加了〈海東金石待訪目錄〉。該〈目錄〉是劉喜海通過海東文獻,對原撰本《海東金石存考》未記載的海

---

[9] 藤塚鄰,同註 5 引韓譯本,頁 372~382。

[10] 劉喜海和李璋煜各收藏的海東金石拓本,除了三種以外,其他都一致。只有劉喜海收藏的拓本是〈慈雲寺依止大師殘碑〉;只有李璋煜收藏的是〈鳳林寺眞鏡塔碑〉和〈法泉寺玄妙塔碑〉。

東金石文加以補充。這個增補原稿本現收藏於北京大學圖書館。朝鮮哲宗年間，吳慶錫（1831～1879）在劉喜海的增補本之上再次增補校勘完成了新的增補本，它是各種《海東金石存考》版本中收錄的海東金石種數最多的。吳慶錫增補稿本現收藏於漢城國立中央圖書館「葦滄文庫」。

印本《海東金石存考》有三種。光緒十四年（1888）李盛鐸（1859～1934）首次刊行的木犀軒叢書本，其後出現了 1921 年吳隱（1866～1922）的遯盦金石叢書本和 1934 年黃任恒的信古閣小叢書本。各種《海東金石存考》印本，泰半藏於中國大陸、臺灣等地各圖書館。劉喜海的增補本就是這些印本的祖本。書首載有道光十二年（1832）陳宗彝的序文。此外，杭州浙江省圖書館藏有陳宗彝序文系統的抄錄本。

當時與劉喜海、朝鮮學者接觸的人士都知道《海東金石存考》原撰者爲趙寅永的事實，可是後代中國學者和文獻都把劉喜海誤認爲此書的原作者。引起這種錯誤的開端，是陳宗彝系統的各種印本《海東金石存考》。陳宗彝系統本中作者部分，把原作者趙寅永和共同補定者李璋煜的名字删除掉了，只單獨留有劉喜海的大名。其餘的細節請參考筆者的論文。[11]

[11] 朴現圭：〈朝鮮與清朝學術交流之遺產：《海東金石存考》稿、印本發掘與分析〉，《季刊書誌學報》18 號（1996 年 9 月），頁 21～48。

五、劉喜海編纂本《海東金石苑》

劉喜海整理了朝鮮學者們寄贈的海東金石拓本和相關的資料，並據以編纂了《海東金石苑》。《海東金石苑》是清朝人編纂的具代表性的海東金石文集。此書出現以後給兩國的金石學者們很大的震撼，即使在今天，此書仍是研究海東金石學的必讀參考書。

該書之所以題爲《海東金石苑》，是劉喜海在以前編纂的中國金石文集《金石苑》的基礎上，加上意味韓半島意義的「海東」二字。時人也有把此書叫作《海東金石錄》、《海東金石文字》、《朝鮮金石志》的。《海東金石苑》的書首載有劉喜海的《海東金石苑題辭》和道光十一年（1831）李尙迪（1804～1865）的《題詩》。《海東金石苑》在道光十一年（1831）前後已經基本完成，此後不斷進行部分的補充。

《海東金石苑》的版本大約可分爲墨本、草稿本、定稿本和印本四種。墨本是指劉喜海編纂《海東金石苑》時作爲底稿的海東金石原拓本。原拓本在劉喜海死後，移交給了女婿沈祖懋（1808～？）。咸豐年間，沈祖懋把它保管在仁錢會館中，不久後原拓本遭竊。民國初大多數原稿流落到吳旭生的手中，其後的收藏地就不清楚了。今天在北京大學和浙江圖書館還可以看到若干蓋有劉喜海印章的原拓本。

草稿本《海東金石苑》是劉喜海編纂定稿本《海東金石苑》之前抄錄的稿本。草稿本自劉氏藏書處散失後轉到了張開福之手，咸豐初期又流到了楊繼振的手中。此書到他的手中時，已有編輯紊亂或缺漏的地方。咸豐十年（1860）英、法聯軍侵略北京時(庚申之變),此書中第一冊遺失。民國初,劉承幹(1882～1963）先尋找到了楊繼振收藏的後七冊（第二～第八冊），不久又找到了第一冊，使全書得以完整無缺。現收藏於上海復旦大學。

定稿本《海東金石苑》是劉喜海把草稿本整理精寫的稿本。咸豐三年（1853），張德容通過劉喜海的兒子把定稿本帶到了北京，後來借給了金石學家潘祖蔭（1830～1890）。剛好那時發生咸豐之難，潘祖蔭就說此書已遺失。其實此書一直藏在潘氏家裡。直到 1937 年潘氏從孫潘承弼發表《海東金石苑原本考辨》時，才公布了自家收藏此書的史實。[12]1950 年此書歸入了現在的收藏處上海圖書館。此書書首載有劉喜海後來添加了〈陳新羅眞興王北狩碑〉,劉喜海的〈海東金石苑題辭〉,李尙迪（惠吉）的題詩。共八卷，以目錄爲準看，卷一是相應於陳、唐時代的海東金石文十三種，卷二是唐代的十二種，卷三是唐、五代十一種，卷四是宋代的五種，卷五是宋代的十種，卷六是遼代的五種，卷七是金朝的九種，卷八是元、明朝的十種；卷八正文後還附有日本金石文四種。

鮑康（1810～1881）印本《海東金石苑》是僅挑選了定稿本目錄和收錄的金石文跋文編纂而成的冊子。其發行時期是在同治十二年（1873），是以《觀古閣叢刻》的一種刊行的。刊

[12] 潘承弼：《海東金石苑原本攷辨》(民國二十六年〔1937〕排印本《盉宀雜著》之一），南京圖書館善本第三萬八千七百一十九號。

行不到一年的時間裡就被引入韓半島，被朝鮮金石學者吳慶錫和金秉善活用。張德容印本《海東金石苑》，只是定稿本八卷中的前四卷（卷一～卷四）校勘出版的書籍。其刊行時期是光緒七年（1881），在二銘艸堂完成。此書也在日帝强佔期傳入國內，1945 年以覆印本出版發行。

劉承幹印本《海東金石苑》是以草稿本爲底稿，參考了吳郁生（1854～1940）藏墨本，張德容印本，羅振玉（1866～1940）藏的海東金石拓本和葉志詵（1779～1863）的《高麗金石錄》等書，再次改編的書籍。1922 年以《嘉業堂金石叢書》的一種刊行。此書有原編卷，補遺六卷和附錄二卷。原編八卷收錄了草稿本中有墨本並可校勘的金石文六十三種，補遺六卷收集了羅振玉藏本八十種，附錄二卷收錄了草稿本中有而沒有墨本的不可校勘的七種，葉志詵《高麗碑全文》中有而草稿本中沒有的八種。劉承幹印本在國內外幾個圖書館普遍珍藏，並有很多後代影印本。其餘的細節請參筆者的論文。[13]

六、韓韻海編纂本《海東金石存考》

趙之謙（1829～1884）於同治三年（1864）繼承孫星衍（1753～1818）、邢澍（1759～1823）的《寰宇訪碑錄》編纂了《補寰宇訪碑錄》。他在該書的〈凡例〉中精湛地記錄了海東金石

[13] 朴現圭：〈（清）劉喜海《海東金石苑》的版本種類〉，《書誌學報》23 號（1999 年 12 月），頁 15～32。朴現圭：〈上海圖書館藏清劉喜海的定稿本《海東金石苑》〉，《書誌學研究》21 輯（2001 年 6 月），頁 279～305。

文傳入中國的過程和中國人編纂的種類。〈補寰宇訪碑錄記〉說：

> 朝鮮，——今日來者，尚携其國金石墨本，以為投贈。昔翁、劉諸君，皆為著錄；平湖韓氏韻海有《海東金石存攷》，未刻，近潘伯寅中丞纂《東瀛貞石志》，探采尤富，然墨本皆燬於庚申，僅錄目錄。

韓韻海與金正喜、李尚迪等友人通過來往書信，奠定了海外友誼的基礎。從例文中來看，我們可以了解到韓韻海編纂了《海東金石存考》這一事實。書名與趙寅永原撰本《海東金石存考》一樣。但至今未曾流傳韓韻海的《海東金石存考》，所以沒法詳細了解其內容。又從上述例文可得知潘祖蔭（伯寅）編有《東瀛貞石志》，庚申亂時被燬。東瀛，是日本的直稱。《東瀛貞石志》也沒有流傳至今，至於它與海東金石文有何關聯也就無從所知了。

七、李璋煜編纂本《東國金石文》

李璋煜也是與朝鮮結下深厚之緣的人物，他常與當時來北京的朝鮮使臣會見，對海外金石文產生了濃厚的興趣，特別是對海東金石文資料收集上，從金正喜家得到了許多幫助。道光三年（1823）春天，李璋煜第一次會見了來北京的朝鮮正使金魯敬、金正喜父子。至此之後，與金正喜家書信往來不斷。道光七年（1827）正月，李璋煜寫的書信中有這樣的文字記載，他收集海東金石文是從金正喜開始的，並仿翁方綱的《兩漢金石記》，阮元（1764～1849）的《山左金石志》，孫星衍的《寰宇訪碑錄》等書的編纂體裁，想寫海東金石文字跋尾。他又說若是有收集自朝鮮傳來的日本金石文就贈給他。[14]如前所述，李璋煜爲了系統的收集海東金石文，和同鄉人劉喜海一起補訂過《海東金石存考》。此書用黑色記載了當時李璋煜的海東金石拓本。當時李璋煜收藏拓本，總共五十八種，其數量是相當可觀的。

李璋煜擁有這些資料，編寫出了海東金石文集——《東國金石文》。純祖三十一年（道光十一年，1831）十月四日，洪奭周（1774～1842）在會見李璋煜時閱覽過了此書。韓弼教（1807～1878）《隨槎錄》冊五〈主事李月汀璋煜筆談〉（純祖三十一年十月四日壬午條）說：

> 月汀仍出示《東國金石文》十卷，自羅、麗以下，訖於啟、禎間，裒輯甚富。[15]

《東國金石文》共十卷，收集的海東金石文範圍是自新羅時期至朝鮮仁祖年（約當明天啓、崇禎年間）止。劉喜海的《海東金石苑》共八卷，收錄範圍是新羅至高麗朝。《東國金石文》則比《海東金石苑》多二冊，從收錄時間範疇看，朝鮮前期的金石文則更多些。遺憾的是此書現在何處無人所知，故其他相關的記錄也找不到，無法再加以追查。

---

14 藤塚鄰，同註5引韓譯本，頁342～344。
15 韓弼教：《隨槎錄》，延世大學귀（貴，即「貴重本」）第四百一十九號。

八、葉志詵編纂本《高麗碑全文》

嘉慶、道光年間，北京的清朝學者們與朝鮮使臣的會見頻繁。葉志詵與朝鮮使臣的會面不比任何人遜色。他從朝鮮友人那裡得到了許多海東金石拓本和資料，其中最多是金正喜家。自嘉慶末年始，他通過翁方綱與金正喜進行書信往來；道光三年（1823）並與來北京的金魯敬和金命喜會見。之後，與他們進行從不間斷的書信往來。

葉志詵作爲翁方綱的高第，金石學造詣之深，細節也有獨到的見解，家中藏有無數歷代金石實物和拓本。他經常與翁方綱、翁樹崑、劉喜海、李璋煜等人一起進行鑑賞海東金石文拓本集和資料交流活動。其時金石學者把尋求和研究海東金石文拓本作爲時代的熱潮，他也把編纂海東金石文集作爲自身十分重要的事業。

葉志詵編纂了《高麗碑全文》，一名作《高麗金石錄》。林鈞（1890～1972）編著《石廬金石書志》卷四云：

> 《高麗碑全文》四卷。稿本。清漢陽葉志詵東卿手稿。是書備錄高麗石刻，自唐至明，計五十餘種，與《海東金石苑》所見互有出入。首列「朝鮮世系考」及「朝鮮詩人」。版心有「怡怡草堂抄書」六字。前有繆藝風先生手跋一則，收藏有「雲輪閣」朱文長印、「荃孫」朱文長印。《藝風藏書記》著錄。[16]

---

[16] 林鈞：《石廬金石書志》（臺北：文史哲出版社影印，1971 年），頁 360～

對此，在繆荃孫（1844～1919）的《藝風藏書記》中有記錄，該書卷五：

> 《高麗碑全文》四冊。亦志詵手稿，自唐至明，得五十八種，與《海東金石苑》互有詳略。

《高麗碑全文》共四冊。此書收錄的海東金石文朝代相應於唐代始至明朝的海東歷史，與李璋煜的《東國金石文》一致。收錄的金石文共五十八種，比起劉喜海定稿本《海東金石苑》的八十一種少多了。潘承弼的《海東金石苑原本考辨》中，也能看到有關《高麗碑全文》的記錄。潘承弼說《高麗碑全文》有四卷，稿本由閩侯林氏（推定爲林春溥）收藏。對此書的解釋與繆荃孫的說明大同小異，只不過在書首中添加了記載「朝鮮世系考」和「朝鮮詩人」。[17]民國初羅振玉曾收藏了《高麗碑全文》，之後歸於林氏的手中。現在收藏處不爲所知。

1922年劉承幹在改編《海東金石苑》時，親自閱覽了羅振玉藏有的葉志詵的《高麗碑全文》。他想要根據《高麗碑全文》補充張德容印本《海東金石苑》中遺漏的部分，但由於錯誤實在太多只好放棄。[18]然而他欲把收錄在《高麗碑全文》而沒有收錄在草稿本《海東金石苑》中的金石文八種轉錄於《海東金

361。

[17] 潘承弼《海東金石苑原本攷辨》：「葉志詵《高麗碑全文》，稿本四卷，見繆氏《藝風堂藏書記》。是書錄高麗各碑，自唐至明，約五十餘種。首列『朝鮮世系考』，與《金石苑》互有出入，稿藏閩侯林氏。」

[18] 劉承幹印本《海東金石苑》劉承幹序文：「葉氏平安館寫本《高麗金石錄》，嘗欲據以補張刻佚卷，以與張本譌誤相伯仲，遂廢然中輟。」

石苑》的附錄中。[19]以下是八種金石文物名稱和撰者、書者。

朝鮮國新鑄鐘銘	申叔舟撰	姜希顔書
朝鮮興天寺新鑄鐘銘	韓繼禧撰	鄭蘭宗書
朝鮮知訓練院事曹公墓碑	撰者未詳	黃耆老書
朝鮮知成均館事方公墓碣	周世鵬撰	成　琛書
朝鮮聽松成先生墓碣	李　滉撰并書	
朝鮮朴公神道碑	李濟臣撰	韓　濩書
朝鮮花潭徐先生神道碑	朴民獻撰	南應雲篆 韓　濩書
朝鮮崇仁殿碑	李廷龜撰　金尚容篆	金玄成書

這裡記載的八種金石文，全是朝鮮時代立石的。其中最早的是朝鮮世宗三年（1457）刻的〈朝鮮國新鑄鐘銘〉，最遲的是光海君五年（1613）刻的〈朝鮮崇仁殿碑〉。劉喜海編纂的《海東金石苑》收錄的金石文的下限是高麗時代，因而朝鮮時代的金石文本全部刪除掉了。

《高麗碑全文》中收錄的高麗以前的碑石有哪些？葉志詵收藏和閱覽的海東金石拓本收錄在《高麗碑全文》中的可能性高。劉喜海、李璋煜補訂本《海東金石存考》中，劉喜海在寄

[19] 劉承幹印本《海東金石苑》劉承幹序文：「又從叔言參事所藏葉氏《錄》中得八碑，爲（劉喜海）方伯著錄所未及，以無墨本可校勘，亦列之附錄中。」叔言參事，指羅振玉。

給金命喜的書信中說〈普願寺法印大師碑〉不在自家中而在葉志詵家裡。[20]筆者在不久前對葉志詵查閱過的海東金石文拓本部分進行過考察。浙江圖書館藏有葉志詵從劉喜海處借海東金石拓本來看並寫有題記，蓋有自己印章。〈唐新羅雙溪寺眞鑒禪師碑〉中可見「嘉慶丁丑四月四日葉志詵借錄□過」和「東卿／借過」的印章。〈唐海東神行禪師碑〉中可見「嘉慶丁丑元日葉志詵」的題記。丁丑年，即嘉慶二十二年（1817）。

九、方履錢「萬善花室」抄本《海東金石文字》

清嘉慶、道光年間風靡研究海東金石文熱潮，不僅影響到了朝鮮使臣往來頻繁的北京地區，也影響到了其他地區。其代表實物就是方履錢萬善花室抄本《海東金石文字》。《海東金石文字》現收藏於上海圖書館。每冊的版心題下部都寫有「萬善花室手錄本」。「萬善花室」是方履錢的書齋名。道光九年（1839），方履錢把此書贈送給了任外職的馮登府。馮登府還留下了此事實的題記。[21]馮登府和方履錢同年及第，關係十分親密，同時兩人都特別愛好金石文，因而經常交換拓本和資料或一起欣賞金石。書的背面有道光十一年（1831）馮登府寫的親筆題記。其題記說《海東金石文字》世無副本，即使在朝鮮也看不到刊本；方履錢在京師得到的東西，並不知編著者爲

---

[20] 劉喜海、李璋煜補訂抄本《海東金石存考・普願寺法印大師碑》:「燕庭書此種東卿處有而敝笥尚無。」東卿是葉志詵的號。

[21] 上海圖書館藏《海東金石文字》上冊馮登府題記:「道光九年（1829）仲冬方彥聞同年，從永定寄贈。」

誰。[22]馮登府把《海東金石文字》拿給友人洪頤煊（1765～1833）看，洪頤煊在道光十四年（1834）閱覽此書並留有題記。馮登府與洪頤煊曾分析過海東金石文，彼此對海東金石文非常有興趣。[23]

那麼《海東金石文字》的編撰者是誰呢？根據方履錢的文獻來源自北京的事實、與《海東金石文字》相似的書名作爲條件縮小來看，翁方綱與劉喜海的大名就浮現出來了。首先來看翁方綱的情況。《海東金石文字》和翁方綱的《海東金石文字記》書名類似。由前文論述的《海東金石文字記》中收錄有〈和州藥師寺碑〉和〈聖德大王新鐘之銘〉，而《海東金石文字》中卻沒有出現這兩篇內容可見，《海東金石文字》的編撰者不是翁方綱的可能性相當高了。

再來看看劉喜海的情況。劉喜海和馮登府是親友，且劉喜海的金石文跋文收錄在《海東金石文字》中。[24]劉喜海的《海東金石苑》也叫做《海東金石文字》。只從這點看，《海東金石文字》出自劉喜海之手的可能性是存在的。但問題是《海東金

---

22 上海圖書館藏《海東金石文字》馮登府題識：「海東金石二冊，世無副本，亦未見彼國雕本。彥聞得自京師，未詳所自。」

23 參照馮登府的《石經閣金石跋文》卷十五〈唐新羅石南山國師碑記跋〉，卷十七〈高麗平百濟國師碑跋〉，〈高麗平百濟國師跋二〉，〈高麗金石文跋後〉，卷十九〈高麗大覺國師碑跋〉，以及洪頤煊的《平津讀碑記》卷五〈勿部將軍功德記〉，《續記》卷一〈高麗國原州忠湛大師碑〉，〈新羅國石南山國師碑銘後記〉。

24 《海東金石文字・鍪藏寺碑殘石下截》記述有劉喜海自趙寅永原撰本《海東金石存攷》轉載的解題，又〈興福寺姜邯瓚造塔碑〉有劉喜海在道光四年（1824）的題記。

石文字》的海東金石原文和《海東金石苑》所收錄的有相當大的差異。《海東金石文字》比《海東金石文苑》縮略很多，遺落的文字十分多。《海東金石文字》的編者是否特意參考了劉喜海的《海東金石苑》，雖不是很清楚，但不是全出自《海東金石苑》的仍清晰可見。那麼就跟前馮登府的題記所說一樣，《海東金石文字》的編者到底是誰，還沒有明確的證據。

《海東金石文字》全二冊。上冊收錄了九篇，下冊收錄了二十五篇，共三十四篇。收集順序大致是按海東金石文的編撰時代順序羅列的，但並不都是如此。上冊與下冊有什麼區別，並不清楚。雖說此書收錄的海東金石文在其他海東金石文集中見過，雖與原文有些差異，但也有一定的參考價值。其餘細節請參筆者的論文。[25]

十、胡琨編纂本《海東攟古志》

清嘉慶、道光年間，編纂海東金石文集的中國金石學家都與當年前來北京的朝鮮使臣會面或書信往來。他們直接從朝鮮學者們那裡收到珍贈的海東金石拓本或相關資料。抄錄《海東金石文字》的方履錢，也很早就曾與朝鮮使臣會面。道光年初，他們把編纂的海東金石文集以抄本的形態散傳到中國各地。到了咸豐年間，清朝學者們把他們所珍藏的海東金石文拓本作爲底稿。出現了新的研究過的海東金石文集。

---

[25] 朴現圭：〈清上海圖書館藏「海東金石文字」〉，《文獻與解釋》春號（1999年），頁 206～216。

咸豐二年（1852），胡琨閱覽了當時劉喜海收藏的海東金石拓本，編撰出了《海東擷古志》。他在自己的題記中詳細的闡述了劉喜海收藏海東金石拓本的途徑。道光年間劉喜海和朝鮮趙寅永見過面，並得到了海東金石拓本，還有趙寅永回國之後，還給他寄來海東金石拓本，特別是他把《依止大師碑》殘石用硯加工後珍贈給劉喜海。[26]

北京大學和旅順博物院都藏有《海東擷古志》。從筆者實地查訪的北京大學藏本看，此書由《昭陵復古錄》,《貞珉闡古錄》,《佛幢證古錄》,《題名集古錄目》各一卷組成。全書二冊。《海東擷古志》的書首載有胡琨在咸豐二年（1852）所寫的題記，旁邊用小字號，記有他的再次題記。北京大學藏本《海東擷古志》中可見多處錯字被改正。

《海東擷古志》的記述方式，只有海東金石文的篇名和基本書跡等事項，非常簡略。該金石文的篇名下面主要是用小字記述的撰者、書者、編撰年代，下面行用正楷標明相對金石文的所在地，而在〈高句麗故城石刻二種〉和〈新羅鍪藏寺殘碑二片〉篇名下面都有金正喜的跋文或題字的解題。《海東擷古志》共八卷。胡琨把海東金石文以中國朝代爲順序排列的。陳代的金石文有二種，唐代有二十六種，五代有十二種，宋代有

---

[26] 北京大學藏《海東擷古志》胡琨序文：「東武劉燕庭方伯嗜古成癖，交遊及於遐陬。道光間，有朝鮮甲科進士趙寅永，字雲石，與劉同癖，隨貢入都，一見傾蓋，遂爲莫逆交，歸國後遺書往來，討論碑板，每於本國捫蘿剔蘚，遍訪古刻，有所新得，輒以拓本寄劉，並詳言碑石所在之處，又嘗得《依止大師碑》殘石，命工琢爲硯，以贈劉，劉寶之。」趙寅永在北京的時期，是嘉慶二十一年（1856）。胡琨說道光年間，應改爲嘉慶年間。

十六種，遼代有五種，金代有十種，元代有十種，明代有五種，日本有四種。又以這些卷數來看，卷一是陳、唐代，卷二是唐代，卷三是五代，卷四、五是宋代，卷六是遼代，卷七是金代，卷八是元、明代的海東金石文。附錄是日本金石碑。海東金石文收錄時代是新羅至高麗。這裡明代的海東金石文，雖說有五種，全是高麗滅亡之前，即明洪武年間完成的。

十一、結語

海東金石文的重要性無話可說，大家都有共感。到目前爲止，只要看看國內外學者們利用海東金石文所作出的研究成果，就可知這一事實。他們的研究業績不僅是個別海東金石文的解讀，而且涉及到全體海東金石文的調查綜合資料整理。本論文是對清朝學者們編撰的海東金石文集的綜合整理。他們的海東金石文集在清嘉慶到咸豐年間集中出現。在此之前，中國學者們多出於個人喜好，零星蒐集或分析海東金石拓本；但至嘉慶年間，考證學和金石學蒐集風潮趨於極致，學者也集中編集了海東金石文。在此過程中，往來北京的朝鮮使臣們起了相當大的作用。他們給清朝學者們提供海東金石拓本和相關資料。

清朝學者編撰的海東金石文集中收錄的金石文，主要是三國到朝鮮丙子亂之前（即六朝至明朝時期）在韓半島所擁有的金石文。其中高麗末年之前的海東金石文佔大多數；清人所撰海東金石文集中各本收錄的金石文數量，都是數十種，遠不到百種。假設把這些全都收集而刪去重複整理看，收錄的海東金石文總數也不過百種左右。這個數字，與今天爲止考察出的三國時代的金石文（約二百二十種）數量不能相提並論，但主要的海東金石文幾乎都包含在他們的海東金石文集中。同時，他們的海東金石文集的價值可從編撰時代中清楚地看出。清人海東金石文集的編撰時期，在國內外的海東金石文集中屬較早的，其中收錄金石的所拓時期也是相當早的。因此，韓國學者們研究金石文時，常把清朝學者們編撰的海東金石文集作爲必讀書。遺憾的是，他們的編著書沒有全部流傳到今天。

除此之外，和海東金石文有關的清朝學者們的金石著作書有楊守敬（1839～1915）的《廣拓王碑》，王昶（1724～1806）的《金石萃編》，陸增祥的《八瓊室金石補正》，陸耀遹的《金石續編》等多種，下至民國學者羅振玉的《唐代海東藩閥誌存》，《三韓冢墓遺文目錄》等，都是海東金石文研究時必需參考的珍貴資料，但限於篇幅，在本論文中暫時不予討論。

後記

清朝學者們編撰的海東金石文集反映了韓中兩國傳統的友好關係和學問合作關係，這是不可否認的事實。今天韓中兩國學術團體所實施的跨越國境的學術課題，一定要在這樣的基礎上發展起來。這不單是學者們要考慮的問題，爲了我們的共同的目標，盼望兩國人民共同努力。

甲申二月初九日筆者謹補充心得於「燁爀之樂室」

韓國存藏中國古籍調查初稿

金　鎬[*]、潘美月

壹、前言

中國古籍是世界上最重要的文化遺產之一，目前世界各國對於漢學研究，蔚成風氣，相關資料之搜集亦不遺餘力，此項漢學資源是東亞文獻不可或缺的一環，更是東亞人文社會學者從事學術研究的重要基礎。

韓國因與中國相連，自古交流頻繁，因此漢籍東傳韓國者爲數甚夥，其中頗有中土早已亡佚，幸賴東傳韓國而見存者。深入調查結果，韓國收藏中國古籍的單位，比較重要的有：國立中央圖書館、奎章閣、韓國學中央研究院藏書閣、成均館大學東亞細亞學術院尊經閣、高麗大學中央圖書館、延世大學中央圖書館、嶺南大學中央圖書館。此外尚有國會圖書館、國史編纂委員會、首爾大學中央圖書館、國立釜山大學中央圖書館、國立全南大學圖書館、國立慶尙大學中央圖書館、東國大學中央圖書館、梨花女子大學圖書館、啓明大學童山圖書館、忠南大學中央圖書館等。

本計畫深入調查以上單位收藏漢籍的來源、數量、內容及

---

* 現任韓國聖潔大學校中語中文科助理教授。

特色，並研究各單位如何整理利用這些珍貴的漢籍，希望能將具體而詳盡之資訊提供海內外學者，裨益相關學者之學術研究。

貳、國立中央圖書館中國古籍存藏概況

一、國立中央圖書館中國古籍存藏概況

（一）國立中央圖書館的沿革

國立中央圖書館在 1945 年 10 月 15 日以「國立圖書館」的名稱開館。到了 1963 年 10 月 28 日，因為圖書館法的制定，而改稱為「國立中央圖書館」，沿用到現在。1990 年 8 月 24 日，開始實行國際標準資料編號制度。1991 年 4 月 28 日，因「圖書館振興法」的制定而所屬機構由文教部改屬文化部。1999 年 10 月 11 日，開始實行國立中央圖書館統合情報系統（KOLIS）。2000 年 8 月 30 日，新建「資料保存館」。如今，國立中央圖書館共藏 467 萬餘冊龐大資料，是一所韓國具有代表性的圖書館之一。

到 2003 年 9 月 30 日為止，國立中央圖書館所藏資料共有 4,678,044 冊，其中國內圖書共有 3,101,314 冊；外國圖書共有 657,154 冊；非圖書共有 666,902 冊；古書共有 252,674 冊。就主題而分，叢類共有 341,497 冊；人文科學共有 1,917,998 冊；社會科學共有 1,230,326 冊；自然科學共有 1,188,223 冊。

（二）中國古籍的存藏概況與其文獻價值

到 2002 年底爲止，該圖書館存藏古籍共有 249,616 冊：韓國本有 161,601 冊，主要以民間刊行的詩文集、族譜、地理資料爲主，其中有不少古文書、古地圖、古書畫，頗有價值，尤其是該館藏國寶 1 種、寶物 5 種、首爾市有形文化財 12 種等。該館爲了妥善保存珍貴的古籍，特別管理被指定爲古書貴重本的 851 種 3,143 冊。另外，該館藏中國古書 34,924 冊和日本古書 53,091 冊，值得注意的是，在日本古書中，有些書是現在日本未藏的珍貴書籍。

依據該館所編的《外國古書目錄》，以中國本爲例，說明其館藏漢籍的文獻價值。[1]首先依四部分類法來說明其存藏情況：

1. 經部：261 種

總經類：《經義述聞》等 12 種；易類：《監本易經》等 53 種；書類：《尙書注疏》等 24 種；詩類：《毛詩注疏》等 13 種；禮類：《儀禮注疏》等 22 種；樂類：《清邑泮宮樂舞圖說》1 種；春秋類：《黃太史春秋大全》等 28 種；孝經類：《孝經注疏》等 13 種；四書類：《四書》等 26 種；小學類：《爾雅注疏》等 69 種。

---

[1] 參考（韓國）李廷燮：〈國立中央圖書館所藏中國古書의整理現況〉，《民族文化論叢》第 16 期（大邱：嶺南大學校民族文化研究所，1996 年），頁 161～167。

2. 史部：760 種

正史類：《唐書》等 68 種；編年類：《甲子會紀》等 25 種；紀事本末類：《宋史紀事本末》等 10 種；別史類：《古史》等 20 種；雜史類：《戰國策》等 54 種；史表類：《四裔編年表》等 14 種；史評類：《讀史管見》等 12 種；史鈔類：《宋朝史詳節》等 4 種；載記類：《南唐書》等 2 種；傳記類：《孔子編年》等 54 種；系譜類：《萬姓通譜》等 13 種；詔令、奏議類：《唐陸宣公制誥》等 13 種；職官類：《國子監志》等 8 種；政書類：《唐會典》等 70 種；金石類：《京畿金石考》等 119 種；地理類：《唐輿記》等 149 種；書誌類：《四庫全書總目》等 112 種；未詳：13 種。

3. 子部：652 種

總子類：《六子全書》等 7 種；儒家類：《大學衍義》等 53 種；道家類：《金丹正理大全》等 39 種；釋家類：《經律異相》等 74 種；兵家類：《登壇必究》等 28 種；農家類：《農政全書》等 9 種；醫家類：《東垣十書》等 33 種；天文、算學類：《九數通考》等 22 種；術數類：《五行大義》等 34 種；藝術類：《覃溪手札帖》等 141 種；譜錄類：《古玉圖譜》等 30 種；譯學類：《國朝漢學師承記》等 3 種；雜家類：《居易錄》29 種；類（叢）書類：《事文類聚》等 91 種；基督教類：《聖經入門》等 24 種；西學類：《西學略述》等 2 種；小說類：《山海經》等 33 種。其他未詳。

4. 集部：248 種

楚辭類：《楚辭集註》1 種；總集類：《唐人八家詩》76 種；別集類：《空洞先生集》等 141 種；尺牘類：《名賢手札》等 9 種；詩文評類：《文選纂註評林》等 19 種；詞曲類：《明代婦人散曲集》2 種；其他未詳。

國立中央圖書館所藏中國古書均有經、史、子、集部，其中史部和子部佔百分之七十以上。收藏較多的，經部：易類共 53 種；史部：政書類 70 種、金石類 119 種、地理類 149 種、書誌類 112 種、正史類 68 種等；子部：儒家類 53 種、釋家類 74 種、藝術類 141 種、類書類 91 種；集部：總集類 76 種、別集類 141 種等。

就版本形式而言，國立中央圖書館所藏中國本大部分是木版本，共有 1,328 種，其次是新活字本，共有 217 種，其次石印本、影印本各有 137 種、115 種，除此之外，也藏少數寫本、木活字本等。以圖表來說明其內容如下：

	經部	史部	子部	集部	計
木版本	200	480	429	219	1,328
木活字本	2	7	9	2	20
新活字本	19	119	69	10	217
石板本	19	52	61	5	137
筆寫本	5	4	10		19
拓本	1	26	13	11	51
影印本	13	61	41		115
寫真本	1	4	12		17
摹刻	1	1			2
鉛活字本		1	1		2
銅印板			6		6
活字本（朝、日）		14	1	1	16
其他					
合計	261	769	652	248	1,930

就出版年代而言，在所藏中國本中，光緒年間（1875～1908）刊本和民國年間（1912～1960）刊本佔最多數。就經部而言，光緒至民國間本共有 70 種，爲數最多。其次爲康熙至同治年間本共有 58 種。至於崇禎、萬曆年間本共有 7 種。刊年未詳本共有 126 種，這些本子大部分也是清刊本。就史部而言，民國間本共有 208 種，爲數最多。光緒至宣統年間本共有 169 種。其次爲順治至同治年間本共有 166 種。天啓至崇禎本

共有 114 種。至於嘉靖至萬曆年間本共有 17 種。刊年未詳本共有 195 種，這些本子大部分也是清刊本。以圖表來表示上述的內容如下：

	經部	史部
嘉靖（1522～1566）		4
萬曆（1573～1620）	3	13
天啓（1621～1627）		4
崇禎（1628～1644）	4	10
順治（1644～1661）		3
康熙（1662～1722）	7	16
雍正、乾隆（1723～1795）	19	39
嘉慶（1796～1820）	10	28
道光（1821～1850）	9	36
咸豐（1851～1861）	4	13
同治（1862～1874）	9	31
光緒（1875～1908）	31	148
宣統（1909～1911）	6	21
民國（1912～）	33	208
刊年未詳	126	195
合計	261	769

總之，國立中央圖書館所藏中國古書，清刊本與民國刊本較多，而其中明刊本也爲數不少。另外，值得一提的是，在這些中國本古籍中，有許多藏書印，其中有朝鮮時代名臣和學者

四十人，如閔維重、金命喜、李錫卿、尹汲、金正喜、申厚載、沈弘正、李尙迪、洪直弼、閔奎鎬、李夏坤、徐相雨、申觀浩、朴匡濟、田琦、李重赫、李昭漢、李匡師、權尙夏、鄭夏彥、李賢老、吳世昌等人。這些藏書印在我們查考國立中央圖書館所藏中國本古籍如何流入朝鮮時可提供一個線索，例如金正喜（1786～1856）與李尙迪（1803～1865）等人均與中國文人學者有交往。金正喜與（清）阮元（1764～1849）和翁方綱（1733～1818）等人交往，推崇袁枚（1716～1797）的性靈論，不少文人都受其影響；李尙迪是一位譯官，同時也是金正喜的門人，共有十二次出使清朝，與當時不少文人學者交往甚密，「名譽偏於中州」。[2]據此，我們不難想像金正喜和李尙迪等人交往或出使的過程中，不少中國書籍透過他們傳入朝鮮。

除了中國本之外，韓國本中也有不少珍本，如：

（一）《十七史纂古今通要》，（元）胡一桂撰，卷十七，1 冊。此本朝鮮太宗三年（1403）以朝鮮最初的活字癸未字來刊印，就韓國高麗和朝鮮的鑄字技術和雕版發展史研究而言，具有很高的價值，因爲如此，被指定爲韓國國寶第 148-2 號。另外，此本著錄於《四庫全書・史部・史評類》，而歷代藏書目錄所著錄的幾乎是元刊本或影元本，據《中國古籍善本書目・史部・史評類》僅著錄兩本元刻本和一本丁丙跋本清抄本，臺灣地區並沒有收藏單行本，可見其傳世的版本並不多，則此韓國刊本的文獻價值自不待言。該館藏本有墨書識記，說：「京

2 （朝鮮）金澤榮：〈鄭芝潤傳〉，《金澤榮全集》卷九。

城大學教授藤田亮策舊藏……一曰李仁榮《宋朝表牋總類》，一曰宋錫夏氏藏《北史詳節》，一曰《十七史纂古今通要》，乙酉（1945）十一月某日三佛書屋主人（筆者按：金元龍）手記」。據此可知，此本在韓國解放之前，爲日本人藤田亮策的舊藏，1945 年解放後，歸三佛庵金元龍教授所有。據金元龍的說明，在解放後，他去首爾仁寺洞金某古書肆，發現已分冊的 2 冊《十七史纂古今通要》，迫不及待地購買。過幾天，古書肆主拿庚子字本《資治通鑑》第四十九卷 1 冊來，說自己無藏癸未字本，庚子字本則有數種，而希望以庚子字本《資治通鑑》第四十九卷 1 冊來換癸未字本《十七史纂古今通要》。金元龍答應古書肆主的要求，以《十七史纂古今通要》第十七卷來交換庚子字本《資治通鑑》第四十九卷 1 冊。後來此第十七卷通過古書肆主流入國立中央圖書館，第十六卷由金元龍捐贈給奎章閣。

（二）《古今歷代十九史略通考》8 卷 8 冊，（明）余進編，朝鮮刊本。版框高 21 公分，寬 14.8 公分。四周單邊，每半葉九行，每行十七字，小字雙行。版心下方有單魚尾。其內容有：卷一爲「太古、三皇、五帝、夏、殷、周、春秋、戰國」；卷二爲「秦、西漢」；卷三爲「東漢、蜀漢、晉」；卷四爲「東晉、西北朝、隋」；卷五爲「唐」；卷六爲「五代、宋」；卷七爲「南宋」；卷八爲「元」。此本《四庫全書總目》無著錄，余進補正（元）曾先之所編纂的《十九史略通考》之不足之處，並加以註解。此本卷七末有「延享四年丁卯冬十有一月朔朱點功終」記，「延享四年」爲日本年號，據此可推測此本在壬辰倭亂時，被日本人奪走，後來再傳入韓國。

（三）《大慧普覺禪師書》1 冊 115 張，（宋）宗杲（1089～1163）著、（宋）慧然錄、（宋）黃文昌重編。版框高 18.7 公分，寬 14.2 公分。四周單欄，每半葉十行，每行十七字，小註雙行，無魚尾。第一、二、七、八張補鈔。書中有「嘉靖十年辛卯（1531）之春有一道人請求曰：『書于濟州上將在家居士高根孫』」、「隆慶二年戊辰（1568）夏全羅道長興地天冠山天冠寺開板」刊記，從此可知其刊刻地點與年代。此書爲宗杲對於一般縉紳居士的疑問所寫的回信，著者通過此書信，宣揚宗門的要旨。值得注意的是此本的版本源流，此本有「乾道二年歲次丙戌（1166）八月敕賜徑山妙喜菴刊行」的宋刊記，並有「洪武世二十年丁卯（1387）十月某日領藝文春秋館事含山府院君李穡跋」的高麗刊記，由此可知，此本在韓國高麗時期據宋本刊印問世。又據書末李穡（1328～1396）跋文，在高麗晧王十三年（1387）志淡與覺全二人在晧王謹妃的同願下，出資自刻此本。後來朝鮮宣祖一年又據此高麗版本刊行，則此本無疑屬於宋刊本系統。現在此本的單行本在臺灣沒有，中國大陸則北京圖書館僅藏一本日本寬文九年至延寶六年（1669～1678）翻刻明密藏編《嘉興藏》本。據此知，此本有較高的文獻價值，至於詳細內容，需要進一步的查考。

（四）《聖訓演》，（明）許讚（1473～1548）、龔守愚[3]編，

---

[3] 字師顏，號發軒。江西清江人。正德六年（1511）進士，知貴池縣。歷官南京工部營繕郎中、四川左參議、陝西提學副使、湖廣參政。年四十九、卒於官。其文章典勁，尤邃性理之學，著有《發軒文稿》、《發軒筆記》、《臨江先哲言行錄》等。

3 卷 1 冊。版框高 20.7 公分，寬 14.9 公分，四周單欄。每半葉十二行，每行十九字，版心上下有花紋魚尾，版心中記聖訓演卷次及葉數。書中有嘉靖九年（1530）許讚序文、嘉靖丙申（1536）龔守愚後序、嘉靖丁酉（1537）唐錡序文。扉葉背面墨書「嘉靖二十一年五月日／內賜羅州牧使金益壽聖訓演一件」。此本的內容爲有關明太祖高皇帝的教民榜訓的事例，卷上爲「名卿註贊」與「增錄事類」，卷中爲「察院公移」與「喪約五條」，卷下爲有關婦德的內容。《臺灣公藏善本書目》與《中國古籍善本書目》並無著錄此本。此書中國久已不傳，幸賴此朝鮮翻刻本而得存於天壤間，且唐錡之序作於嘉靖十六年（1537），而此本嘉靖二十一年即用以頒賜，其翻印時間當相隔不甚久。

（五）《護法論》，（宋）張商英（1043～1221）述，1 冊 51 張。高麗㫰王五年（1379）年忠清道青龍寺刊本。四周單欄，版框高 16.9 公分，寬 12.3 公分。每半葉九行，每行十八字，黑口，有黑魚尾。書中有乾道辛卯（1171）六月望日鄭璵序文，共有四個跋文：紹定四年（1231）四月八日知幻道人跋文、己未（1379）中秋初吉高麗韓山君李穡跋文、前知樞密院事徐俯跋文、紫芝丘雨跋文。張商英在宋徽宗年間（1103～1255）官至丞相，當時正盛行以韓愈（768～824）、歐陽脩（1007～1072）、程顥（1032～1085）等人倡導的排佛思潮，張氏爲了反駁這種排佛觀點，以佛教的立場來展開護佛論，作者在文中甚至利用儒家與老子的學說來試圖掃除排佛思想。尤其是，文中最主要的攻擊對象爲歐陽脩，因爲歐陽脩在〈本論〉一文中以禮本爲主批評佛教。李穡原本「不樂釋氏」，而在跋文中說：「五濁惡世，爲善未必福，爲惡未必禍，非佛何所歸哉？護法論宜其盛行於世也」，從此不難得知此本在高麗崇佛政策的影響下刊行的。臺灣中央圖書館臺灣分館藏「清光緒二年（1876）常熟刻經刻本」，中國國家圖書館藏「日本寬文九年（1669）至延寶六年（1678）刊本」，則國立中央圖書館所藏高麗刊本的刊刻年代較早，而此本無疑具有較高的文獻價值。

（六）《刪補文苑楂橘》2 卷，該館藏兩種：一爲古活字本（芸閣印書體字）；一爲寫本。此書收錄歷代傳奇小說名篇 20 種，其中有 3 種爲明代作品，大致在朝鮮英祖年間（1725～1776）中編選的。其中有《韋十一娘傳》，其作者爲胡汝嘉，是明代著名的文學家，字懋禮（又作茂禧），南京鷹揚衛人。嘉靖三十二年（1553）進士，曾官翰林編修，因言事遭貶，出爲河南布政使參議。著有《沁南集》、《倩園集》及雜劇《紅線記》等傳世。這部小說爲劍俠傳奇的代表性作品，在中國失傳已久，這部小說的出現可補明代小說研究上的一個重要環節。[4]據此可見國立中央圖書館所藏中國古籍的文獻價值。

二、館藏中國古籍的整理與利用

這問題可從以下幾個方面來說明：

---

[4] 王汝梅、薛洪勣：〈初論在韓國新發現的劍俠小說《韋十一娘傳》〉，刊《吉林大學社會科學學報》1994 年 3 期，頁 49～53。

（一）國立中央圖書館古籍藏書目錄，其中有兩個系列：1.韓國本目錄，稱為《古書目錄》；2.外國本目錄，叫做《外國古書目錄》。據這些目錄，我們可知，至 1973 年為止，該圖書館共收藏約 18 萬冊的古書，每年持續增加。這批古書在 1945 年前後，其分類體制不同，1946 年以前由日本人來整理，1945 年以後依據韓國十進分類表（朴奉石所編）來整理。該圖書館自 1970～1973 年，每年出版《古書目錄》，第一卷和第二卷收錄 1945 年以前的古書；1972 年發行的第三卷則收錄 1945 年以後蒐集的；1973 年發行的第四卷收錄了「勝溪文庫」505 種 2,251 冊、「義山文庫」740 種 2,291 冊、管理轉換 2,630 種 13,643 冊、其他（新採訪的圖書和殘本）115 種總共 4,000 餘種 17,000 冊。

又從 1976～1979 年，一共出版了 4 冊的《國立中央圖書館所藏外國古書目錄（中國・日本篇）。至 1977 年為止，此目錄共收錄 15,963 種 85,953 冊的外國古書，均是中國和日本的古書。該圖書館收藏古書以門別主題來分類，其內容如下：

> 第一門、哲學・宗教；第二門、教育・社會；第三門、法律・政治；第四門、經濟・統計；第五門、語學・文學；第六門、歷史・地理；第七門、理學・醫學；第八門、工學・軍事；第九門、產業・藝術；第十門、全書・雜纂。

《外國古書目錄》第一卷收錄第一門到第四門；第二卷只收錄第五門，裡面收錄中國本 328 種 3,647 冊和日本本 2,789 種 10,104 冊。各目錄的內容以「分類目錄篇」、「書名索引篇」、「著者索引篇」等三個部分構成。其分類目錄篇的記載凡例如下：

（古 5-79-나 4）

黃山谷全集，（宋）黃庭堅著，中國木板本（刊年未詳）

10 冊，28.3×16.9 ㎝。

可見我們從目錄記載中基本上可以把握某一本書的書名、作者、版本項目等內容，其中（古 5-79-나 4）爲該圖書館的索書號碼。

（二）《國立中央圖書館善本解題》：自 1970～1973 年間，該圖書館出版《國立中央圖書館善本解題（Ⅰ–Ⅳ）》，讀者利用國立中央圖書館所藏古籍，提供了有利的工具書，如《國立中央圖書館善本解題（Ⅳ）》[5]收錄該圖書館所藏 77 種韓國古代文人的集子之解題，其解題內容包括書誌事項、內容目次、著者介紹以及刊印資料等。但是，《國立中央圖書館善本解題（Ⅰ–Ⅳ）》收錄的只是全部館藏古籍的一部分，該圖書館再推動 2003～2008 年間，出版其他古籍的善本解題，2003 年 12 月又出版《國立中央圖書館善本解題（Ⅴ）》，其中收錄 229 種 633 冊。目錄的分類 1945 年以前蒐集的以朝鮮總督府古書分類法整理，1946 年以後蒐集的古書依據韓國十進分類表（朴奉石所編）整理。

（三）國立中央圖書館又設置了古典運營室，專門管理所藏古

---

[5] 首爾：國立中央圖書館，1973 年。

書。我們又透過國立中央圖書館網站可查詢瞭解國立中央圖書館的沿革、主要工作項目，並得以檢索所藏資料，其網址爲 http://www.nl.go.kr。尤其是，國立中央圖書館最近以多國語言來顯示網站的內容，其中中文網站的網址爲：http://www.nl.go.kr/nlch/index.htm，讀者可以參考。

又國立中央圖書館選擇主要所藏資料，把它們數位化，透過國家電子圖書館網站（http://www.dlibrary.go.kr）開放給一般讀者使用。其中，該圖書館以所藏文化財（國寶和寶物）和古書貴重本以及稀貴本爲對象，建立了此資料庫，目錄資料以 text 形式；全文資料以 image 形式來開發。主要檢索項目爲書名、作者、索引語、目次等，至 2003 年底爲止，共收錄 68,896 冊，10,244,755 面。

參、奎章閣中國古籍存藏概況

一、奎章閣的沿革

奎章閣原本是收藏歷代先皇的御題、御筆、御畫、御寶、遺教的場所。奎章閣之名稱早在朝鮮世祖九年（1464）梁誠之（1415～1482）曾獻議過，1694 年（肅宗二十年）又使用在隸屬於宗正寺而保管御製、御筆等的小閣上面，不久就廢掉。後來正祖（朝鮮第二十二代皇帝）即位（1776）第二天敕命把奎章閣設立於昌德宮後苑，大大強化其功能，讓它不但具有政治參與的功能，同時具有書籍的收集和出版之功能。

自 1781 年以後，奎章閣以正祖的直屬機構發揮了很大的功能，如擔任國家主要政策的諮詢，有一批文人學者經過在此地的學問修養而成為支撐正祖政治改革的主要勢力。並且頗為注意國內外書籍的收藏，到了 1781 年，已收藏 3 萬餘卷本國內外書籍（中國本 2 萬，韓國本 1 萬卷），並編纂數種的藏書目錄，同時刊印了很多奎章閣所編纂的書籍，可說是當時的朝廷政治文化的中心之一。1782 年（正祖六年）在江華島中設立「外奎章閣」，又把當時國家出版機構「校書館」隸屬於奎章閣。

當然隨著時間的過去，奎章閣也出現其權限的消長，正祖去世之後，它只擔任圖書館的功能，並保管王室的文書。但到了高宗時，它又幾乎恢復到正祖時代的地位和功能。而且，自朝鮮對國外開放門戶之後，它通過中國購買大量的西洋書籍，後來日本佔領朝鮮之際，日本以殖民統治資料整理為目的來利用奎章閣，這時《朝鮮王朝實錄》、《日省錄》和《承拯院日記》等國寶級的資料納入奎章閣圖書。當時奎章閣的藏書約 10 萬餘卷，並且把這些藏書稱為「帝室圖書」，其中鈐有「帝室圖書之印」。

1910 年，日本合併朝鮮之後，奎章閣被廢除，而奎章閣的圖書歸「李王職庶務系」、「朝鮮總督府取調局」、「學務局」管理。1928～1930 年間，由京城帝國大學圖書館來管理這批圖書。自 1946 年首爾大學校成立之後，奎章閣圖書再由首爾大學附屬圖書館接收。但是在 1950 年韓戰之際，奎章閣圖書面臨著很大的危機，當時國寶級圖書 8,657 卷，爲了避免戰禍，緊急被移到釜山，這是奎章閣圖書第一次過漢江的事件。1954 年 6 月，這批圖書再回到首爾大學校，1975 年首爾大學校搬到現在的冠岳校園區，奎章閣的圖書也跟著搬來，同時在首爾大學校裡設立了「奎章閣圖書管理室」專門管理奎章閣的圖書，並管理首爾大學校圖書館的一般古書以及捐贈古書。1990 年 7 月，奎章閣搬到如今的獨立建築物，而開始走真正的研究機構之路。1992 年 3 月，奎章閣從首爾大學校直屬機構而獨立出來，新設館長與資料研究部長一職，邁入另一個中興期。1998 年，藏本《朝鮮王朝實錄》記錄於「世界記錄遺產」。1999 年，藏本《承拯院日記》被指定爲國寶，接著 2001 年，此《承拯院日記》也記錄於「世界記錄遺產」。如今，奎章閣以韓國民族文化的寶庫，長期受到國內外韓國學研究者的關心和青睞。

二、館藏中國古籍的來源

正祖尙爲皇太子時，對圖書之蒐集已極爲注意，他曾想購買《四庫全書》而無結果，後來 1777 年 2 月購買《古今圖書集成》5,022 卷，這正是表示正祖皇帝積極接受清朝學術的努力之結果。在正祖的全力支援下，奎章閣設立初期，先後蒐集圖書約 3 萬餘冊，其來源大致有四：1.正祖命出使中國之使臣在北京各書肆所蒐購者，其中包含《古今圖書集成》等中國本；2.由弘文館原有藏書移交者；3.江華府（江華島）行宮圖書所藏圖書。惟該批圖書並未完全移交奎章閣，故 1782 年又於此地設立「外奎章閣」；4.由奎章閣閣臣在朝鮮境內所購私藏珍本書。由此可見，奎章閣設立之初，其所藏的中國古籍主要有兩個來源：一是把朝鮮已有的圖書歸奎章閣所有；二是從國內外收購而來的。之後，奎章閣的藏書也通過上述的兩種來源持續增加。

三、館藏中國古籍的現況與特色

如今奎章閣所藏資料的現況如下：

資料	數量		
奎章閣圖書	韓國本	81,034 冊	
	中國本	67,785 冊	148,819 冊
一般古圖書	1945 年以前蒐集的	14,257 冊	
	1945 年以後蒐集的	5,376 冊	19,633 冊
文庫本古圖書	一簑文庫	2,502 冊	
	가람文庫	1,612 冊	
	想白文庫	1,669 冊	
	經濟文庫	599 冊	6,382 冊
其他	古文書	50,690 張	
	冊板	17,821 板	
	其他	76 件	
	韓國學資料	10,553 冊	
	微卷	19,982 個	99,122 件
	合計		273,956

其中，除了古文書之外，一切古書均收錄於《奎章閣圖書韓國本綜合目錄》和《奎章閣圖書中國本綜合目錄》兩個目錄，其中不乏很有價值的中國古籍：

（一）《十七史纂古今通要》，（元）胡一桂纂，殘本卷十六，1 冊（共 36 張）。版框高 23.3 公分，寬 14.6 公分。左右雙欄，每半葉十八行，每行十七字，小注雙行，版心上下有黑魚尾。1973 年 7 月 10 日被指定爲韓國國寶第 148-1 號。此本的版式和文獻價值在介紹國立中央圖書館所藏本《十七史纂古今通要》卷十七時已說明過，故不贅述。

（二）《宋朝表牋總類》，卷七，1 冊（共 12 張），1973 年 7 月 10 日被指定爲韓國國寶第 150 號。左右雙欄，版框高 23 公分，寬 14 公分。每半葉八行，每行大字未詳，小字雙行二十一字。版心白口，上下有黑魚尾。版心中間題記「宋表」，下面記卷次、葉次。此本共有十二張，第十二張半葉是白紙，第十、十一、十二張匡廓左上邊的書眉與本文的一部分破損。此本在朝鮮太宗三年（1403）以朝鮮最初的活字癸未字的大字與小字來刊印。此書以類別來區分宋朝時向皇帝奏請的表牋文，集錄奏議者的文章，以便參考。第七卷收錄有關明堂祠祭的表牋文。

（三）《大佛頂如來密因修證了義諸菩薩萬行首楞嚴經》卷五、八、九，3 卷 3 冊。朝鮮世祖 8 年（1462）刊經都監刊版。1984 年 5 月 30 日被指定爲韓國寶物第 765-1 號；另一種《大佛頂如來密因修證了義諸菩薩萬行首楞嚴經》卷二、三、

六、七、十，5 卷 5 冊，1984 年 5 月 30 日被指定爲韓國寶物第 765-3 號。這兩本均著錄於《奎章閣圖書韓國本綜合目錄・子部・釋家類》。

（四）《古今圖書集成》，5,022 冊。四周雙欄，版框高 20.7 公分，寬 13.7 公分。每半葉九行，每行二十字，版心有白魚尾。此本在 1777 年（正祖元年）2 月，正祖時代從中國北京收購的，目前它仍是完帙的。此帙爲清朝與朝鮮間圖書交流的一個很好的例證。書中有「朝鮮國」、「弘齋」、「萬機之暇」、「極」等正祖皇帝的藏書印。

（五）《型世言》是一部明代崇禎年間刊行的話本小說集，全稱《崢霄館評定通俗演義型世言》，《奎章閣圖書中國本綜合目錄・集部・小說類》著錄，今存 11 冊，無總序、目錄、插圖，僅存四十五回正文。此本在中國已經失傳，只有經過改編託名的《幻影》、《三刻拍案驚奇》等書的殘本傳世。以前人們對《型世言》一無所知，導致在研究明代通俗小說，尤其是話本小說時，遺留下不少未能解決的問題。奎章閣卻藏一部完整的初刻本，因此它的發現塡補了古代白話小說史上的一個空白。[6]此本是海內外孤本。

（六）《新鐫全像包孝肅公百家公案演義》，5 冊。版框高 23.6 公分，寬 15.4 公分。前有饒安完熙生書於萬卷樓的序，紀

---

[6] 相關內容可參看陳慶浩：（明）陸人龍著、覃君點校：《型世言》（北京：中華書局，1993 年），「前言」部分，頁 1～11；張啟成：〈首部《型世言》校注本述評〉，《貴州文史叢刊》1999 年 4 期，頁 66～70。

年爲丁酉，據相關研究斷爲萬曆二十五年（1597），比日本蓬左文庫所藏萬曆二十二年刻本《新刊京本通俗演義全像百家公案全傳》僅晚三年，內容基本相同，但文字則修改得較爲通順，對明代小說演變之跡，是一個很好的實例。[7]此本是海內外孤本。

（七）抄本《皇朝遺民錄》，王德九編撰，共 1 卷，所記載的是在朝鮮的明遺民事蹟，收錄的人數雖然不多，但內容較《皇明遺民錄》更爲詳實，具有很高的史料價值。[8]此書主要記錄流亡朝鮮的王以文、楊福吉、馮三仕、王文祥、裴三生、王美承、鄭先甲、黃功、柳溪山九位明遺民的事蹟。

（八）《夾註名賢十抄詩》，編者未詳，朝鮮文宗二年（1452）年密陽府使李伯常重刊本，3 卷 3 冊。此本在韓國高麗忠肅王六年（1337）安東府曾刊行過，今無傳本。奎章閣藏本，四周雙欄，版框高 24.5 公分，寬 16.8 公分。每半葉十行，每行二十字。版心大黑口，有黑魚尾。此書是高麗時期韓國人所編的一部唐詩選集，書中收錄了中晚唐三十詩人（其中包括四位新羅人）的作品，全部爲七言律詩，每人 10 首，共 300 首。在 300 首詩中，未見於《全唐詩》的作品達 183 首之多。這部選集不僅收錄了唐代一些著名詩人，如白居易、賈島、張祜、張

---

[7] 相關內容可參看程毅中：〈韓國所藏《包公演義》考述〉，《北京圖書館館刊》1998 年 2 期，頁 93～96。

[8] 相關內容可參看劉玉才：〈韓國奎章閣藏抄本《皇朝遺民錄》芻議〉，《第三次兩岸古籍整理學術討論會論文》（臺北：國家圖書館，2001 年），頁 1～13。

籍、羅隱、皮日休、章孝標等人的逸詩，而且還收錄《全唐詩》遺漏的作品。其收錄逸詩的情況如下：劉禹錫 1 首、白居易 4 首、張籍 4 首、章孝標 10 首、杜牧 1 首、李遠 6 首、雍陶 7 首、張祜 8 首、趙嘏 4 首、馬戴 10 首、韋蟾 10 首、皮日休 9 首、曹唐 8 首、李雄 10 首、吳仁壁 10 首、韓琮 9 首、羅鄴 9 首、羅隱 8 首、賈島 4 首、李山甫 10 首、李群玉 10 首，共 152 首。我們通過《夾註名賢十抄詩》，不僅發現眾多的唐代逸詩，而且還能從側面瞭解到一些唐人詩文集的流傳和散逸情況以及宋朝和高麗的文化交流情況等。[9]另外，奎章閣尚有一本《十抄詩》，舊刊本。殘本，共 1 冊（93 張）。書前後有脫落，無法看到序或跋文。書中收錄了中晚唐 26 位詩人與留華新羅人 4 人之作品，選錄各詩人的代表作 10 首，故名《十抄詩》。

（九）《龍龕手鑑》，（遼）釋行均編，嘉靖四十二年（1563）朝鮮高德山歸真寺刊本。《奎章閣圖書韓國本綜合目錄・經部・小學類・韻書》著錄此本。（清）楊守敬（1839～1915）《日本訪書志》評此本說：「此本雖有後人羼入之字，而其下必題以今增，與原書不混。至其文字精善，足以訂正張刊本、函海本，不可勝數。邇來著錄家雖有此書，傳鈔舊本而無人翻雕，得此本固足寶貴；況其所增之字，亦多經典常用之文，不盡梵筴俗書，異乎鄉壁虛造者矣！」[10]由此可知此書文獻的價值。

---

[9] 可參看牛林杰：〈韓國文獻中的《全唐詩》逸詩考〉，《文史哲》1998 年 5 期，頁 117～122；《古國古代、近代文學研究》（北京：中國人民大學複印報刊資料）1999 年 1 期，頁 96～101。

[10] （清）楊守敬，《日本訪書志》，《書目叢編》本（臺北：廣文書局，1967

（十）《六臣註文選》，蕭統（500～531）編，甲寅字活字本。共60卷，60冊（第一冊爲目錄，卷五十一、五十二屬同一冊）。四周雙邊，版框高23.8公分，寬15.6公分。每半葉十行，行十七字，小註雙行。版心白口，上下內向三葉花紋魚尾，版心題「文選」，下方記卷目與頁數。書前有〈文選序〉、李善〈上文選表〉（顯慶三年，658）、呂延祚〈進集注文選表〉（開元六年，718）及敕言。書末載天聖四年（1026）沈嚴所寫的〈五臣本後序〉、宣德三年（1428）朝鮮卞季良寫的跋文。其中卷二十、卷三十六、卷五十一、五十二以及卷五十三是寫本。此本中的「五臣註」或「李善註」都比中國刻本較爲完整，[11]而且在《文選》版本源流的探究上具有很高的文獻價值。[12]

（十一）《飲中八仙歌》，和刻本，奎章閣藏不少袖珍本，此本爲楔形文字形態的皮革本，重量大約5公克，在印刷上頗有價值。李聖愛在〈奎章閣袖珍本考〉一文中，從印刷術與書誌學的角度來說明在奎章閣所藏中國袖珍本中119部719冊的內容、特色版本項目等，這批袖珍本的寫作年代大約是清道光十七年（1837）到光緒三十年（1904）間，可供讀者參考。[13]

年）卷四「小學」，頁15下～16上。

[11] 相關內容可參看（韓國）金學主：〈朝鮮時代所印文選本〉，《韓國學報》第5期（1985年）。

[12] 解夢（Martin W. Hiesboeck）：《《昭明文選》奎章閣本研究——《昭明文選》版本源流與斠讀》（臺灣師範大學國文研究所博士論文，2000年11月，李鍌教授指導），頁64～72。

[13] 李聖愛：〈奎章閣袖珍本考〉，《奎章閣》3（首爾：首爾大學校圖書館，1979年），頁91～109。

（十二）《文章一貫》，（明）高琦編，朝鮮明宗年間（1534～1567）乙亥字活字本。1 冊，共 42 張。四周雙邊，版框高 23 公分，寬 17.2 公分。半葉十行，行十八字。版心大黑口，上下花紋魚尾。此書上卷分爲立意、氣象、篇法、章法、句法、字法；下卷分爲起端、敘事、詳論、引用、譬喻、含蓄、形容、繳緒等，輯錄在古文中可以爲法則的。此本對於古文的研究頗有價值，而且此本除了奎章閣藏本以外，僅有日本成簣堂文庫藏本，流傳非常稀少。

（十三）《音註全文春秋括例始末左傳句讀直解》，（周）左丘明撰、（宋）林堯叟句解。朝鮮世宗十三年（1431）年全羅道錦山刊本。共 17 冊。版框高 24 公分，寬 14 公分。此本爲元版覆刻本，與宋成文先生收藏韓國寶物第 1159 號《音註全文春秋括例始末左傳句讀直解》同一版本。

（十四）《高峰和尚禪要》，（元）高峰著、（元）洪喬祖編。朝鮮正宗元年（1399）刊本。1 冊（47 張）。版框高 22.5 公分，寬 14.5 公分。此本是韓國現存最早的本子，朝鮮正宗元年刊行於智異山德奇寺，覆刻元至正十八年（1358）刊本。

（十五）《北京八景圖詩》，（明）鄒緝等著、（明）張光啓編，明宣宗宣德六年（1431）刊本。1 冊（共 41 張），版框高 27.3 公分，寬 16.9 公分。卷首有明永樂十二年（1412）胡廣（1369～1419）所寫的序文，卷末有楊榮所寫的題後與宣德六年（1431）曾棨所寫的跋文。此書是將鄒緝等人遊覽北京周邊的勝景而所寫的詩加以刊印，此書收錄翰林侍講鄒緝、國子祭酒胡儼、翰林侍講楊榮、翰林侍講金善、翰林侍講曾棨、翰林侍講林環、翰林侍講梁潛、王洪、王英、王直、王紱、許翰等12人的112首詩。成均館大學校「尊經閣」藏一部朝鮮世宗三十一年（1449）慶州府刊本。（明）焦竑（1540～1620）《國史經籍志》、（清）黃虞稷（1629～1691）《千頃堂書目》、（清）倪燦（1627～1688）《明史藝文志》、（清）傅維鱗（1608～1666）《明書經籍志》等均未著錄此本。惟《欽定續文獻通考經籍考》著錄：「鄒緝等《燕山八景圖詩》一卷」，[14]其書名有所出入，是否同一本書，有待查考。另外，《中國古籍善本書目》著錄：「《北京八景詩》一卷，明朱謀㙔輯。」[15]現藏南京圖書館。雖然書名幾乎一致，而輯錄者爲另一人，因此兩本書的關係，仍需要更深入的探究。

（十六）《通志略》，（宋）鄭樵（1104～1162）著，元刊本。殘本1冊（卷一九九）。左右雙邊，版框高29.5公分，寬19.3公分。有界欄。半葉九行，每行二十一字。版心上下內向黑魚尾。

以上以被定爲韓國國寶、寶物以及具有特色的十幾種中國古籍來說明奎章閣所藏中國古籍的價值。奎章閣所藏中國古籍共有7,530種87,963冊（此統計數字是把《奎章閣圖書中國本綜合目錄》收錄6,686種73,101冊與《奎章閣圖書韓國本綜合

---

14 清乾隆間官修《欽定續文獻通考・經籍考》，參楊家駱編：《明史藝文志廣編》本（臺北：世界書局，1963年），頁765。

15 中國古籍善本書目編輯委員會編：《中國古籍善本書目・集部・總集・地方藝文》（上海：上海古籍出版社，1998年），頁1772。

目錄》收錄 844 種 14,862 冊加起來的），其中具有一定文獻價值的絕不只是上述的十幾種而已，因此真正要探討奎章閣所藏中國古籍的特色以及其文獻價值，還需要更深入的討論。

四、館藏中國古籍的整理與利用

自奎章閣設立以來，奎章閣的圖書以韓國本和中國本分開加以整理並收藏。中國本以經、史、子、集 4 個部類來分類，藏於稱爲「皆有窩」的甲、乙、丙、丁 4 個書庫；韓國本則藏於西庫。之所以稱爲「皆有窩」是朝鮮所藏的中國書籍不遜於中國的意思。現存《奎章總目》（1781）4 卷 3 冊的《皆有窩書目》選擇中國本中的重要典籍，加以分類和解題。有關韓國本的目錄，當時已有《西庫書目》、《鏤板考》、《群書標記》等。

1873 年以後，陸續編《閱古觀書目》、《西庫書目》、《奎章閣書目》（1905）等書目，又編纂以圖書的發音爲準的索引《內閣藏書彙編》。其中，《閱古觀書目》收錄四部書籍 17,576 卷（其中有《古今圖書集成》502 函），而有目無解題。

大約 1888 年，爲了得到購買新刊書籍的資料，曾編製上海的 16 個書店的圖書目錄《上海書莊各種書籍圖帖書目》。

1909 年 11 月，奎章閣編《帝室圖書目錄》，其中收錄 5,493 部，103,680 卷。

1910 年朝鮮被日本合併之後，奎章閣的圖書歸朝鮮總督府所有，這期間有兩次圖書整理工作，其結果出版了《朝鮮圖書解題》(1919)和《朝鮮總督府古圖書目錄(中國圖書)》(1921)兩個目錄。上述的幾種目錄，採用四部分類法，其內容並不詳細。

1965年，首爾大學校東亞文化研究所編《奎章閣圖書韓國本總目錄》，據當時的調查，所掌握的韓國本約19,708種，73,442冊，中國本有5,912種65,562冊，未整理圖書約有5,000冊。1981年，東亞文化研究所又編《奎章閣圖書韓國本綜合目錄》，共收錄33,088種113,820冊。1994年又出版《奎章閣圖書韓國本綜合目錄》修正版，共3卷。

又自1962至1967年，著手整理中國本圖書的書目卡片，到了1972年，出版了《奎章閣圖書中國本總目錄》。此目錄對各圖書的版本事項之記錄，比前面的幾種目錄較爲詳細，提供利用者更大的方便。但是因爲預算和人力上的不足，在圖書分類方面有未盡理想的地方。有鑒於此，1982年，奎章閣補正《奎章閣圖書中國本總目錄》的不足，出版了《奎章閣圖書中國本綜合目錄》，共收錄了6,686種73,101冊。

另外，奎章閣編《奎章閣韓國本圖書解題集》(1978～1987)，共8冊：經部・子部1冊、史部4冊、集部2冊、索引1冊，其中收錄13,062種古籍。又1991年開始，由韓國錦湖集團的資助，刊行《奎章閣資料叢書》，其中有《五經百選》、《朱書百選》、《雅誦》等中國古籍。

又自1993年開始獲得韓國教育部的獎助，預計十年，著手整理未解題圖書的解題和思想史資料調查研究，其解題對

象爲「一簑文庫」、「가람文庫」、「想白文庫」、「經濟文庫」的古籍與一般古籍。其成果就是自 1994 年～1999 年每年出版的《奎章閣韓國本圖書解題續集》史部 1～6 冊，其中《奎章閣韓國本圖書解題續集・史部》1 共收錄正史類、編年類、紀事本末類、別史類、史表類、鈔史類、詔令・奏議類、傳記類圖書 1,110 種；《奎章閣韓國本圖書解題續集・史部》2 共收錄譜系類、別史類、職官類、政法類、圖書 727 種；《奎章閣韓國本圖書解題續集・史部》3 共收錄政法類刑獄・詞訟、地理類、金石類圖書 683 種；《奎章閣韓國本圖書解題續集・史部》4 共收錄政法類官署文案與刑獄・詞訟、工營、產業類圖書 837 種；《奎章閣韓國本圖書解題續集・史部》5 共收錄政法類外交一般與外交文書、有關刑獄・詞訟的圖書 849 種；《奎章閣韓國本圖書解題續集・史部》6 共收錄政法類外交官署記錄、官署文案的宮內府・度支部與地理類的鄉約、契等圖書 985 種。到了 2000 年，奎章閣又出版了《奎章閣韓國本圖書解題續集經・子部》1，其收錄範圍與數量是經部的總經類、易類、書類、詩類、春秋類、禮類、孝經類等 146 種與子部的總子類、儒家類、道家類、釋家類等 548 種，共 694 種。奎章閣又自 1993 年開始陸續出版了《奎章閣所藏文集解說》，其收錄範圍是《奎章閣圖書韓國本綜合目錄》收錄的圖書中隸屬於「集部・別集類」的個人文集。因爲所謂韓國本有兩個範疇：一爲著者爲韓國人；一爲韓國刊行的中國古籍，所以我們談及奎章閣所藏中國古籍，這些韓國本圖書解題，仍有參考價值。

奎章閣自 1977 年開始，每年出版學術期刊《奎章閣》。其中，第一輯（1977）有〈貴重圖書解題〉與〈貴重圖書圖版〉；第二輯有〈展示資料圖版〉等館藏資料的介紹，讀者利用這些資料，可掌握奎章閣所藏中國古籍現況的一斑。

最後，需要說明的是，奎章閣 1997 年已完成了所藏圖書目錄的電子資料庫，並在進行所有資料的電子化以及全文資料庫的開發。奎章閣又已開設了奎章閣網站，其網址爲 http://kyujanggak.snu.ac.kr。讀者透過此網站，可瞭解奎章閣的歷史、主要工作項目，並得以檢索所藏 175,000 餘種資料的目錄和部分書籍的解題以及韓國學參考資料等，其中所藏古書（包含韓國本和中國本）目錄的資料庫，依書名、作者、分類別、四部分類，可檢索《奎章閣圖書韓國本綜合目錄》和《奎章閣圖書中國本綜合目錄》所記載的內容。

肆、韓國學中央研究院「藏書閣」中國古籍存藏概況

一、韓國學中央研究院與「藏書閣」的沿革

韓國學中央研究院以通過更深入研究韓國的傳統文化而積極參與新的文化創造與民族中興爲設立目的，1978 年 6 月正式成立，當時叫做「韓國精神文化研究院」。1980 年 3 月，院內設立「韓國學研究所」；1991 年，出版「韓國民族文化大百科」初版；1996 年 2 月，院內設立「韓國學情報中心」；1997 年 4 月，院內設立「現代史研究所」。2005 年 2 月，將「韓國

精神文化研究院」的名稱改爲「韓國學中央研究院」。韓國學中央研究院是一所韓國學專門研究機構，現位於韓國京畿道城南。至於「藏書閣」是韓國學中央研究院的圖書館，具有豐富的古今藏書，又把蒐集的古籍有系統地整理，同時做了解題、編纂的工作，提供給相關研究者。

所謂「藏書閣」名稱早在朝鮮時代已經存在。眾所周知，朝鮮以崇儒抑佛立國，又致力於經書、史書以及詩文集的刊行與普及。到了世宗，新設中央學術研究機構「集賢殿」，並命建藏書的地方，而在世宗十一年（1429）七月興建了名爲「藏書閣」的藏書樓，這是在韓國歷史上首次使用「藏書閣」這個名稱。之後，除了特別的情況之外，朝鮮皇朝把一般書籍的所藏地點通稱爲「藏書閣」。後來，朝鮮被日本強佔之際，日本把朝鮮皇室相關機構降級爲「李王職」，在昌德宮璿源殿臨時收藏有關王室資料，當時把這地方叫做「李王職庶務係圖書室」。之後，隨著藏書的增加，1915 年 12 月在昌慶宮內樂善齋的東南邊、崇文堂的西邊高處興建現代式四樓書庫，把相關藏書搬到這地方來。1918 年在此地方掛「藏書閣」的匾額，第二年起草了《李王家（職）藏書閣沿革》。當時通常把書籍收藏機構稱爲「圖書館」或「圖書室」，惟「李王職圖書室」按照朝鮮皇朝的傳統慣例，沿用「藏書閣」這名稱，稱爲「李王家（職）藏書閣」，後來這名稱成爲專有名稱。

韓國學中央研究院「藏書閣」所藏古籍有兩個來源：一爲自 1978 年開院以來所蒐集的古典資料和近現代史相關史料；

二為 1981 年自「文化財管理局」所移管的朝鮮時代皇宮藏書機構「藏書閣」的圖書，其中後者為現韓國學中央研究院「藏書閣」所藏古籍的主要來源。所謂朝鮮時代皇宮藏書機構「藏書閣」，指的是前面提過的「李王家（職）藏書閣」。「李王家（職）藏書閣」所藏古籍以正祖皇帝時期「奎章閣」的尊閣「奉謨堂」的典謨資料為主。我們可透過《奉謨堂奉安御書目錄》（卷一～卷三）知道正祖皇帝時「奉謨堂」所藏資料的內容，大部分是英祖的御製類。到了高宗皇帝即位時，興宣大院君李昰應攝政，他為了統合和強化已分散的王室功能，改訂宗室官制，把宗簿與宗親兩官署合為宗親府，以前屬於奎章閣的御製、宸翰等典謨資料歸宗親府所有，使「奉謨堂」也隸屬於宗親府。

高宗三十一年（1894），因為甲午更張的改革，政府組織大幅度地改編。這時「奎章閣」隸屬於宮內府。高宗三十二年（1895）把它改稱為「奎章院」，把以前歸宗親府管理的典謨資料再歸還到「奎章院」。光武九年（1905），日本依據日本宮內省的制度，改變宮內府的官制，後來隆熙二年（1908），「奎章閣」以分課制度來改編，增設典謨課、圖書課、記錄課、文事課，並強化其功能。其中，典謨課開始調查整理「奉謨堂」所藏資料，並出版《奉謨堂及奉謨堂後庫奉藏書目》3 冊、《奉謨堂冊寶印信目錄》1 冊以及《譜閣奉藏品目錄》1 冊等目錄。據這些目錄，我們可知當時「奉謨堂」和「寶閣」中所藏資料有：典籍類 12,893 冊（帖），簇子類 561 軸，書畫與古文書類 170 紙（幅）、御筆石刻類 106 片、冊寶印信類 68 件、扇子 2

把等。這就是朝鮮成爲日本殖民地之前，舊韓末典謨資料的全貌。

日本剝奪朝鮮國權之際，1910 年 10 月，日本公佈朝鮮總督府官制，接著 12 月 30 日以皇室令第 34 號公佈李王職官制，其中由「李王職庶務係圖書室」（以下簡稱爲李王職圖書室）管理以前皇室圖書館的圖書。後來，1911 年 6 月，日本一方面把所有「奎章閣」圖書歸朝鮮總督府取調局所有，一方面把自 1911 年 2 月至 6 月間新購入的書籍 3,528 冊、舊宮內府典謨課所藏的公文書以及書籍 12,615 冊、茂朱赤裳山史庫移來書籍 4,066 冊等歸還給「李王職圖書室」。當時李王職按照朝鮮皇朝的法統把典謨資料與一般資料分開管理，則典謨資料與譜牒資料藏於「奉謨堂」與「譜閣」，一般資料藏於圖書室。除了典謨資料以外，自「李王職圖書室」設立以後，到 1914 年 2 月爲止，所購買的朝鮮版古籍共有 279 部 2,083 冊；中國版古籍共有 715 部 21,627 冊；法帖共有 88 部 261 冊。[16]值得一提的是，「李王職圖書室」在 1914 年 12 月首次編纂《李王家圖書室藏書目錄》，通過此目錄可知至 1914 年 10 月爲止「李王職圖書室」所藏，除了洋裝書以外，共有 2,301 部 36,593 冊。

1915 年 12 月「李王職圖書室」的圖書移到在昌慶宮內樂

[16] 這方面的記載可參看《朝版財產目錄》與《唐版財產目錄》。《朝版財產目錄》收錄自 1910 年 3 月至 1914 年 5 月間所購買或接受捐贈的圖書；《唐版財產目錄》收錄自 1910 年 3 月至 1915 年 2 月間所購買或接受捐贈的圖書。上述兩種目錄今藏於韓國精神文化研究院「藏書閣」，見於《藏書閣圖書韓國版總目錄·史部·目錄類》。

善齋的東南與崇文堂西邊新築書庫，1917 年 12 月～1918 年 4 月間，正式掛「藏書閣」的匾額。這時期有幾點需要注意：第一、洋裝書目錄的編纂。此目錄收錄韓國、中國、日本的新刊資料 3,143 冊，以十進分類法來分類整理；第二、第二次編纂古籍藏書目錄。因爲在 1914 年 10 月以後將近三年的時間中，「李王職圖書室」的古籍藏書增加 15,000 餘冊，所以有必要重新編纂藏書目錄。到 1917 年 12 月爲止，「李王職圖書室」的藏書共有 4,193 部 51,074 冊；第三、「李王職圖書室」爲了使用者方便利用其所藏資料，編纂《朝鮮書籍解題》、《李王家所藏叢書類目錄》以及《四庫全書總目提要鈔》等工具書；第四、第三次編纂《李王家藏書閣古圖書目錄》，此目錄收錄了 3,000 部 15,233 冊，1924 年 3 月完全整理好，同年 6 月以活字刊印出版；第五、1935 年 10 月，「李王職圖書室」又編纂《李王家藏書閣古圖書目錄》，其收錄範圍爲至 1935 年 10 月爲止所藏的朝鮮版、中國版以及日本版。當時藏書閣的藏書有：新刊洋裝書 2,577 部 4,096 冊與古籍 5,382 部 56,076 冊。

1936 年，「李王室藏書閣」遷到故昌慶苑博物館，繼續存在到 1981 年 11 月韓國政府廢止藏書閣事務所爲止。

最後，我們要說明光復以後「藏書閣」的沿革。1945 年 11 月 8 日，美軍政廳把「李王職」改爲「舊王宮事務廳」，由此機構來管理「藏書閣」的藏書。這時期，「藏書閣」的藏書有所變化：一爲 1950 年韓戰發生時，北韓軍隊曾從「藏書閣」中運走一批古籍，其中有赤裳山史庫本《朝鮮王朝實錄》1,667

卷 823 冊；一爲收拾宮中「樂善齋」所藏的韓文小說，就韓國文學史而言，這批書具有很高的文獻價值。

1955 年 6 月 8 日，韓國政府以大統領令第 1035 號，設置「舊皇室財產事務總局」，由其附屬機構「昌慶苑事務所」來掌管「藏書閣」，而卻無規定管理「藏書閣」的事務。

1961 年 10 月 2 日，韓國政府統合舊皇室財產事務總局和文教部文化保存課的功能，新設「文化財管理局」，掌管舊皇室的所有事務，「藏書閣」仍隸屬於昌慶苑事務所。因而有關「藏書閣」的管理諸問題必須通過昌慶苑事務所轉達文化財管理局，造成諸多不便。不管如何，這時期「藏書閣」的藏書有所增加，這個問題可從兩個方面來說明：一爲當時「藏書閣」蒐集七宮的所藏資料。所謂「七宮」指的是身爲皇帝的嬪妃而生皇子的七位後宮的祠堂，「藏書閣」蒐集的資料以帖子類的古文書爲主，後來這些資料的目錄收錄於《藏書閣李王室古文書目錄》，其原文收錄《古文書集成》第十～第十四集（藏書閣篇 I～V）；一爲 1969 年把藏在被日本人所建築的奉謨堂的典謨資料再移到藏書閣，這時被移管的典謨資料共 1,958 部 15,128 冊。

1969 年 11 月 5 日，以大統領令第 4023 號，新設「藏書閣事務所」。往後十二年，「藏書閣事務所」首先蒐集歷代諸王的典謨資料與皇室關係資料。1970 年該事務所遍查宗廟以及英陵、裕陵、明陵、溫陵、健陵等的陵齋室，蒐集國朝寶鑑、璿源譜牒類等資料；1971 年，調查昌慶苑所管理的遺物，蒐集神道碑銘、碑銘、墓碣銘、墓表的拓本與寫本。再來，「藏書閣事務所」為了方便地利用所藏資料，編纂藏書目錄，共有四種：（一）《藏書閣所藏古圖書目錄》上下卷。現「藏書閣」藏書還由文化財管理局藏書閣事務所管理時，該事務所為了藏書整理的便利，先謄寫油印本《藏書閣所藏古圖書目錄》上下卷，[17]其中上卷收錄韓國版與奉謨堂文庫版，下卷收錄中國版與日本版；（二）《藏書閣圖書韓國版總目錄》：1971 年，文化財管理局藏書閣事務所先招集專家學者，並成立「藏書目錄編纂委員會」，商討決定藏書目錄的編纂原則與方法。自 1971 年 1 月至 1972 年 5 月底間，動員 3,301 名人員，先整理韓國版古籍，以藏書閣貴重本叢書第一輯出版《藏書閣圖書韓國本總目錄》，[18]其中收錄大約 12,465 種 42,500 餘冊古籍；（三）《藏書閣圖書中國版總目錄》：該事務所又 1972 年 6 月著手整理中國版藏書，經過兩年六個月的時間，終於 1974 年 12 月以藏書閣貴重本叢書第七輯出版《藏書閣圖書中國版總目錄》，[19]其中收錄 1,200 種 25,839 冊古籍；（四）《藏書閣圖書韓國本補遺篇》：此目錄將 1975 年第一次整理中所遺漏的韓國版古籍補錄而刊成的。

最後，1981 年 11 月依據大統領令第 10588 號，廢除了文化財管理局藏書閣事務所，除了特定資料與研究上所需要的資料，其他全部資料移到韓國精神文化研究院，當時所移到該院

---

[17] 首爾：探求堂，1972 年。
[18] 首爾：探求堂，1972 年。
[19] 首爾：藏書閣，1974 年。

的藏書有：古典資料共有 82,749 冊：韓國版 42,562 冊、中國版 27,313 冊、日本版 12,874 冊；洋裝書 4,583 冊；新刊書 1,588 冊；古文書 5,694 件；微卷 94,104 冊。

二、館藏中國古籍的內容與特色

藏書閣所藏古書共有 107,927 冊；其中，藏書閣移館圖書共有 82,749 冊（韓國本 42,662 冊；中國本 27,313 冊；和刻本 12,874 冊）；一般古書 23,122 冊；文庫本古書 2,056 冊。

首先說明韓國學中央研究院「藏書閣」所藏 7 種被指定爲韓國寶物的漢籍：

（一）《大方廣佛華嚴經疏》，殘本，卷二十一和二十四，2 冊。1992 年 4 月 20 日被指定爲寶物第 1128 號。此書大約在十一世紀末依據宋板而刊印的，旋風裝，半葉八行，行十五字，小註雙行二十字。

（二）《大佛頂陀羅尼》，（唐）不空（705～774）漢譯，1992 年 4 月 20 日被指定爲寶物第 1129 號。此書大約在高麗末或朝鮮初刊印的，旋風裝。本文以梵文與漢文對譯。

（三）《藥師琉璃光如來本願功德經》，（唐）玄奘（602～664）譯。1992 年 4 月 20 日被指定爲寶物第 1130 號。此本爲在大興王寺設置的「教藏都監」所刊印的《大藏經》的正藏之一，共 1 卷 1 冊。至於刊行時期，大約在高麗時期。

（四）《梵網經盧舍那佛說菩薩心地戒品》，（後秦）鳩摩羅什漢譯，殘本，存第十卷下冊。1992 年 4 月 20 日被指定爲寶物第 1131 號。此本末有高麗忠烈王三十二年（1306）秋（元）和尙紹瓊所寫的跋文，由此可知此本大約刊印於高麗後期。此書的內容爲解釋菩薩所具有的十種重戒和四十八種輕戒。

除此之外，尙有《白雲和尙抄錄佛祖直指心體要節》、[20]（高麗）權近著《入學圖說》、[21]《定社功臣趙溫賜牌王旨》[22]的寶物古籍，因爲這三種書不屬於中國古籍，在此從略。

除了這些寶物外，「藏書閣」所藏古籍有幾點特色：首先，「藏書閣」藏有豐富的皇室關係資料，包括稿本文集、歷代皇帝和皇族的書法原稿和拓本、傳記資料、族譜等。其次，「藏書閣」藏有很多繪畫相關資料。《藏書閣圖書韓國版總目錄・藝術類・繪畫》只收錄 13 種圖書，而這並不是其所藏繪畫相關資料的全部。其他圖書中也有不少的繪畫作品，比如地理類

[20] 此本為「高麗晌王四年川寧驚巖寺刊本」，木版本，2 卷 1 冊。此本在 1992 年 4 月 20 日被指定為寶物第 1132 號。此書彙編佛陀與祖師們的法語和偈頌。書前有高麗晌王四年（1378）戊午四月五日高麗文人牧隱李穡所寫的序文，書末有「宣光八年戊年六月刊」的刊記，又有其板放在川寧驚巖寺的記載。此書曾在 1377 年用活字本刊印過，此活字本，現在只存殘本。

[21] 此本為「高麗恭讓王二年刻朝鮮世宗七年刊本」。此本在 1992 年 7 月 28 日被指定為寶物第 1136 號。前集後集共 1 冊。此書為權近在高麗公揚王二年（1390，洪武庚午）所寫的，是為了初學者所撰寫的性理學入門書，其中共有四十種畫圖，可說是世界最早的教科書。書前有「洪熙乙巳夏，晉州牧繡梓」的刊記，書末有同年七月壬申文人卞季良所寫的跋文。

[22] 此古文書在 1992 年 7 月 28 日被指定為寶物第 1135 號，寫本，記載把功臣田賜給朝鮮太祖七年（1398）定社功臣漢川君趙溫的內容。從文末有「建文元年二月初八日……」的記載來看，應是朝鮮正宗元年（1399）的文書。

和古蹟類中的宮殿、樓閣、陵園墓圖，包含不少繪畫資料。另外，《五倫行實圖》、《三綱行實圖》以及各種契帖和行事圖是有圖有錄的，是版畫作品。1972 年 12 月韓國精神文化研究院出版《韓國的古板畫目錄》，藉此可瞭解「藏書閣」所藏繪畫資料的特色與價值。其次「藏書閣」藏有從文化財管理局遞藏的古文書 5,694 件，1978 年韓國精神文化研究院資料調查室出版了《藏書閣李王室古文書目錄》。自 1992 年至 1994 年 5 月，出版了《古文書集成》第十～第十四集（藏書閣篇 I ～V）共 5 冊，讀者利用這套書可瞭解「藏書閣」所藏古文書的內容。其次，「藏書閣」藏有不少拓本。《藏書閣圖書韓國本總目錄・史部・金石類》只收錄已成書的碑文、冊文等的拓本。碑文的拓本主要有陵園的碑文或誌文、文武官臣的神道碑文、墓碣、墓碑、墓表、事蹟碑等的拓本，還有建築碑文、紀績碑文、紀念碑文的拓本。除了這些書本形式的拓本外，「藏書閣」還藏有不少零散的拓本，讀者可利用韓國精神文化研究院 1991 年 3 月出版的《藏書閣拓墓目錄》，瞭解「藏書閣」所藏拓本的大概。

接著下面介紹幾部中國古籍，藉此窺見「藏書閣」所藏中國古籍的文獻價值之一斑。

首先說明中國刊本古籍。據《藏書閣圖書中國版總目錄》，「藏書閣」共收錄 1,200 種 25,839 冊中國本古籍，主要是元明清刊本，則其所藏中國刊本古籍的數量與質量不可忽視。

（一）《周易古今文全書》21 卷，（明）楊時喬撰，明萬曆年間刻本。左右雙欄，版框高 21.2 公分，寬 13.8 公分。每半葉字數不定，小註雙行，版心有黑魚尾。書中有兩個序文：一爲「萬曆十八年（1590）庚寅……楊時喬書」；一爲「萬曆二十七年（1599）重九日楊時喬書于善村茅舍」。此書卷一、二爲「論例」，卷三、四爲「古文」，卷五至十三爲「今文」，卷十四至十八爲「易學啓蒙」，卷十九至二十爲「傳易考」，卷二十一爲「附龜卜考」。

（二）《周易會通》12 卷，（明）汪邦柱、江柟等撰，明萬曆四十五年刊本。四周單欄，版框高 20.9 公分，寬 11.7 公分。每半葉十行，每行二十五字，版心上有魚尾。中國北京大學圖書館、華東師範大學圖書館藏「明萬曆四十五年（1617）江氏生生館刻本」，另外安徽省圖書館、河南省圖書館重慶市圖書館藏殘本萬曆刻本。

（三）《周會魁校正易經大全》21 卷，（明）胡廣等奉敕纂修，清康熙五十年刊本。四周雙欄，版框高 20.5 公分，寬 13.3 公分。每半葉十二行，每行二十四字，小註雙行。版心有黑魚尾。書中有「康熙辛卯（1711）鐫黃際飛先生校訂」的刊記。據《中國古籍善本書目・經部》，中國遼寧省圖書館、齊齊哈爾市圖書館、中國社科院新疆分院圖書館、浙江圖書館、中山大學圖書館等藏「萬曆三十三年（1605）書林徐氏刻本」，未藏此本。

（四）《增訂易經存疑的藁》12 卷，（明）林希元（1481～1565）撰，清康熙十七年刻本。左右雙邊，版框高 19.3 公分，寬 13.7 公分。每半葉十一行，每行二十三字。版心黑口，有黑魚尾。書中有康熙戊午（1678）秋七月崑山徐秉義所撰的序文。中國北京大學圖書館與上海圖書館藏此版本。

（五）《書集傳》7 卷，（宋）蔡沈（1167～1230）撰，（元）鄒季友音釋，元至正二十三年（1336）刊本。四周雙邊，版框高 20.3 公分，寬 11.8 公分。每半葉十一行，每行二十一字，小註雙行。版心有黑魚尾。書中有「本堂今將《書傳》附入鄱陽鄒氏音釋……收書君子幸鑒，至正癸卯（1363）孟夏宗文精舍謹識」刊記。此書首卷有〈書集傳序〉、〈朱子說書綱領〉、〈唐虞夏商譜系圖〉、〈堯制五服圖〉、〈禹貢所載隨山濬川之圖〉、〈禹貢九州及今州郡之圖〉，卷二至七爲蔡沈《集傳》與鄒友季《音釋》。

（六）《毛詩註疏》20 卷，（漢）鄭玄（127～200）箋，（唐）孔穎達（574～648）疏，明崇禎三年（1630）汲古閣刊本。左右雙欄，版框高 18 公分，寬 11.8 公分。每半葉九行，每行二十一字，小註雙行。版心題「毛詩疏汲古閣」，書中有「皇明崇禎三年歲在上章敦牂（1630）□□毛氏繡鐫」刊記。

（七）《詩緝》36 卷，（宋）嚴粲撰，明趙府味經堂刻本。四周雙邊，版框高 18.8 公分，寬 13.5 公分。每半葉九行，每行十八字，小註雙行，版心有魚尾，並題「味經堂詩緝」，書前有「淳祐戊申（1248）夏五月華谷嚴序」。在《詩緝》的諸多版本中，除了元刻本殘本藏上海圖書館之外，最主要的版本就是明趙府味經堂刻本，由此不難看出「藏書閣」所藏《詩緝》

的文獻價值。

小學類也有不少善本。

（一）《全雅》73 卷，明刻本。此書的書名爲《全雅》，實際上是（明）畢效欽所編之《五雅》。集《爾雅》、《釋名》、《廣雅》、《埤雅》、《爾雅翼》五書合刊。又此本與（明）郎奎金所編之明天啓間刻本《五雅》不同，有《爾雅翼》而無《小爾雅》。

（二）《爾雅》3 卷，明嘉靖年間刻本。王重民《中國善本書提要》著錄此本，並說：「顧廣圻《思適齋集》卷十四、臧庸《拜經堂集》第二冊均有跋，謂其源出宋本也。」[23]

（三）《爾雅翼》32 卷，（宋）羅願（1136～1184）撰、（元）洪焱祖音譯。明天啓年間中羅氏重刻本。此書卷首有都穆（1459～1525）正德己卯之序文，說：「是書嘗一刻於宋，再刻於元，以屢經兵燹，人間罕存。雖公之後人與鄉之士大夫間有藏者，率皆繕寫，且多訛缺。予家舊藏乃宋刻本，後以歸李工部彥夫，蓋彥夫新安人也。今年公十五世孫文殊持書來謁，詢之，知其捐貲重刻，即予向所遺李君者也。」洪焱祖跋後有「天啓內寅從裔孫羅郎重訂」一行。

除了上述的幾種之外，明崇禎元年汲古閣刻本《爾雅註疏》11 卷、清初毛氏汲古閣刻本《說文解字》15 卷、明天啓年間刻本（宋）李燾（1115～1184）撰《重刊許氏說文解字五音韻

---

23 王重民：《中國善本書提要》（臺北：明文書局，1984 年），「經部・小學類」，頁 49～50。

譜》12 卷等都具有較高的文獻價值。

接著說明韓國刊本中國古籍。《音註全文春秋括例始末左傳句讀直解》，（宋）林堯叟撰。「藏書閣」所藏本爲朝鮮端宗二年（1454）癸未字覆刻本，共 70 卷。左右雙欄，版框高 22.1 公分，寬 14.5 公分。每半葉八行，每行十七字，小字雙行，版心有黑魚尾。此本在朝鮮一再被刊刻，先朝鮮太宗時以癸未字活字本刊行，「藏書閣」藏本爲端宗二年在錦山郡翻刻癸未字本，書中有集賢殿直提學李塏的跋文。除此之外，此本在朝鮮世宗十三年（1431）曾以元刻本爲底本，在錦山多次翻刻。現臺灣故宮博物院也藏殘本「宋末建刊巾箱本」，僅存卷第三十五至四十四，原本爲北京圖書館藏本。王重民《中國善本書提要・經部・春秋類》著錄「元刻本」，十二行二十二字，版框高 15.7 公分，寬 10.3 公分。中國大陸藏有四部，都是「元刻明修本」，共 70 卷，藏於北京圖書館、上海圖書館、吉林圖書館以及北京大學圖書館，其中北京大學圖書館藏本有楊守敬跋文。

以上簡略地介紹具有文獻價值的幾種中國古籍，而真正要瞭解「藏書閣」所藏中國古籍的文獻價值，需待更深入的探究。

三、館藏中國古籍的整理與利用

藏書閣所藏古籍的整理與利用，我們可從如下三個方面來探討：

（一）目錄與解題：

1. 韓國精神文化研究院圖書館司書課編《韓國古小說目錄》，[24]共收錄 1,433 種 4,869 冊。其中「藏書閣」收藏 95 種 2,211 冊、韓國精神文化研究院另外蒐集的 363 種 443 冊以及其他圖書館（包含國立中央圖書館、高麗大學校圖書館、首爾大學校圖書館等）蒐集的 975 種 2,215 冊。

2. 韓國精神文化研究院資料調查室編《藏書閣李王室古文書目錄》，[25]共收錄 4,664 種。此目錄以詔令類、奏議類、公函類、單望類、外文類、儀禮類、發記類、所志類、籍帳類、文卷類、詩文類來分類有關朝鮮王室的古文書。

3. 韓國精神文化研究院資料調查室編《藏書閣拓本目錄》，[26]此目錄共收錄 763 種 1,327 件，其中有「神道碑銘」55 種 75 件、「碑銘」486 種 899 件、「墓誌銘」32 種 33 件、「墓表」14 種 14 件、「墓誌」84 種 144 件、「其他類」93 種 162 件。

4. 韓國精神文化研究院資料調查室編《藏書閣圖書日本版總目錄》。[27]此目錄共收錄 1,205 部 12,874 冊，其分類法為四部分類法，書末有書名、人名索引。

5. 《藏書閣圖書韓國本解題輯——地理類（1）》、《藏書閣

---

[24] 城南：韓國精神文化研究院，1983 年。
[25] 城南：韓國精神文化研究院，1987 年。
[26] 城南：韓國精神文化研究院，1991 年。
[27] 城南：韓國精神文化研究院，1993 年。

圖書韓國本解題輯——軍事類》。[28]「地理類」中有韓國總志24種64冊、方志141種218冊、邑誌137種210冊的解題。「軍事類」包含藏書閣所藏子部兵家類與史部政書類軍政之屬以及史部傳記類、叢傳、軍案資料等201種864冊的解題。

6.《藏書閣圖書解題》I（史部、子部、集部），[29]1995年：史部收錄《敦煌譜牒》、《影幀模寫都監儀軌》、《文蔭陞資錄》、《蔭案》以及《藏書閣圖書韓國本解題輯——地理類（2）》；子部收錄類書類和隨錄類15種；集部收錄《永陽四難倡義錄》、《文節公金先生逸稿》、《檜軒先生逸稿》、《玄同集》以及《金環奇逢》、《衛氏賢行錄》、《取勝樓》等3種小說作品等。

（二）相關文獻：

1. 月刊《國學資料》，文化財管理局出版，第一號至第四十號，1972年2月～1981年7月。其中記載藏書閣所藏貴重本或孤本的解題。

2. 學術季刊《精神文化研究》，爲韓國學研究專門學術期刊。其中自第三十四號（1988）開始，有〈本院所藏稀貴資料解題〉專欄介紹原本藏於「藏書閣」和已購買的善本書，自第三十九號（1990）開始，其專欄改爲〈本院所藏藏書閣資料解題〉，專門介紹「藏書閣」所藏善本書。

3. 該院在1996年出版了《藏書閣的歷史與資料的特性》，

---

[28] 城南：韓國精神文化研究院，1993年。
[29] 城南：韓國精神文化研究院，1995年。

[30]讀者從中可瞭解「藏書閣」的沿革與其所藏古籍資料的內容。

（三）所藏資料的出版：主要以有關韓國人著作為主，有如下幾種：

1. 《古文書集成》第十～第十四集——藏書閣篇Ⅰ～Ⅴ，1992～1994。

2. 金英云《呈才舞圖笏記》。[31]此書是記錄宮廷舞次序的舞譜，共收錄13種。

3. 鄭求福等《江北日記・江左輿地記・俄國輿地圖》。[32]其中，《江北日記》爲朝鮮高宗九年（1872）爲了掌握鴨綠江北部的情報所派遣的諜報之日記；〈江左輿地記・俄國輿地圖〉是作者去了沿海州與俄羅斯後所畫的地圖，就研究十九世紀後期韓、俄關係史而言，是一種頗有價值的資料。

（四）韓國學中央研究院的網站

此網站介紹該院的院史、學術研究活動以及該院附設「韓國學研究所」等內容。「藏書閣」電子圖書館的網址爲：http://lib.aks.ac.kr。此網站的內容可包含「藏書閣」簡介、所藏資料現況、組織介紹、相關規定、全文資料庫等內容。

其次，需要說明的是，「藏書閣」所藏古書的分類法。目

---

[30] 編者按：本書原書名為《藏書閣의歷史와資料的特性》（城南：韓國精神文化研究院，1996年5月），現今書名為本文作者金鎬博士翻譯的。

[31] 城南：韓國精神文化研究院，1994年。

[32] 城南：韓國精神文化研究院，1994年。

前，「藏書閣」使用兩種分類法：一是「四部分類法」，用於「藏書閣」移館古書。一是「韓國精神文化研究院漢籍分類法」，用於一般古書。首先介紹「韓國精神文化研究院四部分類法」，其分類如下：

經部：總經類、易類、書類、詩類、禮類、樂類、春秋類、孝經類、四書類、小學類。

史部：總史類、正史類、編年類、紀史本末類、別史類、雜史類、史表類、史評類、傳記類、詔令・奏議類、職官類、政書類、金石類、地理類、目錄類。

子部：儒家類、道家類、釋家類、兵家類、農家類、醫家類、天文・算術類、術數類、藝術類、譯學類、隨錄類、雜編類、類書類、天道教類、檀君教類、基督教類。

集部：總集類、別集類、尺牘類、詩文評類、詞曲類、小說類。

接著說明「韓國精神文化研究院漢籍分類表（一般古書用）」，其分類如下：

經部：總經類、易類、書類、詩類、禮類、樂類、春秋類、孝經類、四書類、小學類。

史部：總史類、正史類、編年類、紀史本末類、別史類、雜史類、史表類、史評類、傳記類、系譜類、詔令・奏議類、職官類、政書類、金石類、地理類、書誌類。

子部：總子類（子彙）、儒家類、道家類、釋家類、兵家類、農家類、醫家類、天文・算學類、術數類、藝術類、譜錄類、正音類、雜家類、類書類、檀君教類、天道教類、基督教類、其他宗教類、西學類。

集部：楚辭類、總集類、別集類、尺牘類、詩文評類、詞曲類、小說類。

古文書部：古文書。

上述兩種分類法略有不同，如「韓國精神文化研究院漢籍分類表」中的「古文書部」、「史部」的系譜類都是「韓國精神文化研究院四部分類法」未有的；書志類與目錄類兩者實際上沒有很大的差別，前者的範圍比後者來得廣而已，出現這種現象的原因無疑是所藏古書的性質與數量的關係。

伍、成均館大學校東亞細亞學術院「尊經閣」中國古籍存藏概況

一、成均館大學校東亞細亞學術院「尊經閣」沿革

成均館大學校是一所名門私立學校，其創校的歷史可追溯於韓國朝鮮時期。朝鮮太宗皇帝七年（1398），朝鮮皇室在目前成均館大學校所在地設立了最高國家教育機構「成均館」。

成均館大學校繼承了此「成均館」的傳統，因此其創校的時間定爲 1398 年。成均館大學校的歷史大約分爲三個階段：一爲古典大學時期，是指自 1398 年至 1894 年，這時期的教育無疑是傳統的儒學教育；二爲近代大學時期，是指自 1895 年至 1944 年，這時期以儒教理念爲骨幹，並擴大到其他學問領域，除了傳統儒學之外，還包含了近代學問；三爲現代大學時期，是指自 1945 年至現在。1946 年春天，有識之士舉辦了全國儒林大會，爲了繼承過去「成均館」傳統的大學的設立而組織了成均館大學基金會，同年又組織了財團法人成均館大學。1946 年 9 月 25 日由文教部獲得正式學校認可，1953 年正式升等爲綜合大學。該學校以儒學的仁義禮智爲校訓，以修己治人爲創校理念，尤其是將來該學校發展目標以東洋學和尖端科學兩大領域爲主，東亞細亞學術院的設立也是該學校致力於東洋學的一個環節。

東亞細亞學術院（The Academy East Asian Studies）是在 2000 年 3 月成立的研究教育機構。該院成立之後主要研究東亞的傳統文化以及它與現代的關係，一方面提倡民族文化，一方面促進國際間的彼此瞭解。該院具有幾個附屬機構，一爲附屬研究機構，有：具有五十年歷史的「大東文化研究院」、2000 年 3 月新設立的「儒教文化研究所」以及「東亞地域研究所」；二爲教育機構，有：「東亞研究所」（東亞學協同課程與碩、博士班課程）；三爲支援機構，有：「行政室」與東亞學圖書館資料支援中心「尊經閣」。該院同時爲了韓國學和東亞學的世界化，2001 年初創辦英文版國際學術期刊 *Sungkyun Journal of*

East Asian Studies（每年出版二次）。至於該院的簡介、組織圖、現況與發展計畫、過去所舉辦的國際學術會議等相關內容，讀者可參看其網站（網址爲 http://eastasia.skku.ac.kr）。

「尊經閣」是東亞細亞學專門資料情報中心，是爲了東亞學研究的基礎準備與有效率的支援而設立的。「尊經閣」把成均館大學中央圖書館「古書室」和「大東文化研究院資料室」兩者合併而開館的。「尊經閣」的名稱來自於朝鮮成宗六年（1475）設置於「成均館」的韓國最初圖書館「尊經閣」，它自設立之後數百年來一直扮演協助成均館儒生學問研究的角色。目前，東亞細亞學術院「尊經閣」的主要功能是先把國內外相關學術資料和研究成果有系統地蒐集、整理，再提供給相關研究者。往後，「尊經閣」要推動「國學及東洋學研究資料擴充五年計畫」，而集中地購買經書類、國文學相關資料、古文書以及成均館相關資料。

二、「尊經閣」藏書的來源

成均館大學校中央圖書館的藏書來自於朝鮮時代「尊經閣」藏書，到了朝鮮末，「尊經閣」收藏資料大約 1,000 餘種 5,000 餘冊。被日本佔領之後，在這批資料中，有一部分歸京城帝國大學管理，3,000 冊左右存放明倫專門學校，光復之後，歸成均館大學所有。後來，經過了韓戰，上述 3,000 餘冊的藏書幾乎燬盡了，僅剩少數藏書，成爲現存藏書的一個來源。之後，韓國儒林諸位的手澤藏本歸成均館大學所有。自韓戰結束，它開始以成爲國學研究的重鎭爲目標全力購買古籍，如今其藏書已達到 25 萬餘冊。其中，古籍資料大約有 7 萬冊，包含 14 個個人文庫本漢籍，其內容如下：

（一）「檀汕文庫」：此文庫在 1965 年由金鐘九先生捐贈 510 冊而設置的。金鐘九先生是一位近代慶北禮安的儒者，此文庫所藏中有《大明一統志》、《儀禮經傳解續》、《皇華集》等 1592 年以前刊刻的不少善本。

（二）「梧齋文庫」：此文庫在 1969 年 12 月由丁來東先生捐贈 106 種 1,475 冊而設置的。丁先生曾是成均館大學教授，他所捐贈的書以儒家經書爲主，尤其是程朱之學相關書籍較多。

（三）「劍如文庫」：此文庫的藏書是在韓國書法界頗負盛名的劍如柳熙綱（1911～1976）在 1975 年 9 月所捐贈的，共 144 種 344 冊，除了儒家經典以外，尙有地理書、詩集、畫譜等資料。

（四）「曹元錫文庫」：此文庫的藏書是在 1975 年由曹元錫先生所捐贈的 1,327 冊，主要是清末民初間所刊的書籍。

（五）「晚溪文庫」：1984 年由白炅鎬先生捐贈古書 537 冊與古文書 190 件而設立的文庫。此文庫所藏古書原本是近代慶北寧海的著名儒者晚溪白燦宗先生的藏書，除了儒家書籍以外，尙有《禮會已覽》等貴重本及古文書。

（六）「青岡文庫」：1987 年由李承楨先生所捐贈的 574

冊而成立的文庫，這批古書是近代全南光州的儒者青岡李浩呈先生的藏書，其中包含儒家性理之書、文集以及史書等，尤其是有關禮說的著作頗多。

（七）「玄潭文庫」：此文庫在 1987 年由柳五衡先生捐贈 210 冊而成立，這批書籍原本是近代著名哲學家玄潭柳正東（1921～1984）先生的藏書，其中有《北溪先生性理字義》等書。

（八）「友松文庫」：此文庫是在 1995 年由李東蕃先生所捐贈的 1,278 冊而設置的。除了古書以外，尙有朝鮮末和大韓民國初期的教科書等，古書中有成宗十五年（1484）刊甲辰字版《東國通鑑》，頗具有文獻價值。

（九）「六宜堂文庫」：此文庫在 1999 年由張泰鎭博士捐贈 653 冊而成立的，這捐贈本原是朝鮮肅宗朝的學者六宜堂張大臨先生的藏書，主要是當時學者必讀的儒家書。

（十）「雨田文庫」：在 1999 年由雨田辛鎬烈先生捐贈的藏書 606 冊來設置的，以清末以後的書籍爲主，其中關於詩的書籍較多。

（十一）「重齋文庫」：在 2000 年 7 月由金昌韓先生捐贈其父榥的藏書 3,499 冊而成立的。金榥（1896～1978）是韓國近代具有代表性的儒者，因爲如此，其藏書具有價值，如《茶山全書草定本》是在日本殖民地時期未經過被檢閱的本子。

（十二）「省軒文庫」：在 2000 年 8 月李佑成先生把其祖

父李炳熹的藏書 4,013 冊捐贈出來而成立。李炳熹先生是近代著名儒者兼史學家，其藏書中有不少和刻本古書。

（十三）「丘庸文庫」：在 2000 年 7 月由丘庸金永卓先生捐贈 338 冊而設置了。金永卓（1922～2001）是近代著名文學家，又是成均館大學名譽教授。其藏書中有朝鮮明宗年間初鑄甲寅字本《音註全文春秋括例始末左傳句讀直解》與木活字本《山谷外集詩註》等善本、韓文小說類、佛經類等。

（十四）「觀川齋文庫」：在 2000 年 7 月裴在厚先生捐贈 124 冊而設置了此文庫。這批書原本是近代儒者觀川齋裴錫夏（1857～1936）先生的藏書，大部分是儒家類書。

除了上述文庫本書籍之外，這幾年尚有幾位捐贈者的寄贈書籍，其內容如下：

（一）孫泳準寄贈圖書：在 2001 年 8 月成均館大學校友孫泳準先生捐贈其家藏本 180 冊，其中有《札翰集》、《簡札帖》等書札與韓文小說，是值得注意的書籍。

（二）金東煜寄贈圖書：在 2002 年 8 月由成均館大學教授金東煜捐贈其藏書 149 冊（其中有古文書 23 件），其中有整理字體鐵活字本版《明山論》、《地理新法胡舜申》等風水書以及《杜律分韻》等書。

（三）鄭鎮國寄贈圖書：在 2002 年 12 月鄭鎮國先生捐贈 586 冊。其中有些書籍鈐有成均館大學的前身明倫學院與明倫專門學院的藏書印，又有大韓帝國末大臣鄭萬朝的手澤本。

（四）宮玖博史寄贈圖書：在 2002 年 9 月由前東京大學（韓國史專攻）教授宮玖博史教授捐贈其藏書 2,000 冊，其中包含關於韓國史研究的日文書與西洋書以及檔案資料。

三、館藏中國古籍的內容與特色

目前，「尊經閣」收藏漢籍 7 萬餘冊和東亞相關學術書籍以及一般資料 3 萬餘冊。至 2003 年 5 月爲止，其藏書現況如下：

東裝本	經部（A）	史部（B）	子部（C）	集部（D）	計
	5,964	16,613	18,579	24,374	65,548

洋裝本	000 總類	100 哲學	200 宗教	300 社會科學	400 純粹科學	500 自然科學	600 藝術	700 語言	800 文學	900 歷史	計
	13,724	3,009	692	2,134	816	57	234	113	6,815	7,286	34,880

在尊經閣所藏中國古籍中不乏珍本祕籍。舉例如下：

（一）《五臣註文選》朝鮮刊本，存 50 冊，朝鮮正德四年（1509）刊本。四周單邊。版框高 23.5 公分，寬 16.5 公分。每半葉十行，行十七字。小註雙行，行三十四字。版心有黑魚尾。缺卷十一至十七，卷二十五至二十七。卷首爲呂延祚〈進集注《文選》表〉和蕭統〈文選序〉。書寫格式爲「文選卷第一」，空四格書「賦甲」。次行「京都上」，空一格書「班孟堅西都賦一首」。第三行齊前行「班孟堅」書「東都賦一首」。第四行同前書「張平子西京賦一首」。與李善注本及六臣注本不同，五臣注本是先錄〈進表〉後錄蕭統〈序〉。又李善注本既以一卷分爲二卷，所以每卷僅列一篇，因此沒有子目，五臣注本則不同，每卷均有子目，此當爲《昭明文選》舊式。書中有黃暻的跋文，說：「我國舊無板本，學者罕得而見之，況讀而熟之乎？曩在成廟朝，嘗命鑄本印之，而今其書存于人者亦寡矣。正德己巳春，晉川姜相公出爲方伯……求得善本，分付列郡，視力之大小輕重而程其功課，力就畢而功告成矣……正德己巳十二月下澣通訓大夫軍資監正製教兼校書館校理黃暻跋」。至於文體分類，此本「移」、「難」兩類目均標出，共有三十九類，與李善注本以及六臣注本的文體分類共有三十七類有所出入，而卻與現藏臺灣國家圖書館的南宋紹興三十一年（1131）陳八郎刻本《五臣注文選》一致。但是此本與陳八郎刻本，除了文體分類相同之外，其分歧甚多，絕非同一系統。傅剛指出：「陳八郎本成公綏〈嘯賦〉脫『走胡馬之長嘶，回寒風乎北朔』兩句，與平昌孟氏本的底本相同（這個底本應該是江琪所說的「古本」），而朝鮮本於此卻不脫。經過將幾個版本校勘，我們發現，事實上朝鮮本與杭州本完全相同，這說明朝鮮本的底本即杭州本，甚或是杭州本的祖本，也即平昌孟氏刻本。」接著說：「在杭州本僅存兩卷的今天，朝鮮正德四年所刻這部五臣注《文選》是完全可以作爲宋本使用的。目前，此本的點校工作正在進行，相信本書的出版，會對中國的《文選》研究，起到推進作用。」[33]

（二）《六臣註文選》，古迂書院覆宋本。60 卷 36 冊。四周單邊，版框高 20.7 公分，寬 13.2 公分。有界。每半葉十行，行二十一字，小註雙行。版心有黑魚尾。書中有「茶陵東山陳氏古迂書院刊行」的刊記，又有「大德已亥（1299）冬茶陵古迂陳仁子書」的文箋。書中鈐有王士禎（1634～1711）印，可見此本曾爲清初王士禎所藏。

（三）《西山先生真文忠公文章正宗》，（宋）真德秀（1178～1235）編選，（明）顧錫疇重訂，朝鮮庚子字版，朝鮮世宗十一年（1429）刊本。四周雙邊，版框高 22.8 公分，寬 14.9 公分。每半葉十一行，行二十一字，小註雙行。版心有小黑口。

（四）《周易傳義大全》，（明）胡廣等奉敕纂修，朝鮮壬亂以前刊本。22 卷 11 冊（缺 2 冊：卷八至九，卷十二至十三）。四周雙邊，版框高 23.8 公分，寬 16.9 公分。半葉十行，行二十二字，小註雙行。版心有大黑口。

（五）《詩傳大文》，（宋）朱熹（1130～1200）集傳，朝鮮壬亂以前木版本。2 卷 1 冊，四周雙邊。版框高 19.5 公分，寬 11.3 公分。半葉十二行，行二十六字，小註雙行。版心有大黑口。

（六）《儀禮經傳通解》，（宋）朱熹解，朝鮮宣祖元年（1568）

---

[33] 傅剛：〈關於現存幾種五臣注《文選》〉，收入《中國典籍與文化》編輯部，《中國典籍與文化論叢（第 5 輯）》（北京：中華書局，2000 年），頁 89～90。

甲寅字活字本。37 卷 20 冊。四周雙邊。版框高 25.2 公分，寬 17.1 公分，小註雙行。《朝鮮王朝實錄・宣祖實錄》「即位年 11 月乙卯」條云：「此冊若令校書館印布則士之欲爲禮學者皆得參考取法」，由此可見其刊印年代與目的。

（七）《儀禮經傳通解續》，（宋）黃榦（1152～1221）著，朝鮮宣祖四年（1571）甲寅字活字刊本。目錄 1 卷，29 卷 33 冊（共 30 卷 33 冊）。四周雙邊。版框高 25.1 公分，寬 17.4 公分。有界。半葉十行，行十七字，小註雙行。《朝鮮王朝實錄・宣祖實錄》「四年辛未（1571）戊辰」條云：「校書館啓儀禮經傳續已畢印，請進上頒賜一依元集例，上從之」，由此可見其刊印年代。

（八）《纂圖互註周禮》，（漢）鄭玄註，朝鮮仁祖二十六年（1648）乙亥字體校書館木活字版刊本。12 卷 7 冊。四周雙邊。版框高 22 公分，寬 14.7 公分。有界。半葉九行，行十五字，小註雙行。序跋後附周禮圖經圖 38 種、傳授圖。《纂圖互註周禮》傳本甚少，《中國古籍善本書目》只記載一本宋刻本，[34]現存中國國家圖書館。在臺灣地區，國家圖書館藏兩部《纂圖互註周禮》，均爲朝鮮刊本，一爲清順治五年（1648）朝鮮趙絅（1586～1669）等刊本；一爲清康熙四十五年（1706）朝鮮刊本。兩個版本末冊卷末附朝鮮金宗直（1431～1492）、趙絅、金寅的三個跋文。由此可見，就《纂圖互註周禮》的流傳

---

[34] 《中國古籍善本書目・經部・禮類》說：「《纂圖互註周禮》十二卷，（漢）鄭玄注、（唐）陸德明釋文。《圖說》一卷。宋刻本。」頁 168。

而言，朝鮮刊本具有特殊價值。

（九）《儀禮圖》，（宋）楊復著，朝鮮宣祖十八年（1585）年初鑄甲寅字覆刻版。17 卷 9 冊。四周雙邊，版框高 23.3 公分，寬 17.2 公分。半葉十行，行十七字，小註雙行，版心題「儀禮圖」，有黑魚尾。書中有序文說：「嘉靖十五年丙申（1536）夏六月壬辰國子監祭酒呂柟序」，又有「萬曆十三年乙酉（1585）錦城開刊」刊記。

（十）《新編算學啓蒙》，（元）朱世傑編撰、（朝鮮）任濬補校。寫本。1 卷 1 冊（卷下）。半葉十二行，行二十字，小註雙行。版框高 23.4 公分，寬 21.1 公分。這本書在中國失傳將近五百多年，阮元在《四庫未收書提要》中曾說：「今《啓蒙》一書不可復見」。[35]後來，道光間羅士琳在北京琉璃廠獲得一本朝鮮重刊元大德己亥年本，清道光十九年以它爲底本刊印。[36]

（十一）《陳思王集》，（魏）曹植（192～232）著，李廷相編次，朝鮮初鑄甲寅字版（約朝鮮中宗二十五年〔1530〕～六十二年〔1567〕刊本）。5 卷 1 冊。四周雙邊。版框高 23 公分，寬 16 公分。有界。半葉九行，行十五字。版心大黑口，內向三葉花紋魚尾。文中有識文云：「正德五年（1510）八月

---

[35] 阮元：《揅經室集・外集》（北京：中華書局，1993 年），卷四，頁 1270。

[36] 此本現藏北京大學圖書館。左右雙欄，版框高 19.7 公分，寬 27.6 公分。半葉十行，行十九字。版心上下有黑魚尾，中間記書名、卷次（上、中、下）」與葉次。書前有朝鮮金始振〈重刊算學啟蒙序〉，次有道光十九年己亥（1839）揚州所寫的阮元〈序〉，次有元大德己亥（1299）七月既望淮揚學算趙城元鎮〈算學啟蒙序〉。次有〈新編算學啟蒙總括〉，次有〈算學啟蒙識誤〉，次有〈算學啟蒙後記〉。本文前有「新編算學啟蒙目錄」。

初五日海山居士長安田瀾汝觀識」。

（十二）《樊川文集》，（唐）杜牧（803～853）著，朝鮮刊本。5 卷 5 冊。四周雙邊。版框高 20.7 公分，寬 14 公分。半葉八行，行十七字，小註雙行。此本是所謂夾註本，中國國內現存杜牧集子的最早刻本，歷來中國公私藏書志並無著錄。朝鮮時期卻刊印過幾次，另一本藏於高麗大學中央圖書館。至於此本在朝鮮時期的刊印，仍需要進一步的討論。

（十三）《山谷外集詩註》，（宋）黃庭堅（1045～1105）著，史容注。朝鮮甲寅字體木活字版（明宗年間）刊本。2 卷 1 冊。四周單邊。版框高 25.5 公分，寬 16 公分。有界。半葉九行，行十七字，小註雙行。文中有「嘉定元年（1208）十二月乙酉晉陵錢文子」序文。

（十四）《增刪濂洛風雅》，（元）金履祥（1232～1303）編，7 卷 2 冊。四周單邊。版框高 18.2 公分，寬 13.8 公分。有界。半葉十行，行二十字，小註雙行。文中有「歲在戊午（1678）閏三月壬子潘陽朴世采書時崇禎紀元之後五十有一年也。」增刪序文，又有「歲在丙辰開刊，田以采梓」的刊記。臺灣國家圖書館藏清康熙間（1662～1722）朝鮮活字刊本。共 4 冊。左右雙欄。半葉十行，行二十字，小註雙行；中國國家圖書館藏日本大正二年（1913）刊本，此本是以上述朴世采（1631～1695）增刪本爲底本刊印的。據此可知，如今我們可看到的《增刪濂洛風雅》，就版本源流而言，幾乎屬於朝鮮刊本系統的。

（十五）《北京八景詩集》，（明）鄒緝等著，朝鮮世宗三十一年（1449）慶州府刊本。不分卷 1 冊。四周雙邊。版框高 18.7 公分，寬 13.8 公分。有界。半葉十行，行二十字。版心有大黑口，下向有黑魚尾。此本爲鄒緝、胡儼等十三人把吟詠北京八景（居庸疊翠、玉泉垂虹、瓊島春雲、太液晴波、西山霽雪、薊門煙樹、盧溝曉月、金臺夕照）的詩編輯而成的。（明）焦竑《國史經籍志》、（清）黃虞稷《千頃堂書目》、（清）倪燦《明史藝文志》、（清）傅維鱗《明書經籍志》等均無著錄此本。惟《欽定續文獻通考經籍考》著錄：「鄒緝等《燕山八景圖詩》一卷」，[37]其書名有所出入，是否同一本書，有待查考。

（十六）《正續名世文宗》，（明）王世貞（1526～1590）編選，（明）陳繼儒（1558～1639）校註，明萬曆四十五年（1617）刊本。16 卷 8 冊。左右雙邊。版框高 22.1 公分，寬 13.1 公分。半葉九行，行二十字，小註雙行。書中有「萬曆丁巳（1617）仲冬長至後二日吳郡錢允治撰陳元素書」、「丁巳（1617）孟冬望日長州陳仁錫書于問龍館」兩篇序文。臺灣國家圖書館藏一部明萬曆丁巳（四十五年，1617）刊本。

（十七）《集千家註分類杜工部詩》，（唐）杜甫（712～770）著，（宋）徐居仁編，（宋）黃鶴補註。元刻本。6 卷 3 冊（其中所藏卷九、十、十五、十六、十九、二十）。四周單邊。版框高 19.2 公分，寬 12.8 公分。半葉十二行，行二十字，小註雙行。

---

37 清乾隆間官修：《欽定續文獻通考經籍考》，楊家駱編：《明史藝文志廣編》本（臺北：世界書局，1963 年），頁 765。

（十八）《杜工部草堂詩箋》，（唐）杜甫著，（宋）魯訔編次，（宋）蔡夢弼會箋。朝鮮世宗年間（1419～1449）南宋本覆刻版。目錄 1 卷、詩話 2 卷、年譜 2 卷 1 冊。左右雙邊，版框高 18 公分，寬 12.7 公分。半葉十二行，行二十字，小註雙行。

（十九）《黃氏集千家註杜工部詩史補遺》，（唐）杜甫著，（宋）黃希、黃鶴同註。朝鮮前期南宋本覆刻版。5 卷 1 冊。左右雙邊。版框高 18 公分，寬 13.1 公分。半葉十二行，行二十字，小註雙行。版心有小黑口。

四、館藏中國古籍的整理與利用

至於「尊經閣」所藏中國古籍的整理與利用，我們可從兩個方面來說明：一為古書目錄；二為建構館藏漢籍的電子資料庫，分為「書志電子資料庫」與「原文電子資料庫」兩種。先說明古書目錄，成均館大學前後編纂過三次的古書目錄：

（一）《古書目錄・第一輯》，成均館大學校中央圖書館編輯，1979 年 3 月由成均館大學校出版部出版。此目錄共收錄 4,622 種 38,693 冊，其中包含檀汕文庫（金鐘九）藏書。

（二）《古書目錄・第二輯》，成均館大學校中央圖書館編輯，1981 年 12 月由成均館大學出版部出版。此目錄收錄《古書目錄・第一輯》未收錄古書 1,519 種 6,013 冊與 1978 年以後新入藏的 189 種 408 冊，共收錄 1,708 種 6,421 冊。其中包含

「梧齋文庫」、「劍如文庫」與「曹元錫文庫」等三種個人文庫藏書。

（三）《古書目錄・第三輯》，2002 年 3 月，由成均館大學校東亞細亞學術院尊經閣編輯，由成均館大學校出版部出版。共收錄自 1982 年至 2000 年間入藏並整理的 4,436 種 14,929 冊。其中並收錄晚溪（白燦宗）、青岡（李浩呈）、玄潭（柳正東）、友松（李奎鎬）等個人文庫藏書，

上述三種目錄的收錄範圍是：1.尊經閣所藏全部藏書中的東裝本；2.所謂東裝本都包含由韓國人、中國人、日本人所撰的刊本與寫本；3.古書之外，尚包含拓本類、書畫類、古文書類等。

編者在此目錄中以「貴種本」、「稀覯本」來表示所藏珍本。「貴重本」是指稿本、名家的親筆寫本、手畫、古文書以及古地圖等在內容上頗具價值的古書；以刊寫年代而言，韓國典籍是朝鮮壬辰倭亂（1592）以前的，中國本是明隆慶時期以前的，日本本是慶長以前的。至於「稀覯本」，在資料的價值或流傳方面不容易看到的古書。我們從這些「貴重本」、「稀覯本」中可看出「尊經閣」所藏中國古籍的文獻價值。

又這三種目錄後都有書名及作者索引，以便檢索。至於分類，基本上依據四部分類法，而往往基於古籍的特殊性與藏書量，適當地修改分類的內容與次序。例如，此目錄中編者把「經部」的「總經類」放在「易類」前面，即是經部的最前面。此「總經類」無疑是四部分類法的「五經總義類」，原本應在「孝

經類」後「四書類」前；又「小說類」在四部分類法中隸屬於子部，而在這三種目錄中隸屬於集部。

另外，「尊經閣」本來擔任東亞學術資料中心的角色，因此，近幾年努力建構了電子資料庫，使得校內外的相關人士透過網際網路檢索其所藏資料。現在，讀者在「尊經閣」網站 http://east.skku.ac.kr 上可以搜尋「尊經閣」所藏圖書 1 萬餘條的目錄及 41 萬餘葉的一般古書與古文書的原文資料，其內容如下：

書誌 DB					原文 DB			
經部	史部	子部	集部	計	種類	卷數	冊數	葉數
5,964	16,613	18,597	24,374	65,548	680	5,677	2,714	421,601

讀者以「分類記號」、「書名」、「人名」、「刊印年」、「版種」等條件來檢索。如「書名」欄輸入「文選」一詞，可檢索朝鮮中宗四年（1509）翻刻初鑄甲寅字本《文選》等 11 種；如在「刊印年」欄輸入「明」一個字，[38]可檢索明嘉靖八年（1529）刊本（明）蔡清（1453～1508）《重訂蔡虛齋先生易經蒙引》等 93 種資料，這 93 種包含明刊本與相當於明刊的朝鮮刊本。除了已有的資料庫以外，爲了給研究者提供更多的方便，「尊經閣」將來還要蒐集有關東洋學的學術資料以及成均館大學東

---

[38] 該檢索系統設定檢索條件，必須以韓文來輸入。這一點在國外學者利用「尊經閣」資料庫時必須注意的地方。

亞細亞學術院附屬機構的研究成果，並把它們輸入電子資料庫中。

陸、高麗大學校圖書館中國古籍存藏概況

一、高麗大學校圖書館的沿革與館藏漢籍的數量

高麗大學校的歷史可上溯到 1905 年 5 月 5 日私立普成專門學校的設立，後來雖然經歷過艱難的過程，至 1921 年設立了財團法人普成專門學校，1922 年依據朝鮮教育令得到專門學校的許可。日本殖民地時期結束之後，1946 年 8 月，高麗大學校以政法學院、經商學院與文科學院等三個學院創立了綜合大學，經過幾十年的努力，如今已發展成爲韓國頗負盛名的私立大學。

至於高麗大學校圖書館，起初 1937 年以普成專門學校創校三十週年紀念圖書館（現中央圖書館舊館）出發，1946 年 8 月其名稱改爲「高麗大學校附屬圖書館」，1955 年 4 月又改爲「高麗大學校圖書館」。之後，高麗大學校圖書館的主要沿革如下：

1957 年 4 月，開設「UN 寄贈圖書室」。

1978 年 3 月，開館開校 70 週年紀念圖書館（現中央圖書館新館）。

1991 年 1 月，將「高麗大學校中央圖書館」改稱爲「高麗

大學校圖書館」。

1994 年 2 月，引進圖書館自動化系統。

2002 年 10 月，100 週年紀念館動工。

高麗大學校圖書館的藏書已達到 1,835,535 冊，包含東洋書、西洋書、漢籍、學術論文以及非圖書資料等。至於收藏漢籍，至 2003 年 3 月 1 日爲止，共有 98,978 冊，其中貴重書也有 5,268 冊。就韓國而言，高麗大學校圖書館所藏漢籍的數量與質量頗爲可觀，尤其是貴重書都很有價値，中國古籍當然也不例外。因此當我們利用韓國所藏中國古籍時，高麗大學校圖書館所藏中國古籍應是値得去注意的。

二、館藏中國古籍的來源

高麗大學校圖書館所藏漢籍的來源大致上有兩個：一爲舊藏本；一爲捐贈本。尤其是捐贈本很多，該圖書館爲了紀念捐贈者，特別設立了文庫，各個文庫的設立原委及藏書特色如下：

（一）「石州文庫」：1972 年 4 月，由慶尙北道安東郡月谷面道谷里 644 番地李哲曾先生把古書 395 種 1,309 冊捐贈給高麗大學校圖書館，因而該圖書館設立了此文庫。此文庫的藏書原本藏於慶尙北道安東法興洞所在「臨清閣」，「臨清閣」是捐贈者李哲曾先生的曾祖李相龍的舊宅。李相龍，號石州，自十九世紀末始，投入抗日民族運動，曾任上海臨時政府的國務領。李氏家族是自高麗至朝鮮時代的名門，到了李相龍的十七代祖先李洺時，興建了「臨清閣」，從此李氏家族以此閣爲中心與很多文人學者交往。當時的藏書量無疑遠超過現在，而無法避免所謂的書厄（包括戰爭、日本人的奪取等），如今流傳下來的只是其中一部分。此閣現在被列爲韓國寶物第 182 號文化財。「石州文庫」共收錄 1,309 冊圖書，除了中國本 35 冊之外，其餘都是韓國本，其中有 37 種善本，如丙辰字本《資治通鑑綱目》69 冊、癸丑字本《新增東國輿地勝覽》16 冊，藏書中均鈐有「臨清閣藏」印。

（二）「薪菴文庫」：此文庫在 1971 年 6 月 16 日由已故薪菴金約瑟先生捐贈古籍 3,000 餘冊與古文書 5,000 餘件而成立的。金約瑟在 1913 年出生於黃海道殷栗，就讀平壤「崇實中學校」與「延禧專門學校」，一輩子致力於古籍蒐集與研究，是一位藏書家兼文獻學家。此文庫的藏書分爲貴重本（包括壬辰倭亂前的木版本、古活字本與丙子胡亂前的筆寫本等）、韓國古書、書帖、基督教相關資料等，就韓國學與書誌學研究而言，具有很高的文獻價值。

（三）「景和堂文庫」：此文庫在 1972 年 3 月 22 日由景和堂朴炯允先生捐贈 3,828 冊而成立的。朴炯允先生的祖先朴光前爲朝鮮名儒李滉退溪（1501～的門人，此文庫的藏書就是朴氏家族自朝鮮時代以來的家藏本。

（四）「華山文庫」：此文庫在 1972 年 6 月由申英妊女士把已故夫君華山李聖儀先生的珍藏典籍 8,713 冊與古文書 1,000 餘件捐贈而設立的。李聖儀先生至 1965 年去世爲止經營古書店「華山書林」，同時蒐集各種善本以及貴重本。此文庫藏書的特色爲：1.藏有豐富的韓國古活字本古籍；2.收藏《洪武正韻譯訓》、《朝天記》等 400 餘種 700 餘冊的善本；3.藏有較多的韓國畿胡地方之文集。

（五）「晚松文庫」：此文庫在 1976 年 11 月由金完燮先生的遺族把金先生的藏書捐贈而設立的。金完燮先生出生於慶北安東，身爲律師、法官、教授，一生致力於韓國學相關資料的蒐集，其藏書共有 2 萬餘冊，可說在韓國近代藏書史上罕見的例子。

（六）「公亮文庫」：高麗大學校中央圖書館在 1976 年至 1981 年間接受到由中華民國辜振甫先生（1917～2005）寄贈本 18,264 冊，該圖書館爲了紀念辜氏在韓、中文化交流中的貢獻，依據辜氏的號，特設此文庫。此文庫的書雖不是珍貴古籍，但就中國學與東洋學研究者而言，無疑是很大的幫助。

（七）「癡菴文庫」：此文庫在 1982 年 3 月由高麗大學校化學科申斗淳教授按已故申奭鎬先生的遺囑把其藏書捐贈出來而成立的。申奭鎬先生是近代韓國史學界的權威，也是高麗大學校文科大學史學科的創辦人，同時對韓國國史編纂委員會的成立與發展有很大的貢獻。

三、館藏中國古籍的文獻價值

高麗大學校圖書館藏中國古籍很多，其中也有不少古籍頗具文獻價值，我們可從該圖書館所出版的《貴重圖書目錄》中大約瞭解其內容。下面舉例來說明：

（一）《龍龕手鏡》，（遼）行均撰。殘本1冊，存卷第三、四。高麗羅州牧刊本。半葉九行，每行十六字，小字雙行。版框高26.5公分，寬18.7公分。左右雙欄，上下白口，上黑魚尾。此本原本爲韓國寶物第130號，後來1997年1月1日改指定爲韓國國寶第291號。此本第三卷無目次，僅存13葉，第四章共有93葉，共存106葉。第三卷版框高19.4公分，寬26.1公分，第四卷版框高19.7公分，寬25.8公分。此本原來是韓國近代著名的文學家崔南善（1890～1957）藏本，乃朝鮮全羅南道順天古刹松廣寺舊藏。《龍龕手鏡》遼版已無傳世之本，在中國流傳下來的最早版本爲南宋浙刊本，書名爲《龍龕手鑑》，宋時爲避翼祖諱，始改「鏡」爲「鑑」，現藏臺灣故宮博物院。[39]但此宋本並非遼本的原貌，惟高麗刊本可窺見遼版面貌，而且在校勘質量方面優於南宋浙刊本，正如陳飛龍指出：「高麗本與宋本（案：南宋浙刊本）彼此之間異同甚夥，難免互有短長，但高麗本可用以訂正宋本之處甚多」，[40]則此本的文獻價值，自不須言。

---

[39] 故宮博物院所藏《龍龕手鑑》的內容，可參看吳哲夫：〈故宮善本書志·《龍龕手鑑》四卷〉，《故宮圖書季刊》第一卷第3期，頁47～49：陳飛龍：《龍龕手鑑研究》（政治大學中國文學研究所博士論文，1974年7月，高明、林尹教授指導），「第一章·版本」，頁7～10。

[40] 相關內容可參看陳飛龍：《龍龕手鑑研究》，「第一章·版本」，「日本昭和四年（1929）京城帝國大學景印高麗本」，頁43～50。至於《龍龕手鑑》的版本問題，可參看陳飛龍：《龍龕手鑑研究》，頁1～50。

（二）《洪武正韻譯訓》，（明）宋濂（1310～1381）等奉敕撰、（朝鮮）世宗命譯訓。朝鮮端宗三年（1455）活字本。原16卷8冊，現存14卷7冊，缺卷一、二1冊。四周單邊，版框高22.1公分，寬15.5公分。半葉八行，每行十一字，小註雙行十五字。版心有黑魚尾。書中大字以木活字、小字以甲寅字來刊刻。1965年4月1日被列爲韓國寶物第417號。此書在朝鮮世宗二十七年（1445），成三問（1418～1456）、申叔舟（1417～1475）等奉敕撰，以韓文來音解《洪武正韻》。因爲當時漢字音的訛傳越來越甚，與實際中國音往往不符，此書正是爲了正確地標記漢字發音而撰寫的。其體例在《洪武正韻》的漢字底下，以韓文來表示譯訓和俗音。就當時漢字音的研究而言，此書具有很高的文獻價值。

（三）《中庸朱子或問》，（元）倪士毅輯釋、朱平仲校訂，1冊。高麗恭愍王二十年（1371）晉州牧刊本。四周雙邊，版框高21.1公分，寬13.2公分。半葉十三行，每行二十四字。上下細黑口，下黑魚尾。1981年3月18日指定爲寶物第706號，書末有「洪虎四年辛亥七月某日晉州牧開刊」刊記，洪虎四年爲高麗恭愍王二十年（1371），洪虎就是洪武，高麗惠宗的名字本爲「武」，爲了避諱而改寫的。此本爲覆元刊本，從中可窺見元刊本的特色。[41]

---

[41] 此書另一版本藏於韓國「성암古書博物館」，它是韓國寶物第 707 號。就刊刻年代而言，寶物707號似乎略晚於寶物706號。

該圖書館尚藏寶物第 710-1 號《東人之文四六》4 冊、[42]寶物第 710-2 號《東人之文四六》2 冊、[43]寶物第 710-5 號《東人之文四六》1 冊[44]以及寶物第 419-4 號《三國遺事》1 冊等韓國古籍。

除了上述三種國寶與寶物中國古籍之外，在高麗大學校中央圖書館所藏中國古籍中尚有不少珍本祕籍：

（一）《春秋經傳集解》，殘本 10 冊（缺卷一、二，目錄），（周）左丘明撰，（晉）杜預（222～284）註，附諸家音訓，（朝鮮）集賢殿集解。朝鮮世宗二十四年（1442）甲寅字刊本。四周雙邊，版框高 26.4 公分，寬 16.9 公分。每半葉十行，行十八字，小註雙行。版心下方有黑魚尾。書中有鑄字跋文說：「……權近拜手稽首敬跋永樂二十年（1422）冬十月甲午……卞季良拜手稽首敬跋宣德九年（1434）九月某日……金鑌拜手稽首敬

[42] 《貴重圖書目錄》云：「《東人之文四六》，（高麗）崔瀣編，高麗恭愍王四年（1335）福州刊本。殘本四冊。四周單邊，版框高 25.2 公分，寬 16.4 公分。每半葉九行，行十八字，小註雙行。版心下有黑口與黑魚尾。冊四末有『至正十五年乙未（1335）正月日福州開板』刊記；冊五末有『至正十五年乙未（1335）八月福州開板』刊記。『晚松文庫』藏本。」頁 73～74。

[43] 《貴重圖書目錄》云：「《東人之文四六》，（高麗）崔瀣編，高麗恭愍王四年（1335）福州刊本。殘本二冊，卷之一至六。四周單邊，版框高 25.8 公分，寬 15.7 公分。每半葉九行，行十九字，小註雙行。版心間有大黑魚尾。卷之七末有『晉州牧開板』刊記。『晚松文庫』藏本。」頁 73。

[44] 《貴重圖書目錄》云：「《東人之文四六》，（高麗）崔瀣編，高麗恭愍王 4 年（1335）福州刊本。殘本一冊，卷之七至九。四周單邊，版框高 26.4 公分，寬 16.2 公分。每半葉九行，行十八字，小註雙行。版心上下有黑口，下方有黑魚尾。」

跋」，又有「正統七年（1442）九月某日印出」刊記。

（二）《廣韻》，5 卷 1 冊，（宋）陳彭年編，元刻本。上下單邊，版框高 21.5 公分，寬 12.8 公分。每半葉十二行，字數不等，小註雙行。版心上下有黑口，下方有黑魚尾。

（三）《新刊標題孔子家語句解》，6 卷 1 冊，（元）王廣謀句解。朝鮮太宗二年（1402）翻刻元版本。四周單邊，版框高 18.6 公分，寬 11.8 公分。每半葉十二行，每行二十二字，小註雙行。目錄末有「泰定甲子（1324）秋蒼巖書院刊行」的原本刊記，又有「……予得是本命刊于江陵……建文四年（1402）七月潘溪朴𡨋誌」的覆刻刊記。[45]「蒼巖書院刊本」今未見，如今在中國可看到的是日本長慶四年（萬曆二十七年，1599）活字重印蒼巖書院刊本。[46]高麗大學校藏本翻刻蒼巖書院本，比日本活字刊本早了將近兩百年，離蒼巖書院本的刊刻年代僅有八十多年，足以看見高麗大學校藏本的文獻價值。

（四）《唐翰林李太白文集》，（唐）李白（701～762）撰，朝鮮世宗二十九年（1447）刊本。6 卷 1 冊。四周雙邊，版框

---

[45] 相關內容可參看金鎬：〈孔子家語版本源流考略〉，《故宮學術季刊》第二十卷第 2 期（2002 年冬季），頁 165～202。。

[46] 李盛鐸：《木犀軒藏書題記及書錄》（北京：北京大學出版社，1985 年）著錄此活字本，說：「標題次行題『猷堂王廣謀景猷句解』。半葉七行，行十七字。眉端標明眼目。目錄末題『今將《素王事紀》別作一卷附後刊行，幸鑒』二行。《素王事紀》前列家語後序。目錄後題『泰定甲子（元年，1324）秋蒼巖書院刊行』一行。後又附《盛朝通制孔子廟祀》一卷。末有慶長己亥（四年，1599）仲夏前學校三要野衲跋。收藏有『賜蘆文庫』楷書朱文長印。」卷三，子部，頁 153。

高 17.5 公分，寬 12.2。半葉八行，行十六字。版心有黑魚尾。書中跋文說：「正統丁卯（1447）五月既望前持平李繼善敬跋」，又卷末題「嘉善大夫慶尙道都觀察黜陟使……金銚」。

（五）《寒山詩》，1 冊，（唐）寒山著，（唐）閭丘胤彙集。覆刻元版本。四周單邊，版框高 16.8 公分，寬 12.8 公分。半葉十行，行十六字。版心題「三隱」。冊末有「元貞丙申（1296）……郭本中焚香敬書」記。書後有「杭州錢塘門裡車橋南大街郭宅紙鋪印行」底本刊記。此本尙有「豐干禪師錄」、「拾得錄」、「天台山國清禪寺三隱集記」、「錄《陸放翁與明老帖》」、「錄郭本中書」等附錄。案：如今傳世寒山子集大部分都是明刊本，只有一本宋刊本，現藏於北京中國國家圖書館。[47]我們從「杭州錢塘門裡車橋南大街郭宅紙鋪印行」刊記來看，高麗大學校藏本的底本是南宋杭州錢塘門車橋大街著名書坊「郭宅紙鋪」所刻的。《夢粱錄》卷七記載：「國子監前有紀家橋，監後曰車橋」。郭宅紙鋪售紙又刊書，開店肆於國子監後，便利讀書士子，是有其商業上之考量。據相關文獻記載，郭宅紙鋪曾刻《寒山拾得詩》1 卷，如黃丕烈（1763～1825）《蕘圃藏書題識・寒山拾得詩一卷・影宋鈔本》說：「寒山詩後有一條云杭州錢塘門裡車橋南街郭宅紙鋪印行。」[48]

---

[47] 北京圖書館編：《北京圖書館古籍善本書目》（北京：書目文獻出版社，1987 年）著錄：「《寒山子詩集》一卷，唐釋寒山子撰：《豐干拾得詩》一卷，唐釋豐干、拾得撰，宋刊本，一冊」，「集部・唐五代別集類」，頁 2016。

[48] 黃丕烈：《蕘圃藏書題識》，《書目叢編》本（臺北：廣文書局，1967 年），卷七，頁 581。

（六）《唐柳先生集》，（唐）柳宗元（773～819）著，（唐）劉禹錫（772～842）編次，朝鮮甲寅字覆刻本。殘本1冊（卷十七至二十）。四周單邊，版框高24.3公分，寬16.6公分。半葉十行，行十八字，小註雙行。版心題「柳文」。

（七）《樊山文集夾註》，正集4卷外集1卷，（唐）杜牧撰，朝鮮舊刊本。四周雙邊，版框高20.2公分，寬13.6公分。半葉八行，行十七字，小註雙行。《貴重圖書目錄》指出此本爲朝鮮壬辰倭亂以前全南刊本。就杜牧詩集而言，此本非常重要，其價值在於：1.此本是中國國內現存杜牧集子的最早刻本。從文字來看，此本也有魯魚亥豕之訛化現象，它並不是一個好本子，但時代較早，必然使它有長於其他諸本的地方，在校勘上有特殊的功用；2.此本雖然是現存杜牧詩集最早的注本，而整體而言，略遜於清代馮集梧注本，但有些字句的注釋，此本較馮注爲佳；3.此本引用了許多現已失傳的書，《十道志》、《春秋後語》、《盾甲開山圖》、《五經通義》、《三輔決錄》、《魏略》、《晉陽秋》等。其中有些書清代雖有輯本，但已遠非原書之舊。此本歷來流傳甚稀，清人的輯佚都沒有用過，因此可成爲古籍輯佚提供新資料。[49]此本臺灣未藏，中國大陸則僅國家圖書館藏一部「朝鮮刊本」，[50]遼寧省圖書館藏「正統五年六月某日朝鮮全羅道錦山開刊」本。

---

[49] 相關內容可參看韓錫鐸：〈朝鮮刻本樊川文集夾注影印說明〉，《中國公共圖書館古籍文獻珍本匯刊‧朝鮮刻本樊川文集夾注》（北京：中華全國圖書館文獻縮微復製中心，1997年），頁3～7。

[50] 《北京圖書館善本書目》著錄說：「《樊川文集夾注》四卷外集夾注一卷，唐杜牧撰，佚名注，朝鮮刻本，四冊邢捐（邢之襄捐贈）。」

總上所述，我們可知高麗大學校圖書館所藏中國古籍的文獻價值之一斑，而仍有不少中國古籍的價值，有待查考。

四、館藏中國古籍的整理與利用

高麗大學校圖書館自 1966 年開始，出版了《高麗大學校藏書目錄叢書》，我們可利用這些目錄來掌握該圖書館所藏中國古籍的內容與特色。其主要藏書目錄有如下幾種：

（一）《石州文庫目錄》，[51]由高麗大學校中央圖書館編輯，爲高麗大學校藏書目錄第九輯。此目錄共收錄 395 種 1,309 冊：木版本 964 冊、活字本 112 冊、木活字本 80 冊、筆寫本 52 冊、其他 98 冊。其中貴重本放在目錄的最前面，其他古籍則按照經部、史部、子部、集部、類叢書部來分類著錄。

（二）《薪菴文庫漢籍目錄》，[52]由高麗大學校中央圖書館編輯，爲高麗大學校藏書目錄第十輯。此目錄共收錄 1,612 種 2,305 冊，其中貴重本放在目錄的最前面，其他古籍則按照經部、史部、子部、集部、類叢書部來分類著錄。

（三）《景和堂文庫目錄》，[53]由高麗大學校中央圖書館編輯，爲高麗大學校藏書目錄第十二輯。此目錄共收錄 1,143 種 3,828 冊，其中貴重本放在目錄的最前面，其他古籍則按照經

---

[51] 首爾：高麗大學校出版部，1973 年。
[52] 首爾：高麗大學校出版部，1974 年。
[53] 首爾：高麗大學校出版部，1975 年。

部、史部、子部、集部、類叢書部來分類著錄。

（四）《華山文庫漢籍目錄》，[54]由高麗大學校中央圖書館編輯，爲高麗大學校藏書目錄第十三輯。此目錄共收錄 1,811 種 7,358 冊，其中貴重本放在目錄的最前面，其他古籍則按照經部、史部、子部、集部、類叢書部、古文書來分類著錄。

（五）《晚松文庫目錄》，[55]由高麗大學校中央圖書館編輯，爲高麗大學校藏書目錄第十四輯。此目錄共收錄 4,899 種 19,071 冊，其中貴重本放在目錄的最前面，其他古籍則按照經部、史部、子部、集部、類叢書部、古文書來分類著錄。

（六）《貴重圖書目錄》，[56]此目錄由高麗大學校中央圖書館編輯，爲高麗大學校藏書目錄第十五輯。其中收錄該圖書館收藏貴重本漢籍（包含韓國人與中國人的著作）3,930 冊，所謂貴重本的標準爲：1.朝鮮壬辰倭亂以前的銅活字與木版本；2.名人親筆手稿、未刊本以及簡札；3.寫本中的唯一本；4.明代中期以前的中國本。

（七）《公亮文庫目錄》，[57]由高麗大學校中央圖書館編輯，爲高麗大學校藏書目錄第十六輯。此目錄並不是古籍目錄，而是一般中國圖書目錄，共收錄 18,264 冊，其中收錄不少古籍影印本，按照韓國十進分類法來分類著錄。

---

[54] 首爾：高麗大學校出版部，1976 年。
[55] 首爾：高麗大學校出版部，1979 年。
[56] 首爾：高麗大學校出版部，1980 年。
[57] 首爾：高麗大學校出版部，1982 年。

（八）《癡菴文庫漢籍目錄》，[58]由高麗大學校中央圖書館編輯，爲高麗大學校藏書目錄第十七輯。此目錄共收錄 288 種 1,389 冊，其中貴重本放在目錄的最前面，其他古籍則按照經部、史部、子部、集部、類叢書部來分類著錄。

（九）《漢籍目錄（舊藏）》，[59]由高麗大學校中央圖書館編輯，爲高麗大學校藏書目錄第十八輯。此目錄的收錄對象是在高麗大學校中央圖書館所藏古籍 10 萬餘冊中，除了個人文庫之外，一般漢籍 5,873 種 39,000 餘冊。其中貴重本放在目錄的最前面，其他古籍則按照經部、史部、子部、集部、類叢書部來分類著錄。

（十）《漢籍目錄綜合索引》，[60]由高麗大學校中央圖書館編輯，爲高麗大學校藏書目錄第十九輯。此目錄爲《晚松金元燮文庫目錄》、《華山文庫漢籍目錄》、《薪菴文庫漢籍目錄》、《景和堂文庫目錄》、《石州文庫目錄》、《癡菴文庫漢籍目錄》、《海史文庫目錄》、《六堂文庫漢籍目錄》、《亞研漢籍目錄》、《漢籍目錄（舊藏）》等十個目錄的綜合索引，其收錄古籍可達 106,000 餘冊。此目錄以書名、著者、編者等次序來編排。

高麗大學校圖書館在舊館二樓設立「特殊資料管理部漢籍室」，以此管理與保管貴重書漢籍 5,268 冊、其他漢籍 98,000 餘冊、古文書 6,600 件、古地圖與一般中國圖書以及影印書籍

---

[58] 首爾：高麗大學校出版部，1983 年。
[59] 首爾：高麗大學校出版部，1984 年。
[60] 首爾：高麗大學校出版部，1985 年。

71,000 餘冊等資料，並提供閱覽服務。

高麗大學校圖書館的網址爲 http://library.korea.ac.kr，讀者可上此網站，檢索該圖書館所藏漢籍的相關內容。尤其是，該圖書館以該學開校一百週年（2005）爲期，自 2001 年開始共分三個階段來推動開發「貴重書 Digital 書庫」。其網址爲 http://163.152.81.89/arbook。目前，第一階段已完成了，其中包含漢籍 493 冊、期刊 930 冊。

柒、延世大學校圖書館中國古籍存藏概況

一、延世大學校圖書館的沿革

延世大學校創始於 1885 年，原係一所長老會傳教師 Rev. Horace Grant Underwood 氏創辦的學校，當時學校的名稱是「延禧專門學校」，一直到 1945 年韓國光復以後，改稱爲「延禧大學校」。到了 1957 年，將延禧大學校與當時在全韓國最早的醫學院 Severance Union Medical College 合併爲今日的延世大學校。

延世大學圖書館有中央圖書館、醫學圖書館等幾個分館，分散在各學院及研究機構，其中以中央圖書館之規模爲最大。該館於 1957 年 11 月以「庸齋館」的新建築落成而開館的。1980 年，現在的中央圖書館落成，位於校本部與正門之間，設備完善，規模尤大，藏書極多。其中許多善本及檔案等貴重資料，往往爲國立中央圖書館、國會圖書館以及奎章閣等其他重要圖

書館所無，由此可窺見其館藏漢籍價值之一斑。

延世大學校以民族文化的繼承和發展爲指標，所以自中央圖書館開館以來，努力蒐集漢籍，這正是說明延世大學校所嚮往的學問趨向。

二、館藏中國古籍的來源

延世大學校中央圖書館所藏漢籍自 1915 年延熙專門學校創立開始蒐集，主要以該校創辦百年以來之徵集、購買等方式來收集。除此之外，有些私人藏書通過捐贈匯於該圖書館，該圖書館爲了這些私人藏書專門設立了個人文庫，其內容如下：

（一）「默容室文庫」：此文庫 1932 年 9 月由全南谷城丁鳳泰氏一門捐贈家藏本 9,458 冊而成立的，這家藏本是金城丁氏的世傳文獻與他們家族後來蒐集的珍本古籍。此中有（宋）戒環解「朝鮮重刊隆慶元年本」《大佛頂如來密因修證了義諸菩薩萬行首楞嚴經》、（宋）朱熹撰、（朝鮮）任聖周（1711～1788）編「芸閣印書體字本」《朱文公先生齋居感興詩諸家註解集覽》、（朝鮮）鄭之雲（1509～1561）撰「嘉靖丁未刊本」《天命圖說》等。

（二）「綏堂文庫」：此文庫由 1973 年 6 月閔台植氏把先祖藕堂先生的手澤私藏本 175 種 765 冊捐贈而成立的。其中有（宋）范祖禹（1041～1098）撰、（宋）呂祖謙（1137～1181）註「弘治十年重刊本」《東萊先生音註唐鑑》、（宋）祝穆編集

「萬曆刊本」《新編古今事文類聚》等。

（三）「庸齋文庫」：此文庫是由延世大學校第一任校長白樂濬博士捐贈書而成立的，共有 45 部 468 種。其中有（朝鮮）鄭元容《經山目錄》（此本爲自朝鮮正宗癸卯〔1783〕至高宗癸酉〔1873〕間的公私記錄）、（朝鮮）鄭元容《箕城錄》等草稿本，又有（唐）杜甫撰、李植（1584～1647）批解《纂註杜詩澤風堂批解》、（明）劉剡編、（明）張光啓訂正「丁酉字本」《增修附註資治通鑑節要續編》等。

（四）「元氏（Underwood）文庫」：是由延世大學創辦者元杜尤（H. G. Underwood）博士、子漢慶（H. H. Underwood）、孫一漢（H.G. Underwood）三代持續捐贈的，共有 165 種 1,147 冊。其中有（明）唐應德撰《新刊唐荊川先生稗編》等。

（五）「李源墐文庫」：由 1937 年 3 月前延熙大學校教授兼董事李源墐博士捐贈而成立的，主要以韓國湖南地方蒐集的古書爲主，共有 176 種。其中有（唐）慧忠註「嘉靖六年刊本」《摩阿般若波羅蜜多心經》、（宋）黃堅編、（宋）宋伯貞音譯、（宋）劉剡校正「崇禎三年朝鮮刊本」《詳說古文真寶大全前集》等。

（六）「張起元文庫」：是 1969 年 5 月由歷任延世大學教授與代理校長的張起元博士所捐贈的，以算書爲主，共有 94 種 94 冊。其中有（晉）劉徽注、南秉吉解「全史字本」《九章術解》、（元）朱世傑撰「順治十七年（1660）重刊本」《新編算學啓蒙》等。

（七）「佐翁文庫」：是 1932 年 9 月由歷任前延熙專門學校校長尹致昊先生的捐贈而設置的，其中古籍共有 60 種 167 冊，如「丁酉字本」《崇禎四丁亥增廣別試文武科榜目》、（宋）朱熹刊誤、（宋）董鼎註「內賜本」《孝經大義》等。

（八）「濯斯文庫」：是 1934 年 9 月以崔炳憲氏所藏圖書 99 種 1,789 冊而設置的，其中有多種寫本，如（元）楊士弘編、張震註「寫本」《唐詩正音輯註》等。

（九）「韓相億文庫」：此文庫 1937 年 6 月由韓相億氏捐贈家藏本 421 種 6,540 冊而成立的。韓相億氏家藏本的來源有兩個：一是韓氏世傳文獻；一是洪仁謨（1755～1812）、洪奭周（1774～1842）的洪氏兩代藏書，這些藏書後來傳給外裔韓弼教手中。此文庫的不少寫本、稿本均具有較高的文獻價值，其中有（明）吳嘉謨集校「芸閣筆書體字本」《孔聖家語》、（宋）朱熹纂《宋名臣言行錄》等。

（十）「海觀文庫」：1934 年 10 月由金一善氏寄贈 1,214 冊而成立的，其中有（明）吳仕期編「寫本」《古今名喻》、「寫本」《春秋古文經傳人名通考》等 49 種古書。

（十一）「鷺山文庫」：1985 年 8 月 7 日鷺山李殷相博士的遺族寄贈其藏書而成立的，主要有韓國人著作，而不乏（明）李東陽（1447～1516）著「寫本」《懷祿堂擬古樂府》等中國古籍，共有 133 種。

三、館藏中國古籍的內容和特色

目前爲止，延世大學中央圖書館所藏漢籍已達到 8,763 種 65,400 餘冊。其中不乏各種古活字本、珍本以及貴重寫本，而且經史子集的書籍均有，尤其是韓國文集類古籍比其他圖書館較爲完備。除此之外，尙有 2 萬多種檔案，也有很高的文獻價值。該館所定的善本標準以西元 1910 年爲準，換言之，清朝以前刊行的古籍爲限，之後所刊行的書籍不在其範圍之內。該館所藏漢籍有中國各朝代所刊行的古籍與韓國高麗和朝鮮時代所刊行的古籍以及日本刊本爲主，其中以朝鮮本爲最多，中國本爲次之。

《延世大學校中央圖書館古書目錄》第二集本文後附有「貴重圖書書架目錄」，共收錄 949 種。其中包含不少中國古籍，以下舉個例子說明：

（一）《唐柳先生集》，殘本，存卷之三十四至三十六，甲寅字金屬活字本（1440 年刊印）。四周雙邊，版框高 27.7 公分，寬 17.5 公分。半葉十行，每行十八字，小註雙行，每行二十字。版心白口，有黑魚尾。此書爲延世大學貴重圖書第 337 號。

（二）《詳說古文真寶大全》，1450 年間安平大君（庚午）字金屬活字本。四周單邊。版框高 21.9 公分，寬 15.4 公分。半葉十五行，每行九字，小註十八字。版心白口，有黑魚尾。

（三）《洪武正韻》，1455 年間甲寅字金屬活字本。四周雙邊，版框高 21.9 公分，寬 15.6 公分。半葉十一行，每行八字，小字十五行，每行十六字。版心白口，有黑魚尾。

（四）《文翰類選大成》，1486 年鄭蘭宗（乙酉）字本。四周雙邊，版框高 21.9 公分，寬 15 公分。半葉二十一行，每行三十一字，小註二十一行，每行二十六字。版心白口，有黑魚尾。

（五）《文苑英華》，1516 年丙子字本。四周雙邊，版框高 24.4 公分，寬 17.4 公分。半葉二十一行，每行十二字。版心白口，有黑魚尾。

（六）《翁方剛書帖》，親筆手寫本，20 張。

（七）《延平李先生師弟子答問》，（宋）朱熹編，嘉靖甲寅（1554）清州牧刊本。2 卷 2 冊。四周雙邊，版框高 18.8 公分，寬 13.3 公分。半葉九行，每行十六字。版心上下大黑口。

（八）《景德傳燈錄》，道原纂，隆慶二年（1568）平安道順安法興寺刊本。30 卷 10 冊。四周單邊，版框高 19.9 公分，寬 15.5 公分。半葉十二行，每行二十字。

（九）《佛祖三經》，（宋）守遂註，隆慶五年（1571）全羅道益山地豆叱材豆永貞家刊本。四周單邊，版框 18.3 公分，寬 15.2 公分。半葉九行，每行十五字，小註雙行。版心上下大黑口。

（十）《釋迦如來十地修行記》，明正統戊辰（1448）端陽伊府刊本。44 張。四周單邊，版框高 21 公分，寬 15.4 公分。半葉十行，每行二十字。

（十一）《禪源諸詮集都序》，（唐）宗密（780～841）述，弘治六年（1493）朝鮮全羅道高山地佛名山花岩寺刊本。2 卷 1 冊（51 張）。四周單邊，版框高 18.4 公分，寬 12.9 公分。半葉十行，每行二十字，小註雙行。版心上下內向黑魚尾。

（十二）《水陸無遮平等齋儀撮要》，隆慶三年（1569）朝鮮咸鏡道文川地盤龍山靈德寺刊本。46 張。四周單邊，版框高 20 公分，寬 16 公分。半葉八行，每行十七字，小註雙行。版心上下有大黑口。另有萬曆元年（1573）朝鮮忠清道忠州地月岳山德周寺刊本。53 張。四周單邊，版框高 27.4 公分，寬 20.3 公分。半葉七行，每行十七字，小註雙行。版心上下內向黑魚尾。

（十三）《疊山先生批點文章軌範》，（宋）謝枋得（1226～1289）編，舊刊本。7 卷 2 冊。四周單邊，版框高 20.7 公分，寬 14.7 公分，小註雙行。版心上下有大黑口，上下內向黑魚尾。

（十四）《聖元名賢播芳續集》，乙亥字本。1 冊（卷之四～六）。四周雙邊，版框高 22 公分，寬 14.3 公分。半葉九行，每行十七字，小註雙行。版心上下大黑口，上下內向花紋魚尾。

（十五）《瀛奎律髓》，（元）方回（1227～1307）編，舊刊本。殘本 6 冊（卷之六～十二、十六、十七～十九、二十、三十六～四十二、四十七～四十九）。四周雙邊，版框高 19 公分，寬 12.2 公分。半葉十行，每行二十一字，小註雙行。版心上下有大黑口，上下內向黑魚尾。書中有手書刻跋云「成化三年（1467）龍集丁亥六月下澣皆春居士識。成化紀元十有一年乙未（1475）三月上澣首府尹通政大夫尹孝孫謹跋」。

（十六）《詠史絕句》，（明）程敏政（1445～1499）編，明嘉靖甲午（1543）年朝鮮黃海道刊本。43 張。四周單邊，版框高 19.2 公分，寬 12.9 公分。半葉八行，每行十八字。版心上下大黑口，上下黑魚尾。

（十七）《五百家註音辯昌黎先生文外集》，（唐）韓愈（768～824），覆刻癸未字本。殘本 1 冊（卷之一～四）。四周單邊，版框高 19.7 公分，寬 12.6 公分。半葉十行，每行二十字。版心上下有黑魚尾。

（十八）《文章辨體》，（明）吳訥（1372～1457）編，甲辰字本。殘本 2 冊。四周雙邊，版框高 24.1 公分，寬 16.4 公分。半葉十三行，每行二十一字。版心上下有大黑口，上下黑魚尾。

（十九）《近思錄》，（宋）朱熹、（宋）呂祖謙撰，萬曆戊寅（1578）朝鮮禮山縣刊本。14 卷 4 冊。四周單邊，版框高 25.5 公分，寬 16.7 公分。半葉九行，每行十八字，小註雙行。版心上下有內向花紋魚尾。書中有識文說「萬曆戊寅（1578）五月某日縣監尹簧謹識」。卷末有墨記云：「辛巳夏佐幕到是邑尹候伯說持以爲贈」。

從這些例子中，我們可窺見延世大學校所藏中國古籍文獻價值的一斑。

值得注意的是，該學校所藏中國古籍中，韓國刊本較多，或以活字本或刻本刊印問世，這些韓國活字本或刊本的版本源流值得我們去探討。

四、館藏中國古籍的整理與利用

有關該館所藏漢籍的整理與利用，延世大學校中文系退休教授許壁先生於 1986 年發表〈韓國延世大學中央圖書館所藏中文善本書目〉（上、下），[61]從中可窺視延世大學中央圖書館所藏中國善本的存藏情況。其凡例說：

> 一、敘錄（按：所謂「敘錄」即「目錄」）所收以延世大學中央圖書館所藏本為限。
>
> 二、本敘錄所收善本在中國刊行之漢籍中文善本（中國版本）在朝鮮半島所刊之高麗版本及朝鮮版本（寫本為限），則因數目太多，篇幅有限，概不收錄，以後再介紹。
>
> 三、本敘錄依近代式的十進分類法分為總類、哲學、宗教、社會科學、語言、自然科學、應用科學、藝術、文學、歷史類及各家文庫。
>
> 四、本館所藏中文善本以一九一〇年以前所刊行為限，其後刊行之善本則概不收錄。

---

61 《書目季刊》第十九卷第 4 期（1986 年 3 月），頁 14～29；《書目季刊》第二十卷第 1 期（1986 年 6 月），頁 60～86。

五、本敘錄所收善本以一九八〇年所藏為限，其後收錄之善本則概不收錄。

六、書長之數目，例如一八乘一三公分則皆以匡廓之長。

七、文庫目錄則依照順序另外分類之。概不收錄。[62]

從此可見此目錄的收錄對象、範圍、分類方法、善本的標準等。此目錄共收錄 422 種：總類共著錄 50 種，其中叢集類有《漢魏叢書》等 14 種、類書類有《韻府群玉》等 27 種、目錄類有《唐書・藝文志》等 9 種；哲學類共著錄 98 種，其中術書類有（唐）卜則魏著《地理天機會元正篇體用括要》等 16 種、倫理類有（清）王相註、鄭漢校《女四書》等 2 種、易學類有（明）來知德（1525～1604）註《來瞿唐先生易註》等 10 種、儒學類有（宋）真德秀（1178～1235）彙輯、（明）陳仁錫評閱《大學衍義》等 54 種、道家及其他諸子有（明）徐曉《文荷齋南華日抄》等 16 種；宗教類共著錄《玉定金科特宥輯要》等 14 種；社會科學類共著錄《警天雷》等 16 種；語言文字類共著錄（明）凌稚隆編《五車韻瑞》等 17 種；自然科學類共著錄（元）朱世傑撰《四元玉鑒細草》等 15 種；應用科學類共著錄（明）龔廷賢（1522～1619）撰、龔安國編《雲林醫聖普渡慈航》等 10 種；藝術類共著錄（明）王常編《集古印譜》等 13 種；文學類共著錄（宋）周弼選《新增唐賢絕句三體詩法》等 130 種；歷史類共著錄（元）胡三省（1230～1302）考

---

62 （韓國）許壁：〈韓國延世大學中央圖書館所藏中文善本書目〉（上），《書目季刊》第十九卷第 4 期（1986 年 3 月），頁 16。

訂、(明) 吳勉學校正《通鑑釋文辨誤》等 59 種。

但是，此目錄並不完全收錄該圖書館所藏漢籍，因此我們要瞭解其所藏漢籍的全貌，應該利用延世大學中央圖書館 1977 年出版的《延世大學校中央圖書館古書目錄》第一集和 1987 年出版的《延世大學校中央圖書館古書目錄》第二集。

《延世大學校中央圖書館古書目錄》第一集的收錄範圍爲延世大學圖書館所藏的古籍(韓國本、中國本、和刻本)部分，就刊行年代而言，僅收錄了 1910 年以前所刊行的書，沒有收錄將近 2 萬餘件的古文書。就分類而言，此目錄依據 Dewey 的十進分類法而編成，其分類主題爲總類、哲學、宗教、社會科學、語言、自然科學、應用科學、藝術、文學、歷史類等共十類。中國或日本刊行的古籍在同一主題內以外國本分別收錄。其著錄體例如下：

0743　　귀 588

心經附註

(宋) 真德秀撰、(明) 程敏政集註。木版本。4 卷 1 冊 (127 張)

序：弘治五年壬子 (1492) 七月望　新安程敏政謹序

識：弘治壬子 (1492) 十二月望日 沙溪汪祚識

跋：弘治五年壬子 (1492) 八月朔旦　敏政再書

十行二十三字　註小字雙行：上下大黑口，上下內向黑魚尾，界限，四周雙邊；242×170 ㎜

墨記：本文・欄外에 小字註

從此讀者可清楚地瞭解《心經附註》的相關著錄內容。惟需要說明的是右上角的「귀（按：貴）588」者表示爲該館的貴重本，限制閱覽。

延世大學校中央圖書館爲了紀念延禧專門學校圖書館創設以來寄贈家傳本或個人祕藏本的有志人士，設置了個人文庫，在此目錄後面分別編輯各文庫目錄。文庫的次序以文庫名的字母順序來排列；本文則依韓文字母順序排列。

《延世大學校中央圖書館古書目錄》第二集收錄《延世大學校中央圖書館古書目錄》第一集所遺漏的古書與自 1977 年至 1986 年間蒐集的古書 5,324 種 18,892 冊。此目錄中所謂「古書」並不是就其刊刻年代而言，而是指一本書是否具有線裝、帖裝等形態。但是雖然是線裝書，其刊刻年代爲 1900 年以後，而且其紙葉爲單葉，與現代一般圖書一般，則把它們收藏於新書部，不收錄於此目錄中。就分類而言，此目錄依據 Dewey 的十進分類法而編成，其分類主題爲「總類」、「哲學」、「宗教」、「社會科學」、「語言」、「科學」、「技術科學」、「藝術」、「文學」、「歷史・地理・傳記」等共十類。由此可見，與第一集目錄的分類有所不同。其中中國或日本刊行的古籍在同一主題內以外國本分別收錄。卷末有「主題名索引」與「書名著者索引」，以便查閱。值得注意的是，此目錄末有三個附錄：一爲「貴重圖書書架目錄」，其中第 1 號到第 501 號貴重書收錄於《延世大學校中央圖書館古書目錄》第一集，第 502 號到第 949 號收錄於《延世大學校中央圖書館古書目錄》第二集，我們可通過此目錄一目瞭然地了解延世大學圖書館所藏貴重本的全貌；二爲「庸齋文庫古書追加目錄」，把收錄於《延世大學校中央圖書館古書目錄》第二集的古書抄出來並匯集，《延世大學校中央圖書館古書目錄》第一集中「庸齋文庫目錄」所收錄的不在其收錄範圍；三爲「鷺山文庫古書目錄」，這是在 1985 年 8 月 7 日由鷺山李殷相博士的遺族寄贈而成立的文庫之目錄。

除了上述的目錄外，讀者可利用延世大學中央圖書館網站（http://library.yonsei.ac.kr/dlsearch/TGUI/Theme/Yonsei/main.asp）檢索該圖書館所藏古籍的題目、作者等項目以及一部分原文資料庫。其中古書原文資料的檢索，分爲韓文的子音次序目錄與主題別目錄兩種檢索方法，假如讀者選擇主題別目錄，可看到「韓國——歷史書」、「韓國——地理書」、「韓國——經世書」、「韓國——科學技術書」、「韓國——文集、全書」、「韓國——類書、雜纂」、「國語學——韓文研究書」、「國語學——譯語」、「國語學——經典」、「國語學——倫理書」、「國語學——文學、歷史書」、「韓文文學——詩歌」、「韓文文學——小說」等項目。由此可見，目前爲止，其內容以韓國學資料爲其範圍。

捌、嶺南大學校圖書館中國古籍存藏概況

一、嶺南大學校圖書館的沿革與館藏古籍概況

嶺南大學位於韓國慶尙北道，已有五十多年歷史的私立名校之一。1967 年 12 月 22 日，嶺南大學正式獲得設立許可，其

前身是 1947 年 9 月 22 日設立的財團法人大邱大學校與 1950 年 4 月 10 日設立的財團法人青邱大學校，後來把這兩所學校合併而成爲嶺南大學校。1967 年 12 月 22 日，嶺南大學校圖書館也將舊大邱大學校圖書館當作該學校的中央圖書館而開始圖書館業務。1999 年 7 月 21 日，其藏書已有 100 萬卷，2003 年 9 月 1 日，引進了圖書館自動化系統 SLIMA-DL。

1997 年 9 月，嶺南大學校圖書館設置了「古書室」，除了刊印《古書目錄》以外，在內部設立了各種文庫，以此管理所蒐集的古書。1997 年 5 月，以創校 50 週年紀念活動之一，舉辦了「古書・古文書展示會」，從此仍致力於古書與古文書的蒐集和整理。

嶺南大學校圖書館到 2003 年 9 月 1 日爲止，共收藏 65,573 卷古籍。依據十進分類法來分類，其內容如下：總類共有 13,297 卷、哲學類有 11,922 卷、宗教類共有 1,373 卷、社會科學類共有 1,666 卷、純粹科學類有 534 卷、技術科學類有 801 卷、藝術類有 787 卷、語學類有 1,111 卷、文學類有 20,559 卷、歷史類有 13,523 卷。據李樹健統計，該圖書館所藏的中國本古書的現況如下：[63]

[63] （韓國）李樹健：〈嶺南大中央圖書館所藏中國古書的現況及其性質〉（譯名），《民族文化論叢》（大邱：嶺南大學民族文化研究所，1996 年）第十六輯，頁 190。

區分／十進分類	一般漢籍		汶坡文庫		韶庭文庫		凡父文庫		東濱文庫		陶南文庫		合計	
	種數	冊數	種數	冊數	種數	冊數	種數	冊數	種數	冊數	種數	冊數	種	冊（%）
000・總類	8	263	4	306	2	33	5	28	33	802	・	・	52	1,432 （23.4）
100・哲學	45	414	25	167	13	66	12	56	43	192	2	19	140	914 （14.9）
200・宗教	4	6	・	・	2	7	3	8	7	209	・	・	16	230 （3.8）
300・社會科學	1	5	・	・	2	7	1	1	2	21	・	・	6	34 （0.6）
400・純粹科學	5	67	3	29	1	6	1	1	・	・	・	・	10	103 （1.7）
500・技術科學	6	23	1	6	・	・	・	・	3	9	1	16	11	54 （0.9）
600・藝術	・	・	・	・	・	・	・	・	21	109	・	・	21	109 （1.8）
700・語學	6	61	・	・	1	6	1	4	15	97	・	・	23	168 （2.7）
800・文學	46	566	8	104	2	3	7	53	76	844	4	64	143	1,634 （26.7）
900・歷史・地理	46	613	3	26	1	5	6	45	64	723	4	33	124	1,445 （23.6）
合計	167 306	2,018 330	44 81	638 104	24 44	133 22	36 66	196 32	264 484	3,006 491	11 20	132 22	546 100	6,123 （100）

由此可見，該圖書館收藏中國古書以哲學、文學、歷史地理以及包括這三個領域的總類（類書與叢書類）爲主。就四部分類法而言，屬於子部的古籍很少。值得一提的是，一般漢籍與汶坡、韶庭、凡父、陶南文庫本古籍都是由嶺南地方出身或居住嶺南地方的藏書家所藏的，至於東濱文庫的古籍從全國各地蒐集而來的。需要注意的是，上面的統計以 1976 年所設置的「陶南文庫」爲止，而自 1976 年以後主要通過捐贈，仍有不少古書流入該圖書館，因此目前爲止，該圖書館所藏中國本古書已經不只 6,000 多冊了，至於正確的數字，有待查考。

除了上述古籍之外，該圖書館尙存藏古文書、古地圖等，這些資料均藏在該學校中央圖書館五樓至十一樓間的古文獻室，讀者可在室內閱覽或複印。

二、館藏中國古籍的來源

嶺南大學校圖書館收藏漢籍主要是購買或者有志之士們的捐贈而聚集的。以下就主要來源簡述一下。

（一）「一般漢籍」共有 25,000 冊，這批古書自 1947 年至 1955 年間收藏，是指主要將嶺南大學校的前身大邱與青邱兩個大學校圖書館所藏漢籍移到嶺南大學圖書館。大邱、青邱兩所大學校把在大邱、慶北地區流傳下來的古書通過購買、捐贈的方式蒐集。其中，中國本古籍的數量甚少，而且清代以前刊本也非常少。這是因爲十七世紀前，嶺南士林在朝鮮政壇中非常活躍，有些人常出奉使明、清朝，往往親自購買中國本古籍。但是，自十七世紀末以來，朝鮮政壇以老論一黨霸佔，而嶺南士林幾乎被排斥，很自然地並無機會接觸中國古籍，因此當時在嶺南地區很少士大夫家族收藏中國古籍。有的藏書家雖然有少數的中國古籍，但是大部分從上海購買的清末民初的鉛印本、石印本與影印本。

（二）「汶坡文庫」是 1947 年由崔浚先生捐贈古書 5,500 冊而設立的。這批古書是慶州校里崔氏家的傳世圖書，其中包含朝鮮時代在嶺南地區刊印的名賢、文士們的文集和六經、四書等儒學的基本教科書以及唐宋的詩文集、類書等，尤其是《先賢筆帖》40 餘冊與各種筆帖等，給研究嶺南文化提供非常寶貴的資料。

（三）「韶庭文庫」是 1965 年韶庭崔海宗先生捐贈古書 1,100 冊而成立的。

（四）「東濱文庫」是東洋史學家東濱金庠基的藏書，此文庫 1971 年 5 月和 1977 年 4 月古書 6,500 冊與一般圖書 4,000 冊捐贈給圖書館而成立的。其中有批資料在研究韓國金屬活字印刷術、木版印刷術以及中國的印刷術方面頗有價值。東濱文庫的藏書共 1,851 種 7,188 冊，以版本的種類來區分，其內容如下：[64]

---

[64] 同前註，頁 194。

	韓國本		中國本		日本本		合計	
	種比	冊比	種比	冊比	種比	冊比	種比	冊比
	65.5	30.4	32.7	68.8	1.8	0.8	100%	100%
金屬活字本	71	233					346（18.7）	1,500（20.9）
木活字本	46	105	1	1				
鉛活字本	129	265	80	875	19	21		
木版本	299	511	299	2,568	7	11	650（32.7）	3,088（42.9）
套印本			7	32			7（0.4）	32（0.5）
拓本	46	56	29	36			75（4.0）	92（1.3）
石印本	33	56	59	615			92（4.9）	671（9.3）
影印本	23	163	113	772	6	22	142（7.7）	957（13.3）
筆寫本	544	769	16	26			560（30.3）	795（11.1）
其他	21	25	1	24	2	2	24（1.3）	51（0.7）
合計	1,212	2,183	605	4,949	34	56	1,85（100%）	7,188（100%）

由此可見，在東濱文庫藏書中，中國本較多，而且其中不乏宋本、元本、明本等善本。值得一提的是，金庠基先生在其

收藏書中，選擇善本，進行了鑑定的工作，在每本書中寫識文，敘述其鑑定的內容。如《爾雅註疏》的識文說：「刻工名七十餘名，以刻工見宋乾道、淳熙年間等，可知此本之刊行年代。而書中間有補刻處『中山殿御用』、『伊藤守時善藤』等印，想此本自日本來者」；《論語註疏解經》識文說：「宋諱樹、殷、玄、桓、匡、微……等字，或缺筆，墨圍崩字卻，甚罕見（避崩之例《音點大字荀子句解》有之，《寶禮堂宋本書錄》參照）」，由此不難看出金庠基先生對於目錄版本學方面頗有研究。

（五）「凡父文庫」是 1976 年 6 月 15 日由金斗弘先生捐贈古書 3,592 冊與一般圖書 64 冊而成立的，以中國哲學、思想、宗教的古書為主。

（六）「陶南文庫」是 1976 年 11 月 4 日由崔好分女士與其子趙時來先生把其父趙潤濟先生的藏書共 6,908 冊（古書有 3,635 冊，一般圖書有 3,273 冊）捐贈而成立的。趙潤濟先生曾是韓國國文學界的大師，因而其收藏圖書對於韓國文學研究具有很高的參考價值。其中，寫本《稗林》一書，共 200 冊，是海內孤本；寫本《大般涅槃經》卷第三，是敦煌出土本。

（七）「斗山文庫」是 1981 年 9 月 15 日由斗山金宅圭先生捐贈古書 79 冊與一般圖書 1,582 冊而成立的。

（八）「竹下文庫」是由李應漢先生所捐贈的古書 1,248 冊而成立的。

（九）「味山文庫」是 1996 年 4 月 30 日由李千順女士捐

贈古書 5,792 冊、古文書 2,406 冊與一般圖書 1,650 冊而成立的。這批古書的大部分是嶺南、湖南地方的文集與經書。

（十）「牧泉文庫」是 1996 年由牧泉俞昌均先生所捐贈的古書 247 冊與一般圖書 4,629 冊而成立的。

（十一）「南齋文庫」是大邱義陵南氏家族藏書，1998 年 7 月 16 日捐贈的，其中古書有 6,100 冊、古文書 7,516 件以及各種出版文化相關資料 200 餘件。就刊刻年代而言，均有自韓國高麗時代至朝鮮後期的刊本，其中不乏有國寶或寶物級的典籍。古文書也對研究朝鮮時代生活史頗有價值，另外尚有佛教資料。南齋文庫古書的版本現況如下：[65]

---

[65] 嶺南大學中央圖書館編：《嶺南大學校圖書館所藏古書目錄・南齋文庫第一輯》（慶山市：嶺南大學中央圖書館，2001 年），「南齋文庫的古書與古文書」解題部分。

<table>
<tr><th colspan="2"></th><th>種數</th><th>版本</th><th>活字名</th><th>種數</th><th>版本</th><th>活字名</th><th>種數</th></tr>
<tr><td rowspan="3">木版本 1,619 種 38%</td><td>韓國本</td><td>1,458</td><td rowspan="4">金屬活字本 106 種 2.5%</td><td>甲寅字</td><td>2</td><td rowspan="4">木活字本 445 種 10.4%</td><td>秋香堂活字</td><td>1</td></tr>
<tr><td>中國本</td><td>135</td><td>戊午字</td><td>1</td><td>訓練都監字</td><td>12</td></tr>
<tr><td>日本本</td><td>26</td><td>戊申字</td><td>11</td><td>甲寅字體活字</td><td>5</td></tr>
<tr><td colspan="2">筆寫本 1,132 種（15.5%）</td><td>1,132</td><td>丁酉字</td><td>3</td><td>紫芝洞活字</td><td>1</td></tr>
<tr><td rowspan="3">新式印刷本 350 種（8.2%）</td><td>韓國本</td><td>245</td><td rowspan="6"></td><td>壬辰字</td><td>6</td><td rowspan="6"></td><td>五山集字</td><td>1</td></tr>
<tr><td>中國本</td><td>3</td><td rowspan="2">乙亥字</td><td rowspan="2">1</td><td rowspan="2">芸閣印書體活字</td><td rowspan="2">1</td></tr>
<tr><td>日本本</td><td>102</td></tr>
<tr><td rowspan="3">新式活字本 288 種（6.8%）</td><td>韓國本</td><td>270</td><td rowspan="3">甲辰字</td><td rowspan="3">1</td><td rowspan="3">芸閣筆書體活字</td><td rowspan="3">6</td></tr>
<tr><td>中國本</td><td>11</td></tr>
<tr><td>日本本</td><td>7</td></tr>
</table>

石印本206種（48%）	韓國本	142		栗谷全書字	2		整理字體活字	6
	中國本	62						
	日本本	2						
鉛活字本95種（64%）	韓國本	88		觀象監活字	1			
	中國本	7						
謄寫本16種（0.4%）		16		顯宗實錄字	4		徐氏木活字	9
				芸閣印書體字	16		張混字	5
				校書館筆書體鐵活字	1		聚珍字	1
				整理字	11		學部印書體活字	2
				韓構字	2		博文局活字	1
拓本6種（0.1%）		6		希顯堂鐵字	20		全史字體活字	9
影印本1種		1		全史字	23		其他	385

可見此文庫收藏中國本古籍並不多。此文庫藏書的特色是眾多的活字本，自朝鮮前期的甲寅字、乙亥字到朝鮮末期的全史字，具備了各式各樣的活字本，從此可窺見朝鮮活字印刷文化的面貌。需要說明的是，韓國本中也有中國古籍，如甲寅字本《資治通鑑綱目》、乙亥字本《皇朝名臣言行錄續集》等，這一點我們利用此文庫藏書時需要注意的地方。

（十二）「東陵文庫」是 1999 年 11 月由東陵鄭華植的藏書 470 冊捐贈給圖書館而成立的。

（十三）「默窩文庫」是 2000 年 5 月由坡平尹氏十二代宗孫尹慶煥先生捐贈古書 503 冊而成立的，默窩是尹慶煥先生第六代祖父之號。這文庫的古書大部分是朝鮮時代刊行的文集類，其中有：著名的朝鮮時期類書《類苑叢寶》、訓練都鑑字本崔立的《簡易文集》、金屬活字本《四禮纂說》等。

（十四）「琢窩文庫」是 2000 年 10 月 10 日由琢窩鄭璣淵的後孫捐贈古書 1,451 冊而成立的。

（十五）「友山文庫」是友山崔相淵先生的兒子崔壬煥先生在 2001 年 4 月 20 日捐贈古書 769 冊而成立的。

（十六）「晚村文庫」是 2002 年 7 月該學校幼兒教育系科柳點淑教授把已故的該學校中語中文科李徽教教授的藏書 1,388 冊捐贈給圖書館而成立的。

（十七）「一如文庫」：該學校國史學科吳世昌教授在 2003 年 8 月 26 日捐贈藏書 5,100 冊，其中大部分的圖書是韓國獨立運動史相關資料，尚有朝鮮總督府刊行的重要文獻以及日治時期的稀奇資料。

（十八）「羅山文庫」：2003 年 10 月李東賢女士與其子金鐘烈先生把古書 607 冊與古文書 80 件捐贈給圖書館。在這批古書中，有關漢詩的較多，尤其是內賜本《闡義昭鑑》與朝鮮前期刊本《古今韻會舉要》具有很高的文獻價值。

（十九）「東淵文庫」：2004 年 2 月該學校自然資源學部鄭熙敦教授把家藏古書 633 冊與一般圖書 469 冊捐贈給該學校圖書館。其中古書是從其第六代祖先鄭伯休公的居處「東淵古宅」收藏下來的，讓我們瞭解朝鮮時期地方儒林的思想與生活很有幫助。

三、館藏中國古籍的文獻價值

嶺南大學校中央圖書館所藏中國古籍不僅爲數不少，而且其文獻價值也相當高，尤其是「東濱文庫」的藏書包含宋元善本、明刊本以及相當於明刊本的韓國刊本。下面舉其中最具有文獻價值的古籍，以此窺見其藏書價值的一斑：《公羊春秋》，宋刊本，2 冊；《穀梁春秋》，宋刊本，2 冊；《大學或問》，元刊本，1 冊；林駉：《新箋決科古今源流至論》，元刊本，1 冊；蕭統（500～531）：《文選》，元張伯顏初刊本，1 冊（卷五十九至六十）；蕭統：《文選》，元刊本，1 冊；鄧志謨：《（新刻）萬用不求人便覽全書》，元末明初刻本，1 冊；朱熹：《近思錄集解》，元末明初刊本，殘本 3 冊；吳淑：《事賦類》，明崇正書院補刻本，20 卷 4 冊；富大用：《新編古今事文類聚新集》，明刊本，殘本 5 冊；陰時夫：《韻府群玉》，萬曆年間刊本，殘本 8 冊；陸壽名：《毛詩振雅》，明天啓年間刊朱墨套印本，6 冊；鄧林：《孔聖家語圖題辭》，明（1589）刊本，6 冊；胡廣：《新刊性理大全》，明初刊本，殘本 1 冊；真德秀：《西山先生真文忠公文集》，明仿宋本，殘本 4 冊；陸九淵（1139～1193）：《象山先生文集》，明嘉靖年間刊本，殘本 2 冊；鮑雲龍：《天源發微》，明（1461）刊本，2 冊；羅欽順（1465～1547）：《困知記》，明嘉靖年間刊本，6 冊；康命吉：《居家必用事類全集》，明嘉靖年間刊本，1 冊；唐慎微：《經史證類備用大觀本草》，明初刊本，殘本 1 冊；許慎：《說文解字》，明汲古閣北宋本校刊本，8 冊；郭璞（276～324）：《爾雅註疏》，宋刊本，殘本 3 冊；郭璞：《爾雅註疏》，明監刊本，殘本 1 冊；柳宗元：《柳文》，元末明初刊本，殘本 1 冊（卷四十三）；李贄（1527～1602）：《初潭集》，明萬曆年間刊本，12 冊；曾鞏（1019～1083）：《南豐先生元豐類稿》，明（1638）刊本，12 冊；胡時化：《名世文宗》，明（1577）刊本，10 冊；羅大經（1196～1242）：《鶴林玉露》，元末明初刊本，殘本 3 冊；阮一閱：《詩話總龜》，明（1544）刊本，19 冊；朱熹：《唐詩拾遺》，明刊本，殘本 1 冊；杜甫：《杜詩》，明初仿宋刊本，2 冊；楊士弘：《唐詩始音》，元（1370）建安博文堂刊本，1 冊；楊士弘：《唐詩始音》，明弘治年間刊本，殘本 1 冊；都穆：《玉壺水》，明（1515）年刊本，1 冊；王瑛：《諸史節要》，明（1444）年刊本，1 冊；李吉甫（758

～814）:《地理志》，元刊本，1 冊；張預:《十七史百將傳》，元明寶堂刊本，1 冊；姚鉉:《唐文粹》，明刊本，2 冊；屈原:《楚辭》，朝鮮活字本（覆宋刻本），1 冊；方回:《瀛奎律髓》，朝鮮初期活字本（覆元刻本），1 冊；杜甫:《杜工部草堂詩箋》，高麗末朝鮮初覆元刻本，殘本 1 冊；黃庭堅:《山谷外集詩註》，朝鮮初覆元刻刊本，殘本 1 冊。

特別注意的是，有些古籍是在中、韓圖書交流研究上的寶貴資料，如明刊本《新編古今事文類聚》，每卷首有明神宗寶印者，可見此本爲明神宗的御藏本；明刊本《論語》，其中有「徽王之寶」，可見此本曾是明徽王的藏本。

除了東濱文庫中的中國古籍外，不少其他中國古籍也不乏珍本異籍：

（一）《爾雅註疏》，（晉）郭璞註、（宋）邢昺（932～1010）疏。明萬曆年間刊本，殘本（卷八至卷十一）。此書原題「晉郭璞註、宋邢昺疏，皇明朝列夫國子監祭酒臣曾朝節，司業臣周應賓等奉勅重刊本」。版心書名題「爾雅註疏」，上書口刻「萬曆二十一年刊」。《中國古籍善本書目・經部・小學類》未見有此種刊本。

（二）《孫武子直解》，（周）孫武著、（明）劉寅解，訓練都鑑字覆刻本（十七世紀刊本）。殘本（缺中冊）。四周單邊，版框高 23.7 公分，寬 15.3 公分。有界。半葉九行，行十七字。版心題「孫武子」。

（三）《佛說長壽滅罪護諸童子陀羅尼經》1 帖，1441 年西山（妙香山）閏筆菴刊本。上下單邊，無界欄。共 19 張。每張有五面，各面六行十八字，版框高 30.6 公分，寬 12 公分。此本在韓國高麗、朝鮮時代多次刊印，其中有諺解本。

（四）《大佛頂如來密因修證了義諸菩薩萬行首楞嚴經》，10 卷 5 冊，高麗刊本。四周雙邊，版框高 19.3 公分，寬 13 公分。半葉十三行，行二十二字。版心有上下向黑魚尾。

（五）《宋朝名臣言行錄》，（宋）朱熹纂集、（宋）李衡校正，木活字本（秋香堂活字）本。殘本 2 冊（後集 1 冊卷一、二；別集 1 冊，卷四至七）。四周雙邊。版框高 20.9 公分，寬 15.3 公分。有界。半葉十二行，行十九字，小注雙行。秋香堂活字本是韓國國內僅存幾種的十七世紀初的木活字本。

四、館藏中國古籍的整理與利用

嶺南大學校中央圖書館前後出版了幾種目錄：首先，1973 年出版了《藏書目錄（漢古籍篇）》；又 1980 年出版了《藏書目錄（續編·漢古書篇）》；2000 年出版了《味山文庫古書目錄》；2002 年出版了《嶺南大學校圖書館所藏古書目錄·南齋文庫第一輯》；2003 年出版了《嶺南大學校圖書館所藏古文書目錄·南齋文庫第二輯》。[66]

---

[66] 此目錄共收錄 7,516 種古文書，所謂「古文書」是指在 1910 年以前手寫或刊印的，除了圖書外，包括皇帝、官衙、私人間來往的記錄文件。即使

《藏書目錄（漢古籍篇）》所收錄的圖書是該圖書館所藏漢文古籍與金庠基博士所寄贈的「東濱文庫」藏書。至於分類方法，依據韓國十進分類法來分類，其內容如下：000 總類、100 哲學、200 宗教、300 社會科學、400 純粹科學、500 技術科學、600 藝術、700 語學、800 文學、900 歷史・地理。此目錄後面特設「東濱文庫」目錄，爲了紀念東濱金庠基博士把用畢生心血來蒐集的大量貴重圖書捐贈給該圖書館。又各書名的分類號碼前面加「汶」、「韶」、「慕」表示「汶坡文庫」（由崔浚捐贈）、「韶庭文庫」（由崔海鐘寄贈）、「慕山文庫」（由沈載完寄贈）。此目錄後面有編、著者名與書名索引。

《嶺南大學校圖書館所藏古書目錄・南齋文庫第一輯》共收錄 4,264 種 6,100 冊，以該圖書館所藏的「南齋文庫」的古書爲其收錄範圍，其中包含韓國人、中國人、日本人撰寫的刊本與寫本。就刊行年代而言，所謂古書以 1910 年爲其下限，還包括 1945 年以前刊行，而且以漢文、韓文（古語）、日文、蒙語、滿州語以及其他東洋諸國語所寫的東裝本，並具有學術價值。至於分類方法，與上述《藏書目錄（漢古籍篇）》一樣，採取韓國十進分類法。書末有「古書索引」，分爲「編著者名索引」與「書名索引」。

除了紙版目錄以外，讀者可上嶺南大學圖書館的網站（其網址爲 http://slima.yu.ac.kr/SlimaDL/）檢索該圖書館所藏古書的內容，其古書檢索的部分，以書名、作者名、出版社等項目來檢索。

在 1910 年以後所記錄的，假如它仍繼承其以前的文書樣式，也包括在內。

玖、韓國其他藏書機構中國古籍存藏概況

一、國會圖書館

1952 年 2 月 20 日在韓戰中的臨時首都釜山，爲了把在立法活動和國政審議上所需要的各種資料蒐集、整理、分析，並提供給國會議員，以 3,600 餘卷的藏書設立了「國會圖書室」，這就是韓國國會圖書館的開始。在 1963 年，因爲政府制定了「國會圖書館法」，成爲國會內的獨立機構。目前，其藏書量已達到 150 萬卷以上。又自 1980 年代初開始，爲了圖書館資料的電子化與業務的自動化，推動了電算化計畫，可檢索所有電子資料庫。又 1997 年依據國家電子圖書館建構的基本計畫，成功地開發並完成電子圖書館的資料庫，一般讀者可透過網際網路使用此資料庫的內容。尤其是，在 2000 年 7 月 1 日，改訂的著作權法生效之後，與國會圖書館簽合作交流的全國圖書館也可利用約 340 萬件的書志資料以及約 4,300 萬頁的原文資料。

至於國會圖書館存藏漢籍的整理和利用，該圖書館在 1995 年 9 月 30 日已經出版了《古書目錄》，其收錄範圍爲 1994 年 12 月爲止入藏於該圖書館的線裝本古書 2,387 種 13,962 卷。此目錄爲了考慮古書的特殊性，採用四部分類法。又爲了使用者的方便，卷末有人名和書名索引，以韓文的子、母音順序來排列。除了此目錄之外，後來該圖書館並無出版其他古書目錄，可見此目錄所記載的漢籍就是該圖書館所藏漢籍的全部。此目錄收錄的貴重本的標準，無論刊本或寫本，韓國本是朝鮮仁祖

（1649 年）以前；中國本則明朝崇禎（1636 年）以前；和刻本則元和（1623 年）以前爲準。

讀者可上國會圖書館的網站（http://www.nanet.go.kr）搜尋相關資料。

二、國史編纂委員會

國史編纂委員會設立於 1946 年 3 月，是一所國家史料研究及編纂機構，其主要目的在於韓國民族文化的繼承和發展，同時要回復因日本侵略而造成的韓國歷史之斷層。該委員會主要研究成果有如下幾種：1.刊行了《朝鮮王朝實錄》、《承政院日記》等 1,000 餘卷的資料集；2.《韓國史》52 冊，這是有關韓國國史學研究的集大成；3.調查及蒐集海外的韓國歷史相關資料；4.支援韓國史中的未開拓的研究領域。

1983 年，國史編纂委員會出版了《古書目錄》，[67]共收錄 4,175 種 19,569 冊：古書 2,134 種 12,989 冊、中樞院（以前日本總督府的中樞院）圖書 1,508 種 4,773 冊、古籍影印本 299 種 902 冊、寫真本 234 種 905 冊。其分類法爲國史編纂委員會古書分類法，與傳統的四部分類法幾乎一致。

讀者上國史編纂委員會的網站（http://kuksa.nhcc.go.kr）可檢索相關內容。

---

[67] 國史編纂委員會編：《古書目錄》（首爾：國史編纂委員會，1983 年）。

三、國立首爾大學校中央圖書館

1945 年，以一百多位的韓國教育界人士組織的「朝鮮教育審議會」提倡基於民主主義與民族主義的「弘益人間」的教育理念。他們計畫以此教育理念爲骨幹，以京城大學（即舊「京城帝國大學」）爲主，還統合幾所官、公立以及私立的專門學校而設立一所國立大學。1946 年 8 月 22 日，終於公佈了「關於國立首爾大學校設立的法令」，這是國立首爾大學校的創校過程。如今，該學校的畢業生在韓國社會各領域中扮演舉足輕重的角色，它可說是在韓國大學中最有盛譽的一所國立綜合大學。

1946 年 8 月 22 日，國立首爾大學校依據「關於國立首爾大學校設立的法令」，其學校名稱由「京城大學」改爲「國立首爾大學校」，那時該圖書館的館名也改爲「國立首爾大學校中央圖書館」。

國立首爾大學校按照資料蒐集的時間，分開管理其所藏古籍。以奎章閣 1992 年 3 月從國立首爾大學校中央圖書館獨立爲限，之前所藏古書由奎章閣管理；自 1992 年以後所蒐集並整理的古書仍由國立首爾大學校中央圖書館來管理。國立首爾大學校中央圖書館所藏古書的來源主要有兩個：一爲捐贈的，如「一石文庫」、「心岳文庫」等個人文庫的古書；二爲自 1992 年 3 月以後陸續蒐集的。該圖書館在六樓設置「古文獻資料室」來管理收藏古籍，其中藏 620 冊的貴重資料，如《思益梵天所問經》，1 冊，（秦）鳩摩羅什，寫本；《禪林寶訓》，1 冊，（明）

淨善重編，舊刊本；《棠陰比事》，3 冊，（宋）桂萬榮，舊刊本；《明代北境地圖・九邊圖論》，1 冊，（明）許論，明嘉靖十三年（1534）寫本；《日本風土記》，1 冊，（明）侯繼國，寫本；《坤輿全圖》，8 冊、（清）南懷仁（Verbiest.F.，1623～1688），清康熙十三年（1674）刊本；《御題平定伊犁回部全圖》，25 冊，（清）高宗命編，銅版畫。

首爾大學中央圖書館網址為 http://library.snu.ac.kr，讀者利用此網站可檢索其收藏古書，並使用原文資料庫。

四、國立釜山大學校中央圖書館

國立釜山大學校位於慶尚南道釜山，1946 年 5 月 15 日以「釜山大學」的名稱創校，以真理、自由、侍奉為其教育理念，是一所具有聲望的國立大學。

該學校在創校同時設立了圖書館，如今它為了因應專門資料的要求，構築了主題圖書館（Subject Library）系統，以「人文社會科學資料館」、「語文學資料館」、「科學技術資料館」、「藝體能資料館」、「法學圖書館」、「醫學圖書館」等分別管理圖書。目前，國立釜山大學校圖書館的藏書已經超過 100 萬卷，其中有不少漢籍。其所藏漢籍以韓國嶺南地區個人和家族所寄贈的資料為主，依據捐贈而成立的文庫有：東麓文庫、夢漢文庫、小訥文庫、芝田文庫、直齋文庫、海蒼文庫、耽津安氏文庫、李善敬教授寄贈本等，大部分是韓國古籍，也有中國和日本古籍。

所謂古書是指韓國大韓帝國末期（1909）以前，中國清末（1911）以前，日本明治（1867）以前刊行的卷子本、折疊裝本、旋風裝本、蝴蝶裝本、包背裝本、線裝本等。

到 2004 年 7 月爲止，收藏資料共有：古書 16,696 冊與古文書 3,932 件，其中不乏有珍本，如《訓蒙字會》1 冊、《正色圖》1 冊、《瀛奎律髓》2 冊、《大東輿地圖》22 帖、《嶠南教育雜誌》2 卷 9 號 1 冊等。所藏古籍以四部分類法來分類，爲了考慮該圖書館藏書的特色，適當地調整其分類，如「譯學類」放在「子部」。該圖書館在館內設置了古典資料室（Collection of Classical Works），以此保管和整理古籍資料。

讀者可利用國立釜山大學圖書館 http://pulip.pusan.ac.kr，搜尋該圖書館收藏古籍的版式行款等相關資料。

五、國立全南大學校圖書館

國立全南大學校位於韓國湖南地區，是一所有名望的大學。此學校的圖書館自創館以來，持續注重藏書的量與質，而現在已擁有 67 萬餘卷和 5,400 種期刊文獻，其中古籍也有 2 萬餘冊。該圖書館設置了古典資料室，來保管其所藏古籍。該圖書館在 1990 年出版了《全南大學校圖書館所藏古書目錄

（Ⅰ）》，[68]此目錄的分類基本上遵守四部分類法，而編者考慮館藏圖書的特性和藏書量，適當地修改其分類法，如〈功令類〉放在集部。需要注意的是：（一）此目錄的編纂爲了使讀者較容易使用該圖書館所藏的古書，所以版本項目等細部記載往往省略；（二）此目錄有時把韓國本與中國本分別著錄，如在史部，把韓國史和中國史分別著錄，又目錄類也將韓國目錄和中國（外國）目錄分開著錄。在子部儒家類，把韓國儒家與中國（外國）儒家分別著錄。另外，此目錄後面附有著、纂者索引與書名索引。

讀者欲查詢，可以利用國立全南大學圖書館網站（http://library.chonnam.ac.kr或http://cyberchips.chonnam.ac.kr），搜尋該圖書館收藏漢籍的相關內容。

六、國立慶尚大學校中央圖書館

國立慶尙大學校（http://www.gsnu.ac.kr）位於慶尙南道晉州市加佐洞。1948 年創立的慶南都立初級農科大學爲其前身，1968 年升格爲國立大學，1972 年把其校名改爲國立慶尙大學。國立慶尙大學中央圖書館在 1948 年 10 月以都立晉州農科大學圖書館開館，1980 年 3 月館名也改爲慶尙大學校中央圖書館。

該學校中央圖書館收藏漢籍的主要來源有：1986 年，某一

---

68 《全南大學校圖書館所藏古書目錄（Ⅰ）》（光州：全南大學校圖書館，1990 年）。

學會捐贈了陝川海印寺所藏儒家文集（木版本 100 冊）；1989 年 1 月，由三賢女子高等學校校長崔文錫博士捐贈了其父親崔載浩先生的收藏古書共 3,314 冊；1995 年 6 月，由俛宇郭鍾錫先生的家族捐贈古書 377 種，而設置了「俛宇文庫」；1995 年 6 月，由李命吉博士的遺族捐贈了 118 種的漢籍與古文書；1995 年 10 月，由愚山韓愉先生的後孫前晉州高等學校校長韓冑先生捐贈了 328 種約 1,000 冊的古書與古文書，而設置了「愚山文庫」；1996 年 6 月，由梧林金相朝先生捐贈了古書 2,300 冊，而設置了「梧林文庫」；1996 年 7 月，由愚川權克有先生的宗孫權榮福先生捐贈了古書 760 冊，而設置了「愚川文庫」；1996 年 8 月，由芸樵鄭英昊博士的遺孀朴良淑女士捐贈了洋裝本漢籍，而設置了「芸樵文庫」。該圖書館經過十年的努力，其所藏漢籍從 100 冊增加到 12,000 餘冊。晉州地區原本是慶尙南北道右邊的核心地區，此地區的文人學者繼承朝鮮前期的鄭汝昌與中期的南冥曹植的學問精神，主導著慶尙右道的學脈。因此，該圖書館所藏漢籍自然以慶尙右道的南冥學派的門徒與私淑該學派的人之文集爲主。

2001 年 10 月，該圖書館設立了漢籍資料室「文泉閣」，管理所藏古籍，其中藏有韓國文集類、古書影印本以及戶籍謄本之類的古文書等，該圖書館共收藏 28,757 冊的漢籍。

1996 年，慶尙大學校圖書館出版了《慶尙大學校圖書館漢籍室所藏漢籍目錄》，[69]共收錄 12,633 冊。此目錄的分類依據

---

[69] 慶尙大學校圖書館編輯：《慶尙大學校圖書館漢籍室所藏漢籍目錄》（慶南

「慶尙大學校中央圖書館漢籍分類表」，此表雖然採取傳統的四部分類法，而有的地方不盡相同，如「總經類」放在經部的最前面；小說類放在集部最後面等。此目錄以 A、經部；B、史部；C、子部；D、集部；E、古文書部；索引的次序來排列。

讀者可上慶尙大學中央圖書館（http://library.gsnu.ac.kr）和「文泉閣」（http://203.255.20.163）的網站，可檢索該圖書館所藏漢籍的相關內容。

七、東國大學校中央圖書館

東國大學位於韓國首爾，以基於佛教精神陶冶學術與人格爲創校理念，如今已有百年的歷史。過去東國大學中央圖書館收藏古書，在韓戰時期幾乎全部散逸。現藏古書在韓戰結束之後，在退耕權相老與海圓黃義敦兩位先生捐贈的基礎上，加上持續購買相關古書而形成的。就藏書量而言，該圖書館無法跟奎章閣、韓國學中央研究院、高麗大學中央圖書館等相比。惟佛教相關資料的收藏比韓國任何藏書機構更爲完備，這是與東國大學的創校理念是闡明與傳承佛教精神有密切關係。

1981 年，東國大學校中央圖書館出版了《古書目錄》。[70]此目錄的收錄範圍是至 1979 年 12 月 31 日爲止該圖書館收藏的線裝本圖書、拓本類、書畫類、古文書類等。此目錄以「分類

晉州市：慶尚大學校出版部，1996 年 12 月）。

[70] 東國大學校中央圖書館編輯：《古書目錄》（首爾：東國大學校中央圖書館，1981 年）。

目錄」、「書名索引」、「著者名索引」、「高麗大藏經經名索引」次序來編成的。此目錄依據十進分類法第十六版來分類其藏書，其內容爲：000 總類、100 哲學、200 宗教、300 社會科學、400 語學、500 純粹科學、600 技術科學、700 藝術、800 文學、900 歷史。讀者可利用東國大學中央圖書館網站（http://lib.dgu.ac.kr）可搜尋該圖書館收藏漢籍的相關內容。值得注意的是，該圖書館所藏中國古籍中具有文獻價值的爲數不少，下面舉個例子：

（漢）劉向（77～6 B.C.）撰《說苑》，朝鮮前期刊本，殘本（5 卷 1 冊）；（漢）魏伯陽著、（清）朱元育口授、（清）潘靜觀述《參同契闡幽》，寫本，書中有「康熙己酉（1669）仲春朔旦……朱元育首敬」序文，7 卷 2 冊；（唐）法藏（643～712）述、（明）行深編《賢首諸乘法數》，朝鮮世宗九年（1427）刊本；（宋）張商英《護法論》，朝鮮前期刊本，1 冊，49 張；（宋）道原纂《景德傳燈錄》，宣祖元年（1568）順安法興寺刊本，殘本（9 卷 3 冊）；（唐）般剌密帝譯、（宋）戒環解《大佛頂如來密因修證了義諸菩薩萬行首楞嚴經》，朝鮮世祖八年（1462）刊經都監本，10 卷 10 冊；（元）德異著、（朝鮮）慧覺尊者信眉譯解《蒙山和尚法語略錄》，朝鮮宣祖十年（1577）順天松廣寺刊本，1 冊 83 張；（唐）玄覺撰、（宋）行靖註《禪宗永嘉集》，朝鮮世祖十年（1464）年刊經都監刊本，殘本（1 卷 1 冊）；（唐）杜甫、（元）虞集註《杜工部七言律詩》，朝鮮前期刊本，1 冊 132 張；（唐）杜甫著、（朝鮮）柳允謙等奉命諺解《分類杜工部詩》，朝鮮成宗十二年（1481）乙亥字本。

尤其是豐富的佛教文獻是該圖書館藏書的一大特色，正因如此，該學校基於創校理念以及佛教學的發展，在 1985 年 1 月還設立了「佛教學資料室」，其藏書已有 4 萬餘卷，可說是韓國佛教學研究的寶庫。4 萬餘卷藏書的內容如下：單行本有 3 萬餘卷，其中上述的《大佛頂如來密因修證了義諸菩薩萬行首楞嚴經》10 卷 10 冊是韓國國寶 212 號，還有《高麗大藏經》、《大正大藏經》、《中華大藏經》等世界各國的大藏經 20 餘種。該資料室的網址為 http://lib.dgu.ac.kr/bul/bul.htm，讀者利用此網站可獲得其資料庫的相關內容。

八、梨花女子大學校中央圖書館

1887 年，朝鮮末高宗皇帝為了紀念韓國歷史上最初的女性教育，給當時外國人經營的女學校頒賜「梨花學堂」的校名，這是梨花女子大學校的創校歷史之開始。

後來，1925 年，其校名改為「梨花專門學校」。1945 年，在日本統治韓國的環境下，其校名被迫改為「京城女子專門學校」。解放以後，其校名改為「梨花專門大學校」，後來再改成為「梨花女子大學校」，沿用至今。

1923 年，梨花女子大學校中央圖書館以藏書 16,000 冊來開館，1984 年 5 月興建了「梨花女子 100 週年紀念圖書館」，沿用到現在。如今，該圖書館具有 4,000 餘席的閱覽席與 100 萬卷的藏書收容空間。1997 年 5 月開始運作圖書館網站，1999

年2月開設電子圖書館，受到各界的歡迎。梨花女子大學校圖書館至1980年末爲止共收藏328,000卷的圖書，其中古籍的數量並不多。因爲該圖書館的古書並不是有計畫地蒐集的，而是韓戰以前在幾位國學相關教授的努力而蒐集的，而經過戰亂，幾乎散逸了。目前，該圖書館所藏古籍大部分是近年來蒐集的，以1957年從忠清北道陰城閔某氏家購買的8,000餘卷，1960年代該學校金活蘭校長任內由梁桂三博士寄贈本以及孫在馨先生寄贈本爲主。其中不少中國古籍具有文獻價值，如：（一）《二程全書》，68卷17冊，朱熹編，明萬曆丙午（1606）刊本。四周雙邊，版框高22.6公分，寬17公分。有界。每半葉十行，行二十字，版心上下有花紋魚尾；（二）《周易折中》，8冊，清康熙御敕撰，清康熙五十四年（1715）刊本。四周雙邊，版框高21.5公分，寬15.8公分。無界。每半葉十一行，行二十一字。版心上有黑魚尾。書中有「康熙五十四年……御製」序文；（三）《千字文》，1冊（42張），朝鮮肅宗（1691）刊本。四周雙邊，版框高30.8公分，寬22公分。有界。每半葉三行，行四字。版心上有黑魚尾。書中有「崇禎紀元後六十四年（1691）辛未秋七月朔朝序」御製千字文序，卷末有「萬曆十一年（1583）日副司果臣韓濩奉教書二十九年辛丑七月某日內府開刊甲戌重刊」刊紀；（四）《禪源諸全集都序》，2卷1冊，宗密禪師，舊刊本。四周雙邊，版框高19.2公分，寬14.2公分。有界。每半葉九行，行十九字，小註雙行。版心上下有黑魚尾。書中有洪州刺史兼御史中丞裴休述的序文；（五）《高峰和尙禪要》，1冊，洪喬祖編，朝鮮光海君元年（1609）刊本。四周雙邊，版框高 18.5 公分，寬 13 公分。無界。每半葉八行，行十八字。版心上下有花紋魚尾。卷末有「萬曆三十七年已酉孟秋松廣寺開刊」的刊紀；（六）《嘯餘譜》，24 冊，（明）程明善，張漢南重校，清康熙六十一年（1722）刊本。四周雙邊，版框高 20.6 公分，寬 15 公分。有界。每半葉八行，行二十字。版心上有黑魚尾。書中有康熙壬寅（1662）陽月張漢南所寫的序文。

1981 年，梨花女子大學韓國文化研究院出版了《梨花女子大學校圖書館古書目錄》，[71]共收錄 2,277 種古書。據其凡例，我們可知以下幾點：（一）此目錄收錄的古書以 1910 年以前刊行的爲原則，也包括 1910 年以前成書而後來出版的；（二）其分類法爲四部分類法，而不區分著錄中國本與韓國本；（三）目錄後有《別錄》與《索引》：《別錄》的內容是「開化期教科書」與「近代書籍」；《索引》有編、著者名與書名兩種。

該圖書館的網址爲 http://ewha.ac.kr，我們透過此網站可利用梨花文獻情報系統（ELIS：Ewha Library Information System），其中可檢索該圖書館三樓古書室所管理的古書之書名、作者等項目。

九、啟明大學校童山圖書館

啓明大學校（http://www.kmu.ac.kr）位於大邱廣域市，此

---

[71] 梨花女子大學校韓國文化研究院編輯：《梨花女子大學校圖書館古書目錄》（首爾：梨花女子大學校韓國文化研究院，1981 年）。

學校在 1954 年以啓明基督學館出發，而 2004 年爲創校五十週年，以具有道德理念的國際專家的培養爲其教育目標。

啓明大學校童山圖書館設置「碧梧古文獻室」專門收集與管理古文獻。其中還設了「貴重本室」、「常設展示室」、「國學資料室」以及個人文庫。到 2004 年 3 月爲止，「碧梧古文獻室」的藏書概況如下：

	國學資料室	貴重本室	冊數合計	古文書	木板
一般古書	53,993		53,993	2,253	560
貴重本		246	246		
悟山文庫	1,542		1,542		
又新文庫	528		528		
李氏文庫	7,088	452	7,540		
合計	63,151	698	63,849	2,253	560

「國學資料室」主要收藏祖先留下來的漢籍，除了韓國漢籍外，還有中國以及日本的文獻資料，就內容而言，個人文集、族譜、哲學、歷史資料較多。

「貴重本室」收藏 700 冊的貴重本書，其中有寶物第 1321 號（1610）刊本《武藝諸譜翻譯續集》等國家文化財寶物 7 種 14 冊、歷代皇帝的宸翰帖以及朝鮮大儒退溪李滉先生的親筆寫本等。

「悟山文庫」原本是悟山洪楨修先生的藏書，1969 年 9 月由其後孫該學校洪永錫先生捐贈的。

「又新文庫」是 1975 年 8 月由洪範洛、洪泰完先生捐贈其祖先洪日欽先生的藏書 528 冊而成立的。

「李氏文庫」是 1982 年 6 月 30 日該學校購買李仁哉先生的藏書而成立的，共有 7,540 冊，其中有 452 冊的貴重本。就內容而言，哲學、文學、佛教、歷史資料較多。

除了這些文庫外，碧梧古文獻室還設置了「木板室」。此「木板室」收藏的木板原本是響山李晚燾先生（1842～1910）收藏的，在 1977 年 5 月 9 日由其從曾孫中齋李源周（1939～1992）捐贈給該學校圖書館，共有 560 板。又該文獻室收藏古文書 2,253 件，其中有簡札 1,553 件、戶口單子 152 件、所志類 87 件。

該文獻室已經完成收藏資料的書誌與原文資料庫，讀者可上該圖書館的網站（http://kimsweb.keimyung.ac.kr）檢索相關資料。

十、忠南大學校中央圖書館

忠南大學校（http://www.chungnam.ac.kr）位於韓國中部之主要行政及科學園都市「大田廣域市」，在 1952 年 5 月以都立忠南大學校出發，如今已有五十多年的歷史。

忠南大學校中央圖書館 1953 年以忠南文理科大學圖書館開館，如今其藏書資料已有 110 萬冊圖書、8,500 冊學術雜誌以及 50 餘種的學術資料庫。爲了迎接 21 世紀的資訊化時代，1996 年啓動了學術資料系統（CLINS），建構了電子圖書館的體制。

1993 年，忠南大學校中央圖書館出版了《古書目錄》，其收錄範圍是到 1992 年 12 月爲止該圖書館存藏線裝書 3,250 種 17,000 餘冊。此目錄的分類法是「忠南大學校圖書館古書分類法」，爲了考慮該圖書館的實際收藏情況，把傳統的四部分類法適度地調整，其分類共五部：總部、經部、史部、子部、集部。編者把貴重書放在此目錄的最前面，此目錄後面附個人文庫的線裝本古書目錄與特殊漢籍目錄。在收藏古書中不乏具有價值的中國古籍，如：《韓文正宗》，（唐）韓愈著，朝鮮中宗二十七年（1532）刊本。殘本（1 卷 1 冊）。四周雙邊，版框高 19.4 公分，寬 14 公分。半葉十行，行十九字，小註雙行。書中刊記云：「嘉靖壬辰（1532）平壤刊」；《莊子鬳齋口義》，（宋）林希逸口義，朝鮮成宗五年（1474）刊本。殘本（6 卷 2 冊）。四周雙邊，版框高 21.2 公分，寬 14.8 公分。有界。半葉十一行，行二十一字，小註雙行。書中有「序」文云：「景定辛酉（1261）季夏望日石塘林同謹書」，又「後序」云：「景定改元（1260）和中節宣教郎知邵武軍建寧縣林經德序」，又有「跋」文云：「成化甲午（1474）七月……中樞府事金求濡」；《須溪校本陶淵明詩集》，（晉）陶淵明撰，朝鮮成宗十四年（1483）刊本，2 卷 1 冊。四周單邊，版框高 19.2 公分，寬 13.8 公分。

有界。半葉十行，行十六字，小註雙行。版心下方題「陶詩」。書中有〈新刊靖節先生詩集跋〉云：「成化癸卯（1483）六月三日坡平尹」。

除了上述的《古書目錄》外，讀者在該圖書館的電子圖書網站（http://168.188.11.60/dlsearch/TGUI/Theme/Chungnam/main.asp）上可檢索該圖書館所藏古書的作者、書名、版式內容以及原文等內容。

拾、結語

本文扼要地說明韓國存藏中國古籍的現況、所藏古籍的文獻價值以及其整理與利用等問題，而實際上，韓國存藏中國古籍的藏書機構不僅是上述十七個單位而已。但是限於客觀的條件，如有些藏書機構還沒有效地整理所藏古籍而出版相關目錄；有些藏書機構的藏書目錄早已絕版而難以獲得，致使本文無法談及其他藏書機構所藏中國古籍的相關內容。有鑑於此，最後，我們介紹具有綜合目錄性質的兩種目錄，讓相關研究者更進一步地瞭解韓國存藏中國古籍的現況。

首先是李春熙編《李朝書院文庫目錄》，[72]朝鮮時期的書院無論在政治或教育方面，均扮演了舉足輕重的角色，同時對於圖書的保存與出版做出很大的貢獻。因此，朝鮮時期書院文庫的研究不僅對於我們如何理解朝鮮的圖書印刷史與書籍的聚

[72] 首爾：大韓民國國會圖書館出版，1969年。

散、保存等出版文化有所助益，而且對於我們調查韓國存藏中國古籍現況也有幫助。

編者在此目錄中，以南韓的三十三所主要書院（其中，江源道的忠烈書院和褒忠祠在韓戰中被摧毀，而實際上的現存書院數爲三十一所）爲對象，以文獻調查、書信往來以及田野調查的方式說明各書院文庫的藏書現況。另外，其所藏本少於 20 冊左右的書院文庫不在本目錄記錄的範圍之內。此目錄前有〈李朝書院文庫考〉一文，接著有「現存書院藏書目錄」，書末有「編著者索引」與「書院及祠宇地方分布表」可供參考。此目錄共收錄 4,049 種 18,054 冊古籍，其中活字本共有 160 種 2,388 冊。其所收錄的書院共有十五所：陶山書院（慶尙道）、玉山書院（慶尙道）、屛山書院（慶尙道）、紹修書院（慶尙道）、檜淵書院（慶尙道）、灆溪書院（慶尙道）、玉洞書院（慶尙道）、深谷書院（京畿道）、遯巖書院（忠清道）、筆巖書院（全羅道）、道東書院（慶尙道）、三溪書院（慶尙道）、忠烈祠（慶尙道）、臨皋書院（慶尙道）、大老祠（京畿道）等。

我們通過此目錄，可瞭解上述的書院收藏了不少中國古籍（包含韓國本與中國本），而且其藏書以四書五經、程朱學以及科舉所必要的史書與選集爲主。由此可知當時儒生們的讀書傾向以及科舉對於書院的影響。尤其是有關程朱學的書籍成爲其藏書的核心，其中不少書籍爲韓國本，這種現象意味著當時的書院出版了不少有關程朱學的書籍，這一點值得我們去注意的。[73]

其次要介紹的是國會圖書館司書局參考書誌課編輯的《韓國古書綜合目錄》，此目錄 1968 年 12 月由大韓民國國會圖書館出版。1968 年，國會圖書館先得到韓國圖書館學界的先進尹炳泰先生自 1958 年至 1966 年間蒐集的 37,000 餘條的有關韓國古書存藏資料，再來邀請金英實先生增補相關資料，並負責整理與校勘。

此目錄的收錄範圍是：一、韓國國內各圖書館、機構及團體所藏的古書；二、個人藏書中可以收錄的古書；三、在國外圖書館與個人藏書中，在目錄中看得到的古書；四、依據各種文獻或相關研究可確定傳世的古書。至於此目錄中所說的古書，主要是指韓國自古代至大韓帝國末期刊印或筆寫的本子。各所藏機構所認定的地圖、畫帖、法帖也包括在內。

至於收藏機構，韓國國內藏書機構共收錄九十八所，其中包含大韓民國國會圖書館、國立中央圖書館、奎章閣、國史編纂委員會、成均館大學校、慶北大學校、高麗大學校、東國大學校、釜山大學校、延世大學校、全南大學校、全北大學校、梨花女子大學校、首南書院、陶山書院、三溪書院、紹修書院等著名藏書機構；國外藏書機構共收錄六十七所，其中較爲著名者包含日本地區的有：京都大學人文科學研究所、東京國立博物館、內閣文庫、靜嘉堂文庫、金澤文庫、日本國立國會圖

[73] 此目錄前有〈李朝書院文庫考〉一文，以「賜額書院과初期의書院文庫」、「書院疊設의弊端과後期의書院文庫」與「書院文庫의現況」探討相關內容，值得參考。頁 5～40。

書館、尊經閣文庫、足利學校遺跡圖書館、天理圖書館；臺灣地區的有：故宮博物館、私立東海大學、國立中央研究院歷史語言研究所圖書館；美國地區的有：哈佛大學燕京圖書館等。

此目錄的本文以「刊本」、「寫本」分別著錄，書末有編著者姓名索引，便於查閱。此目錄的編排並無採用四部分類法或其他古書分類法，而依書名的韓文讀音之子母音次序來排列，這一點是國外學者利用此目錄時可能遇到困難、而需要注意的地方。此目錄在 1968 年出版，之後有些藏書機構陸續整理其藏書並出版藏書目錄，所以此目錄有很多地方需要增補或訂正，但是更完整的綜合古書目錄問世之前，仍有參考價值。研究者利用此目錄要查某一本書的版本種類與其藏書地點，頗爲方便。假如我們要查韓國本《纂圖互註周禮》，此目錄著錄共五種版本：活字本、木活字本、木版本、乙卯木版本、木版本或未詳本。各版本底下著錄著者、卷冊數、版式、序跋及藏書地點，如「木版本或未詳本」《纂圖互註周禮》藏於：首爾市農（9 冊）、奎章閣（支：6 卷 6 冊）、首都師大（8 冊）、慶北大（9 冊，零本 3 冊）、高大（卷十一～十二：一冊）、今西龍（卷十二，8 冊）、中國立（12 卷 7 冊，12 卷 10 冊）、日蓬左（13 卷 6 冊）、日內閣（12 卷 7 冊）、大阪市圖（6 冊）、日靜嘉（12 卷 7 冊）、京都大（13 卷 7 冊，12 卷 6 冊）、金庠基（卷一～五，編目：6 冊）、清芬示（零本 1 冊）、金約瑟（1 冊）、六堂（卷三～六：2 冊）。[74]需要注意的是，上述藏書地點爲略稱，可參看此目錄前面的「所藏處一覽」，便可知其全名。

[74] 國會圖書館司書局參考書誌課編輯：《韓國古書綜合目錄》（首爾：大韓民國國會圖書館，1968 年），頁 687～688。

韓國「國寶」中的五種韓國刊本中國古籍
——兼論韓國所藏中國古籍的特色與文獻價值

金　鎬

一、前言

韓國因中國相連，自古交流頻繁，因此中國古籍東傳韓國者爲數甚多，早在宋代張端義（1179～？）曾說：「宣和間，有奉使高麗者，其國異書甚富，自先秦以後晉、唐、隋、梁之書皆有之，不知幾千家幾千集，蓋不經兵火。今中祕所藏，未必如此旁搜而博蓄也。」[1]《玉海》卷第五十二〈藝文・書目條〉也說：「元祐七年（1092）五月十九日祕書省言：高麗獻書多異本，館內所無，詔校正二本，副寫藏太清樓天章閣。」[2]因爲如此，高麗宣宗八年（宋元祐六年，1091）高麗使臣李資義等自宋返國，帶來宋朝向高麗求書目錄，內容達 128 種之多，[3]這些文獻記載均可證明當時高麗收藏之中國歷代書籍頗

---

[1] （宋）張端義：《貴耳集》（臺北：木鐸出版社，1982 年），頁 8。

[2] （宋）王應麟：《玉海》（上海：江蘇古籍出版社、上海書店，1990 年），卷五十二，「景德太清樓四部書目・嘉祐補寫樓書」條，頁 35 上。

[3] 《增補文獻備考・藝文考》（首爾：韓國學振興院，1987 年）說：「宣宗八年（1091），戶部尚書李資義、禮部侍郎魏繼廷等還自宋，奏曰帝聞我國書籍多好本命館伴書所求書目授之，仍曰雖有卷第不足者，亦須傳寫附來。凡一百二十八種。」卷二百四十二，藝文考一，頁 3 下。有關此問題的論述，可參看屈萬里：〈元祐六年宋朝向高麗求佚書的問題〉，《東方雜

爲豐富。不僅高麗時期如此，朝鮮時期也收藏了很多中國古籍，雖然遭到許多內亂外患，而灰燼或散失者，不計其數，但是如今韓國所藏的中國古籍仍有不少。

雖然有些論者談論過在韓國保存或刊印的中國古籍與其文獻價值等問題，[4]而且近年來相關研究者逐漸重視此問題，但是關於韓國所藏中國古籍的文獻價值之問題仍有待探討。有鑑於此，本文主要介紹韓國「國寶」中的五種韓國刊本中國古

誌》復刊八卷 8 期（1975 年），頁 22～26；劉兆祐：〈宋代向高麗訪求佚書書目的分析討論〉，《第三屆中國域外漢籍國際學術會議論文集》（臺北：聯合報文化基金會國學文獻館，1990 年），頁 277～288。

[4] 如自 1986 年 9 月開始舉辦的《中國域外漢籍國際學術會議》中發表了不少相關文章。聯合報文化基金會國學文獻館編：《第一屆中國域外漢籍國際學術會議論文集》（臺北：聯合報文化基金會國學文獻館，1987 年）中有：柳鐸一：〈「朱子書」在韓國接受過程之研究〉，頁 245～262；蔡茂松：〈韓儒朱子學專書十五種及其學術價值〉，頁 365～388；千惠鳳：〈關於韓國保存的中國古板本書〉，頁 853～890。聯合報文化基金會國學文獻館編：《第三屆中國域外漢籍國際學術會議論文集》（臺北：聯合報文化基金會國學文獻館，1990 年）中有：金學主：〈關於朝鮮刊本《五臣注文選》〉，頁 385～404。聯合報文化基金會國學文獻館編：《第四屆中國域外漢籍國際學術會議論文集》（臺北：聯合報文化基金會國學文獻館，1991 年）中有：王民信：〈朝鮮重刊四卷本《唐詩鼓吹》〉，頁 11～35。聯合報文化基金會國學文獻館編：《第五屆中國域外漢籍國際學術會議論文集》（臺北：聯合報文化基金會國學文獻館，1991 年）中有：金學主：〈朝鮮刊《朱文公校昌黎先生集》簡介〉，頁 87～110；張存武：〈韓人保留下來的明代公牘——《吏文謄錄》殘卷〉，頁 111～120；黃啟方：〈奎章閣所藏「六臣注本」與胡克家重刻「李善注本」《文選》校讀記——以屈原《離騷經》王逸注為例〉，頁 179～193。至於有關韓國所藏中國古籍的整體性論述很少，其中柳鐸一的〈韓國地區中國古籍存藏現況〉一文值得參考。該文收入古籍鑑定與維護研習會編：《古籍鑑定與維護研習會專集》（臺北：中國圖書館學會，1985 年），頁 16～24。

籍，[5]藉此點出韓國所藏中國古籍的特色與文獻價值，同時從中、韓圖書交流的角度探究韓國刊本中國古籍的意義。

二、簡述五種韓國刊本中國古籍

首先簡略地敘述五種韓國刊本中國古籍的內容：

（一）《龍龕手鏡》，（遼）釋行均撰。殘本 1 冊，卷之三、四。高麗羅州牧刊本。半葉九行，每行十六字，小字雙行。版框高 26.5 公分，寬 18.7 公分。左右雙欄，上下白口，上黑魚尾。此本原本爲韓國寶物第 130 號，後來 1997 年 1 月 1 日改指定爲韓國國寶第 291 號。此本第三卷無目次，僅存 13 葉；第四卷共有 93 葉，共存 106 葉。第三卷版框高 19.4 公分，寬 26.1 公分，第四卷版框高 19.7 公分，寬 25.8 公分。此本原本是韓國近代著名的文學家崔南善藏本，乃朝鮮全羅南道順天古刹松廣寺舊藏。現藏高麗大學中央圖書館。

（二）《十七史纂古今通要》，（元）胡一桂纂、（元）胡昌祖校正音注。朝鮮太宗三年（1403）金屬活字（癸未字）刊本。殘本，存卷之十六與十七。卷十六 1 冊（原本共有 37 張，缺第 26 張），現藏奎章閣。此本爲 1973 年 7 月 10 日被指定爲

---

[5] 除了上述五種韓國刊本中國古籍外，在韓國國寶中尚有三十多種的韓國刊本中國古籍，這批古籍均為佛書，如《無垢靜光大陀羅尼經》（國寶 214 號）、《紺紙金泥大方廣佛華嚴經普賢行願品》（國寶 235 號）、《大方廣佛華嚴經周本》（卷之六為國寶 203 號；卷之三十六為國寶 204 號）等，因為篇幅的限制，在本文中無法一一說明，將另撰一文深入討論。

韓國國寶第148-1號；卷之十七1冊，現藏國立中央圖書館。此本爲韓國國寶第148-2號。版框高23.3公分，寬14.6公分。左右雙欄，半葉八行，行十七字，小注雙行。版心白口，上下有黑魚尾。卷十七末有墨書識記，說：

> 京城大學教授藤田亮策舊藏……一曰李仁榮《宋朝表牋總類》，一曰宋錫夏氏藏《北史詳節》，一曰《十七史纂古今通要》，乙酉（1945）十一月某日三佛書屋主人（筆者按：金元龍）手記。

據此可知，此本在韓國解放之前，爲日本人藤田亮策的舊藏，1945年解放後，歸三佛庵金元龍所有。據金元龍的說明，在解放後，他去首爾仁寺洞金某古書肆，發現已分冊的2冊《十七史纂古今通要》，迫不及待地購買。過幾天，古書肆主來找他，說自已無藏癸未字本，庚子字本則有數種，希望以庚子字本《資治通鑑》第四十九卷1冊交換癸未字本《十七史纂古今通要》。金元龍答應古書肆主的要求，以《十七史纂古今通要》第十七卷來交換庚子字本《資治通鑑》第四十九卷1冊。後來，第十七卷通過古書肆主流入國立中央圖書館，第十六卷由金元龍捐贈給奎章閣。

（三）《東萊先生校正北史詳節》，（宋）呂祖謙（1137～1181）撰，朝鮮太宗年間金屬活字（癸未字）刊本。共三冊。左右雙邊，版框高23.2公分，寬14.3公分。半葉八行，每行十七字，小註雙行。版心白口，有下向黑魚尾。1973年7月10日被指定爲韓國國寶第149號，卷之四、五爲國寶149-1號，卷之六爲國寶第 149-2 號。卷之四與五是首爾城北區澗松美術館所藏本，卷之四共有 28 張（第 2 張至第 29 張，缺第 1 張），卷之五共有 19 張。整體而言，此 2 卷爲溼氣所破損，並其字也往往看不清楚；卷之六爲首爾趙炳舜所藏。

（四）《宋朝表牋總類》，朝鮮太宗三年（1403）金屬活字（癸未字）刊本。殘本，存卷之六至十一，1 冊，現藏湖巖美術館；卷之七，1 冊（共 12 張），現藏奎章閣，1973 年 7 月 10 日被指定爲韓國國寶第 150 號。左右雙欄，版框高 23 公分，寬 14 公分。每半葉八行，每行大字未詳，小字雙行二十一字。版心白口，上下有黑魚尾。版心中間題記「宋表」，下面記卷次、葉次。奎章閣藏本共有 12 張，第 12 張半葉是白紙，第 10、11、12 張框廓左上邊的書眉與本文的一部分被破損。此書以類別來區分在宋朝時向皇帝奏請的表牋文，集錄奏議者的文章，便以參考。卷七收錄有關明堂祠祭的表牋文。原來由嘉藍李秉岐先生所有，後來入藏首爾大學校圖書館，再由奎章閣管藏。

（五）《通鑑續編》，（元）陳桱撰，朝鮮世宗四年（1422）金屬活字（癸未字與庚子字）刊本。24 卷 6 冊。四周雙邊，版框高 15.5 公分，寬 23.7 公分。有界。本文半葉十一行，行二十一字；序、目錄、序例則八行，行十七字，小註雙行。版心上下有黑魚尾，版心題「通鑑續編」。據書末卞季良（1369～1430）「鑄字跋」一文，可知此本的「序」、「目錄」、「序例」部分，以「癸未字」活字刊印；其他本文則以「庚子本」刊印。書中鈐有「緝熙敬止」、「訥齋」、「國老」、「景寶」、「孝仲」等藏書印，又有識記「松詹」。1995 年 3 月 10 日被指定爲韓國國寶第 283 號。現在歸慶尚北道慶州市個人所有。

三、五種韓國刊本中國古籍的文獻價值

（一）就韓國印刷史而言

上述五種韓國刊本中國古籍的文獻價值，我們可從三個方面來探討。首先，就韓國印刷史的角度而言，上述五種中國古籍的刊刻年代都較早，如《龍龕手鏡》爲高麗刻本，其他四種均是朝鮮初期刊本，這無疑是上述五種韓國刊本中國古籍的文獻價值所在。而且，除了《龍龕手鏡》爲刻本外，其他四種都以「癸未字」與「庚子字」金屬活字來刊印，就韓國印刷史而言，這點頗爲重要。

朝鮮因以抑佛崇儒爲國是而積極地施行右文政策，其中書籍印刷及普及無疑成爲不可缺少的一環。爲了這件事，太宗三年（1403）朝鮮繼承高麗末期的「書籍院」制度，設置了「鑄字所」，而開始鑄字。其事由李稷、閔無疾（？～1410）、朴錫命（1370～1406）、李膺等人來監督；由金莊侃、金爲民、朴允英等人親自掌管，1403 年 2 月 18 日開始鑄字，過了幾個月，鑄成數十萬字，其中包含大字、小字、特小字，這時所鑄的字叫做「癸未字」。此「癸未字」是朝鮮最早以銅鑄成的活字，以該年的干支來命名的，雖然其鑄造術及印刷技術都處於尚未成熟的階段，一天的印刷量僅有數張。但是在如此的技術條件

下，在鑄造所刊印書籍而把它廣泛地普及，就文化史的角度而言，意義甚大。[6]現存「癸未字」刊本，除了上述《十七史纂古今通要》、《東萊先生校正北史詳節》、《宋朝表牋總類》以外，尚有《新刊類編歷舉三場文選對策》卷之五、六，1 冊，現藏誠庵古書博物館。卷之七、八，1 冊，個人所藏；《陶隱先生詩集》卷之一，1 冊，現藏誠庵古書博物館。卷之三，1 冊，個人所藏。《地理全書洞林照膽經》上、下卷，1 冊，現藏誠庵古書博物館。《纂圖互注周禮》卷之一、二，1 冊，現藏日本國會圖書館。此活字到在世宗二年（1420）又鑄造「庚子字」時被鎔化爲止，前後使用了十八年之久，而如今傳世的「癸未字」刊本卻甚少。

朝鮮世宗二年，爲了改善「癸未字」的不足之處，以銅鑄活字，以該年的干支來命名爲「庚子字」，用它來刊印的書籍稱爲「庚子字版」或「庚子字本」。其鑄造奉世宗之命，由李蕆、南汲、金益精、鄭招等人負責監督，自世宗二年（1420）十一月開始，前後共花了七個月而完成。「庚子字」的字體跟「癸未字」相比，更小，更圓融，又較有勁力。雖然「庚子字」已經大幅度地改善了「癸未字」的缺點，但是與世宗十六年（1434）所鑄造的銅活字「甲寅字」比起來，在鑄造技術上仍遜色了許多，一天可印出 20 餘張，僅能達到甲寅字之一半。傳世的「庚子字」書籍並不少，其中有（宋）真德秀（1178～1235）《西山先生真文忠公文章正宗》、（梁）昭明太子（500～

---

[6] 有關「癸未字」及「癸未字」刊本的內容，可參看（韓國）千惠鳳：《韓國金屬活字本》（首爾：汎友社，1993 年），頁 37～42。

531）編、五臣並李善注本《文選》等。

總而言之，上述《十七史纂古今通要》、《東萊先生校正北史詳節》、《宋朝表牋總類》、《通鑑續編》以「癸未字」、「庚子字」金屬活字本刊印，這正是這四種古籍在韓國印刷史上的特殊價值。

（二）就與中國刊本比較而言

其次，我們把上述五種中國古籍與中國傳世的其他版本比較，不難發現這五種古籍仍有一定的文獻價值。韓國刊本《十七史纂古今通要》、《東萊先生校正北史詳節》、《通鑑續編》在中國雖然並不是稀奇的珍本，但是其刊刻年代較為早，可以把它們當作善本。而且，其刊刻年代較早於有些中國刻本，如韓國刻本《東萊先生校正北史詳節》是朝鮮太宗年間（1401～1418）刊刻的，其刊刻年代早於「明正德十一年（1516）慎獨齋刊本」《十七史詳節》與「明隆慶三年（1569）陝西布政司刊本」《十七史詳節》。

《通鑑續編》的傳世版本也並不多，臺灣地區故宮博物院藏「元至正二十一年（1358）松江刊本」與「清文淵閣四庫全書本」。據《中國古籍善本書目・史部・編年類》，大陸地區共收藏五部《通鑑續編》，有：「元至正二十一年顧逖刻本」，24卷，現藏北京圖書館；「元至正二十一年顧逖刻本。（清）蔣培澤、丁丙跋」，24卷，現藏南京圖書館；「元至正二十一年顧逖刻公文紙印本」，存4卷（卷一至四），現藏北京圖書館與上海博物館；「元至正二十一年顧逖刻明修本」，24卷，現藏北京圖書館、上海圖書館、復旦大學圖書館、揚州市圖書館；「元至正二十一年顧逖刻明修本。（清）于廉基跋」，存 2 卷（卷二十一至二十二），現藏山東省圖書館。[7]可見都是元刻本或元刻明修本，並無其他版本，而且有的版本是殘本。元刻本問世之後，過了六十四年後，在朝鮮以金屬活字來重刊，而且如今傳世完帙本，則朝鮮金屬活字本仍有一定的價值。

至於《宋朝表牋總類》、《龍龕手鏡》則具有更高的文獻價值。《宋朝表牋總類》一書，《臺灣公藏善本書目》、《中國古籍善本書目》並未著錄，而且歷代藏書目錄，如（元）脫脫（1314～1355）撰《宋史藝文志》；（清）黃虞稷（1629～1691）、倪燦（1627～1688）等撰《宋史藝文志補》；（宋）紹興中官撰、（清）徐松（1781～1848）輯《四庫闕書目》；（宋）紹興中改定、（清）葉德輝（1864～1927）考證《祕書省續編到四庫闕書目》；（宋）陳騤（1128～1203）等撰、趙士煒輯《中興館閣書目》；（宋）張攀等撰、趙士煒輯《中興館閣續書目》；（宋）官修、趙士煒輯《宋國史藝文志》等，都沒有著錄此本，可見韓國刊本雖然是殘本，其文獻價值不容忽視。但是，此本是否中國人的著作，需要更進一步的查考，因爲韓國朝鮮時期刊印中國古籍有幾種方式：一、完全覆刻中國古籍者，大部分韓國刊本中國古籍都屬於這種形態；二、在中國古籍上加韓文的訓讀文字者，如《洪武正韻譯訓》；[8]三、重新編選中國古籍者，

---

[7] 中國古籍善本書目編輯委員會編：《中國古籍善本書目・史部》（上海：上海古籍出版社，1993 年），頁 125。

[8] 此書在朝鮮世宗二十七年（1445），成三問、申淑舟等奉敕撰，以韓文來

如《朱書百選》、《雅誦》；[9]四、在韓國人所編的古籍中包括大量的中國人著作者，如《夾註名賢十抄詩》。[10]因此我們不能排除《宋朝表牋總類》是由朝鮮人因爲某種需要而從相關書籍中輯錄的可能性。

《龍龕手鏡》一書更具有特殊價値。《龍龕手鏡》遼版已

音解《洪武正韻》。因為當時漢字音的訛傳越來越甚，與實際中國音往往不符，此書正是為了正確地標記漢字發音而撰寫的。其體例在《洪武正韻》的漢字底下，以韓文來表示譯訓和俗音。有關《洪武正韻譯訓》的內容，可參看成元慶：〈關於《洪武正韻譯訓》〉，《第五屆中國域外漢籍國際學術會議論文集》，頁 19～37。

[9] 《朱書百選》在 1794 年朝鮮正宗皇帝（1752～1800）從朱子文集中選擇具有教化意義的一百篇書信，李晚秀（1752～1820）等人加以註釋的；《雅誦》在 1799 年正宗輯錄朱子詩四百五十一首而刊印的。李晚秀〈頒降《朱書百選》《雅誦》于八道校宮關文〉一文說明正宗編纂此二書的編纂體例與目的，說：「輿自春邸時，手編朱書，刪定序次，千取其百，命之曰《朱書百選》，即吾夫子博文約禮之意也。又以為先王教人，詩教為大，取朱子詩四百五十首，編而命之曰《雅誦》，師夔之永言，成均之學樂，是也。曰書曰詩，如車輪鳥翼，不可偏廢。欲觀夫子之文章者，觀於此二編，可以無餘蘊矣。」見〈《朱書百選・雅誦》解題〉，《朱書百選・雅誦》，《奎章閣資料叢書・儒學篇》（首爾：首爾大學校奎章閣，2000 年），頁 10。

[10] 此書是高麗時期韓國人所編的一部唐詩選集，書中收錄了中晚唐三十位詩人（其中包括四位新羅人）的作品，全部為七言律詩，每人 10 首，共 300 首。在 300 首詩中，未見於《全唐詩》的作品達 183 首之多。這部選集不僅收錄了唐代一些著名詩人，如白居易、賈島、張祜、張籍、羅隱、皮日休、章孝標等人的逸詩，而且還錄《全唐詩》遺漏的作品或收錄作品極少的幾位詩人的作品。其收錄逸詩的情況如下：劉禹錫 1 首、白居易 4 首、張籍 4 首、章孝標 10 首、杜牧 1 首、李遠 6 首、雍陶 7 首、張祜 8 首、趙嘏 4 首、馬戴 10 首、韋蟾 10 首、皮日休 9 首、曹唐 8 首、李雄 10 首、吳仁壁 10 首、韓琮 9 首、羅鄴 9 首、羅隱 8 首、賈島 4 首、李山甫 10 首、李群玉 10 首，共 152 首。我們通過《夾註名賢十抄詩》，不僅發現眾多的唐代逸詩，而且還能從側面瞭解到一些唐人詩文集的流傳和散逸情況以及宋朝和高麗的文化交流情況等。

無傳世之本，在中國流傳下來的最早版本爲南宋浙刊本，書名爲《龍龕手鑑》，宋時爲避翼祖諱，始改「鏡」爲「鑑」，現藏臺灣故宮博物院。[11]但此宋本並非遼本的原貌，惟高麗刊本是可窺見遼版面貌之版本，而且在校勘質量方面優於南宋浙刊本，正如陳飛龍先生指出：「高麗本與宋本（案：南宋浙刊本）彼此之間異同甚夥，難免互有短長，但高麗本可用以訂正宋本之處甚多」，[12]則此本的文獻價值不須待言。

（三）就中、韓兩國圖書交流而言

上述五種中國古籍在韓國刊印，具有兩種意義：

1. 五種韓國國寶中國古籍都是在中、韓兩國在圖書交流上的一個例證，在中、韓兩國圖書交流的研究方面提供了珍貴的資料。如《十七史纂古今通要》一書著錄《四庫全書・史部・史評類》，而歷代藏書目錄所著錄的幾乎是元刊本或影元本，[13]據《中國古籍善本書目・史部・史評類》僅著錄兩本元刻本和一本丁丙跋本清抄本；臺灣地區在故宮博物館藏一部元刊本與

[11] 故宮博物院所藏《龍龕手鑑》的內容，可參看吳哲夫：〈故宮善本書志・《龍龕手鑑》四卷〉，《故宮圖書季刊》第一卷第 3 期（1970 年），頁 47～49。陳飛龍：《龍龕手鑑研究》（政治大學中國文學研究所博士論文，1974 年 7 月，高明、林尹教授指導），「第一章・版本」，頁 7～10。

[12] 相關內容可參看陳飛龍：《龍龕手鑑研究》，「第一章・版本」「日本昭和四年（1929）京城帝國大學景印高麗本」，頁 43～50。至於《龍龕手鑑》的版本問題，可參看陳飛龍：《龍龕手鑑研究》，頁 1～50。

[13] 如（清）管庭芬：《讀書敏求記校證》（卷二上，頁 4）、（清）于敏中等：《天祿琳瑯書目》（卷五，頁 39）、（清）江標：《宋元本書目行格表》（卷下，頁 6）、（清）楊守敬：《留真譜新編》（一集，卷四，頁 32）均著錄「元刊本」。

清文淵閣四庫全書本。可見《十七史纂古今通要》在中國刊印甚少，而在朝鮮得以刊印問世，這足以證明兩國圖書交流的頻繁。

以往談論中、韓兩國的圖書交流，所利用的資料大部分是正史中的記載，很少利用韓國流傳下來的中國古籍或韓國刊本中國古籍，論述中、韓兩國的圖書交流。韓國主要藏書機構，如「國會圖書館」、「奎章閣」、「國立中央圖書館」、「韓國精神文化研究院藏書閣」、「高麗大學校中央圖書館」、「成均館大學校東亞細亞學術院尊經閣」、「延世大學校中央圖書館」、「嶺南大學校中央圖書館」、「東國大學中央圖書館」、「國史編纂委員會」等所藏中國古籍（包含中國本與韓國本）爲數甚多，這些古籍有力證明中、韓圖書交流的豐富內容及其發展軌跡。假如我們善加利用這批古籍，不但更深入地研究中、韓兩國圖書交流，甚至對於東亞文化的形成與交流的理解也有所助益。

《無垢淨光大陀羅尼經》是個很好的例子。《無垢淨光大陀羅尼經》在 1966 年 10 月韓國慶州佛國寺釋迦塔內所發現的，1967 年 9 月被指定爲國寶 126 號，現藏韓國國立中央博物館。如今學界已供認它是現存世界最早的雕版印刷品，但是它是韓國刊本或者中國刊本，中、韓學術界一直有不同的看法，雖然經過相關學者們的深入討論，但是仍無法解決不少的爭論。[14]我們姑且不論其爭論的是非，重要的是此本的出現一定

---

[14] 如 1999 年，於韓國首爾延世大學校國學研究院舉行「世界印刷文化起源」國際學術研討會，其會議論文刊載《東方學志》（首爾：延世大學校國學研究院，1999 年 12 月），從這些資料中可知相關爭論的內容。除此之外，

跟中、韓兩國的圖書交流有直接的關係。因爲，假如它爲中國刻本，則無疑是從唐朝傳到新羅的；假如它是韓國刻本，它一定以唐朝的漢譯寫本爲底本刊刻的。那麼，此本的存在正好說明東亞印刷史的起源與發展，同時說明東亞印刷文明形成之一個軌跡。

2. 印刷文化在中、韓兩國早已發展，尤其是在韓國朝鮮王朝活字印刷術頗爲盛行，當時印書大半爲活字版之本。根據韓國學者的看法，韓國高麗時期是世界上最先大量鑄造金屬活字，[15]朝鮮人以自己祖先所發明的印刷方法刊印不少中國古籍，這表示兩種文化透過圖書一媒介結合在一起，而呈現出獨特的文化內涵，換言之，韓國刊本中國古籍就是中、韓兩國古代文化融合的產物。

不僅如此，歷來韓國存藏中國古籍（包含韓國本與中國本）

這幾年來，有些中、韓學者繼續發表了關於韓國收藏《無垢淨光大陀羅尼經》的問題，如它是否韓國刊本、它與世界印刷文化起源的關係等，這一問題值得我們格外關注。

15 關於此一觀點，請參千惠鳳：〈세계초유의창안인高麗鑄字印刷〉，《奎章閣》第 8 輯（1984 年），頁 63～75；又千惠鳳：《韓國書志學》（首爾：民音社，1999 年），頁 241～268。對此一問題，中國學者提出不同看法，如蕭東發認為「僅據一本 1377 年（明洪武十年）的《佛祖直指心體要節》就認定其為『金屬活字最古老的書籍』，進而把出版該書的清州興德寺遺址認定為『世界上首先使用金屬活字之地』是不科學的。因為中國早在宋代就已經有金屬活字的印刷活動。王禎提到的元大德二年（1298）以前的錫活字難道不就是金屬活字嗎？何況本章前四節所列的全部文獻和實物都早於明初。中國發明活字印刷術包括金屬活字的史實是不容置疑的，也是否定不了的。」《中國圖書出版印刷史論・第三章・活字印刷起源與發展》（北京：北京大學出版社，2001 年），頁 91。可見中、韓學者對於這一問題的看法仍有根本性的分歧。

經過不同管道流入日本，使得現在日本各藏書機構收藏很多的韓國本漢籍，[16]其中韓國本漢籍在日本的漢籍中占很大的比重。[17]如在壬辰倭亂中，隨著豐臣秀吉（1536～1598）對朝鮮的侵略，帶回了朝鮮王府祕藏本等多數朝鮮版本，也帶走了朝鮮活字。[18]其結果使日本印刷業除了天主教版外，還出現了古活字版。[19]在這樣的過程當中，韓國本中國古籍往往成爲日本刊本的底本。島田翰在《古文舊書考》中談及活字本時說：「慶長中有《周易》王注三通……《孔子家語》二通，一通王廣謀注句解本，原於建文中朝鮮覆元本；一通肅本，王肅注本，又有元祿本，不可混一……。」[20]文中所說的「建文中朝鮮覆元本」指的是《新刊標題孔子家語句解》6卷，朝鮮太宗（明建

[16] 這方面的論述可參看沈𡍼俊：《日本訪書志》（首爾：韓國精神文化研究院，1988年）。此書把宮內省書陵部、內閣文庫、尊經閣文庫、東洋文庫、靜嘉堂文庫、大東急紀念文庫、國立國會圖書館、慶應義塾大學圖書館、足利學校遺跡圖書館、琳瑯堂、蓬左文庫、橫山重、東大寺、天理大學附屬天理圖書館、神宮文庫等存藏的韓國版典籍調查與整理，共收錄464種，其中182種在韓國未藏，足以看見日本所藏韓國刊本的價值。

[17] （日）尾崎康：〈日本地區中國古籍存藏情形〉，收入古籍鑑定與維護研習會專集編輯委員會編：《古籍鑑定與維護研習會專集》（臺北：中國圖書館學會，1985年），頁14。

[18] 這方面的論述可參看（韓國）金斗鍾：〈日本에건너간우리나라의活字印刷術〉，《學術院論文集（人文・社會科學篇）》（首爾：大韓民國學術院）第十三輯（1974年9月），頁11～17；（日本）藤本幸夫：〈日本에있는韓國本과그特徵에對해서〉，《民族文化論叢》第十六輯（大邱：嶺南大學校民族文化研究所，1996年），頁273～284。

[19] 王勇、大庭修主編：《中日文化交流史大系・典籍卷》（杭州：浙江人民出版社，1996年），頁89～90。

[20] 島田翰撰：《古文舊書考》，《書目叢編》本（臺北：廣文書局，1967年），頁454～455。

文四年，1402）覆元刊本，今藏韓國國立中央圖書館和日本金澤文庫等。由此可見，日本慶長年間所刊印的王廣謀注句解本《孔子家語》是以朝鮮覆元本為底本刊印的。這些例子足以證明韓國本漢籍與印刷文化對日本的影響。

四、韓國所藏中國古籍的整理與其文獻價值

有關域外所藏中國古籍的整理與研究，這幾年逐漸受到相關研究者的關注，因而其研究成果相當可觀。但是，仔細觀察，相關研究偏重於日本所藏中國古籍的整理與研究方面，如陸堅、王勇主編《中國典籍在日本的流傳與影響》、[21]嚴紹璗著《漢籍在日本的流布研究》、[22]王勇主編《中日漢籍交流史論》、王勇、[23]大庭修主編《中日文化交流史大系・典籍卷》[24]等都是這方面的專書，至於相關目錄和單篇論文則為數更多。相較之下，其他地區所藏中國古籍的整理與研究之成果較少或不被中國學界重視，[25]韓國地區也不是例外。

---

21 陸堅、王勇主編：《中國典籍在日本的流傳與影響》（杭州：杭州大學出版社，1990 年）。

22 嚴紹璗：《漢籍在日本的流布研究》，《中國古文獻研究叢書》本（江蘇：江蘇古籍出版社，1992 年）。

23 王勇主編：《中日漢籍交流史論》（杭州：杭州大學出版社，1992 年）。

24 王勇、大庭修主編：《中日文化交流史大系・典籍卷》（杭州：浙江人民出版社，1996 年 11 月）。

25 譬如，越南方面的有劉春銀、王小盾、陳義主編：《越南漢喃文獻目錄提要》（臺北：中央研究中國文哲研究所，2002 年），該目錄共計收錄 5,023 筆越南古籍文獻目錄，大約三分之一的古籍係由中國傳去的，其中包括一些重抄重印本。中國文哲研究所同時也建置完成「越南漢喃文獻目錄資料

實際上，韓國所藏中國古籍的整理與研究已有不少前人的研究成果。首先韓國各藏書機構整理出版的藏書目錄，如《國立中央圖書館古書目錄》、《奎章閣圖書中國本綜合目錄》、《奎章閣圖書韓國本綜合目錄》、《藏書閣圖書中國版總目錄》、《高麗大學校藏書目錄叢書》、《成均館大學中央圖書館古書目錄》、《延世大學校中央圖書館古書目錄》、《嶺南大學中央圖書館古書目錄》等，基本上反映了韓國存藏中國古籍的現況，但目前為止，這些目錄尚未為中國學界充分利用。

惟韓國存藏中國小說方面的整理與研究，頗有成就，而且中國學界也已注意這項研究成果。如《韓國藏中國稀見珍本小說》，[26]其中包含《啖蔗》、《英雄淚》、《剪燈新話句解》、《刪補文苑楂橘》、《燕山外史》、《新增才子九云記》、《紅風傳》、《包閻羅演義》、《包公演義》、《型世言》；崔溶澈、朴在淵合編〈韓國所見中國通俗小說書目〉；[27]朴在淵編〈韓國所見中國彈詞鼓詞書目〉；[28]金泰範編〈韓國各圖書館所藏「中國古典小說」古本書目〉；[29]閔寬東著《中國古典小說在韓國之流傳》；[30]王國良著〈韓國流傳保存中國古典小說之現況——以江原大學版《中

庫系統」，以供學界使用，其網址為 http://www.litphil.sinica.edu.tw/hannan。

[26] 王汝梅、朴在淵主編：《韓國藏中國稀見珍本小說》（北京：中國大百科全書出版社，1997 年）。

[27] 收入完山李氏：《中國小說繪模本》（春川：江原大學校出版部，1993 年）。

[28] 同前註。

[29] 金泰範編：〈韓國各圖書館所藏「中國古典小說」古本書目〉，《書目季刊》第二十三卷第 2 期（1989 年 9 月），頁 54～79。

[30] 閔寬東著：《中國古典小說在韓國之流傳》（上海：學林出版社，1998 年）。

國小說繪模本》爲主的考察〉，[31]這些專書、書目、單篇論文充分反映出韓國存藏中國古典小說的現況與價值。但是其研究內容僅限於小說，無法完全呈現出韓國所藏其他中國古籍的全貌。

近年來，以韓國延世大學教授全寅初爲首的「韓國所藏中國古籍調查工作研究」工作小組，陸續進行韓國各個庋藏機構的藏書目錄的彙整工作，自 2000 年開始陸續彙編《韓國所藏漢籍目錄》一書。又臺灣大學東亞文明研究中心（2002～2005）委託潘美月教授自 2003 年 7 月開始進行「韓國存藏中國古籍調查」工作，深入調查韓國各單位收藏漢籍的來源、數量、內容及特色，並研究各單位如何整理與利用漢籍。這兩項研究成果將來無疑給韓國存藏中國古籍的整理與研究帶來諸多方便，通過它們，可以進一步探究韓國存藏中國古籍的文獻價值。上述兩項研究成果出爐之前，筆者先對韓國存藏中國古籍的文獻價值，提出幾點看法，可供學術界參考。

從文獻的記載來看，中、韓兩國很早就有文獻典籍的交流，而且各朝代都有頻繁的圖書交流。[32]從這個角度來看，目前韓國存藏不少中國古籍是理所當然的，而且照道理應該會藏不少宋元善本。但是，我們翻看韓國主要公私藏書機構的藏書目錄，發現宋元善本乏善可陳，大部分是明清刊本，這種現況

---

31 此文載周彥文主編：《文獻學研究的回顧與展望——第二屆中國文獻學學術研討會論文集》（臺北：學生書局，2002 年），頁 27～44。

32 黃建國：〈古代中韓典籍交流概說〉，收入《中國所藏高麗古籍綜錄》（上海：漢語大詞典出版社，1998 年），頁 218～238。

與日本藏不少宋元善本的情況形成了強烈的對比。當然造成這種情況的原因是多方面的，其中最主要的原因無非是韓國歷來經過無數的戰禍而引起的書厄，如朝鮮前期豐富的藏書在 1592 年之壬辰倭亂中，因戰火而成灰燼，而剩餘之一部分被搬往日本。對韓國而言，此爲書籍之一大災難。因此，假如我們僅從韓國公私藏書機構到底存藏多少宋元善本來評論韓國所藏中國古籍的文獻價值，則似乎並無甚麼價值可言。但是，韓國存藏中國古籍確實有很高的文獻價值，這一點我們可分兩個方面來說明。

首先，韓國存藏中國本中國古籍雖然是明清刊本爲主，其中有些古籍是在臺灣、中國未藏的珍本，《型世言》是具有代表性的例子。《型世言》是一部明代崇禎年間刊行的話本小說集，全稱《崢霄館評定通俗演義型世言》，現藏「奎章閣」，著錄《奎章閣圖書中國本綜合目錄·集部·小說類》。今存 11 冊，無總序、目錄、插圖，僅存四十五回正文。此本在中國已經失傳，只有經過改編託名的《幻影》、《三刻拍案驚奇》等書的殘本傳世。以往人們對《型世言》一無所知，導致在研究明代通俗小說，尤其是話本小說時，遺留下不少未能解決的問題。奎章閣卻藏一部完整的初刻本，因此它的發現填補了古代白話小說史上的一個空白。[33]

其次，更值得注意的是韓國刊本中國古籍。韓國歷來刊印

---

[33] 相關內容可參看（明）陸人龍著、覃君點校：《型世言》（北京：中華書局，1993 年），「前言」部分，頁 1～11；張啟成：〈首部《型世言》校注本述評〉，《貴州文史叢刊》4 期（1999 年 11 月），頁 66～70。

中國古籍非常嚴謹，故其質量高，向來爲中國人所重視。孫從添《藏書紀要》說：

> 外國所刻之書高麗本最好，《五經》、《四書》、醫藥等書，皆從古本。凡中夏所刻，向皆字句脫落，章數不全者，而高麗竟有完全善本。[34]

其中所說的高麗本應是一個統稱，因爲流傳於中國的高麗本並不多，中國藏書家往往將所有流傳於中國的高麗本、朝鮮本統稱爲高麗本。正如孫氏指出，很多現存韓國刊本中國古籍都具有很高的文獻價值，以下要舉幾個例子說明。

（一）《五臣註文選》，（梁）昭明太子編，朝鮮正德四年（1509）刊本。存 50 冊。現藏成均館大學校東亞細亞學術院尊經閣。四周單邊。版框高 23.5 公分，寬 16.5 公分。每半葉十行，行十七字。小註雙行，行三十四字。版心有黑魚尾。缺卷十一至十七，二十五至二十七。卷首爲呂延祚〈進集注《文選》表〉和蕭統〈文選序〉。書寫格式爲「文選卷第一」，空四格書「賦甲」。次行「京都上」，空一格書「班孟堅〈西都賦〉一首」。第三行齊前行「班孟堅」書「〈東都賦〉一首」。第四行同前書「張平子〈西京賦〉一首」。與李善注本及六臣注本不同，五臣注本是先錄〈進表〉後錄蕭統〈序〉。又李善注本既以一卷分爲二卷，所以每卷僅列一篇，因此沒有子目，五臣注本則不同，每卷均有子目，此當爲《昭明文選》舊式。書中

---

[34] （清）孫從添：《藏書紀要》，《書目續編》本（臺北：廣文書局，1968 年），頁 6。

有黃㬚的跋文，說：

> 舊無版本……曩在成廟朝，嘗命鑄本印之，而今其書存于人者亦寡矣，正德己巳（1509）春，晉川姜相公出為方伯……求得善本，分付列郡，視力之大小輕重而程其功課，力就畢而功告成矣……正德己巳十二月下澣通訓大夫軍資監正製教兼校書館校理黃㬚跋。

由此可知其刊印過程。至於文體分類，此本「移」、「難」兩類目均標出，共有三十九類，與李善注本以及六臣注本的文體分類共有三十七類有所出入，而卻與現藏臺灣國家圖書館的南宋紹興三十一年（1131）陳八郎刻本《五臣注文選》一致。但是此本與陳八郎刻本，除了文體分類相同之外，其分歧甚多，絕非同一系統。傅剛指出：

> 陳八郎本成公綏〈嘯賦〉脫「走胡馬之長嘶，回寒風乎北朔」兩句，與平昌孟氏本的底本相同（這個底本應該是江琪所說的「古本」），而朝鮮本於此卻不脫。經過將幾個版本校勘，我們發現，事實上朝鮮本與杭州本完全相同，這說明朝鮮本的底本即杭州本，甚或是杭州本的祖本，也即平昌孟氏刻本。

接著說：

> 在杭州本僅存兩卷的今天，朝鮮正德四年（1509）所刻這部五臣注《文選》是完全可以作為宋本使用的。目前，此本的點校工作正在進行，相信本書的出版，會對中國

的《文選》研究起到推進作用。[35]

（二）《護法論》，（宋）張商英（1043～1221）述。1 冊 51 張。高麗㫬王五年（1379），忠清道青龍寺刊本。現藏韓國國立中央圖書館。四周單欄，版框高 16.9 公分，寬 12.3 公分。每半葉九行，每行十八字，黑口，有黑魚尾。書中有乾道辛卯（1171）六月望日鄭璵序文，共有四個跋文：紹定四年（1231）四月八日知幻道人跋文、己未（1379）中秋初吉高麗韓山君李穡跋文、前知樞密院事徐俯跋文、紫芝丘雨跋文。張商英在宋徽宗年間（1103～1255）官至丞相，當時正盛行以韓愈（768～824）、歐陽脩（1007～1072）、程顥（1032～1085）等人倡導的排佛思潮，張氏爲了反駁這種排佛觀點，以佛教的立場來展開護佛論，作者在文中甚至利用儒家與老子的學說來試圖掃除排佛思想。尤其是，文中最主要的攻擊對象爲歐陽脩，因爲歐陽脩在〈本論〉一文中以禮本爲主批評佛教。高麗文人李穡（1328～1396）原本「不樂釋氏」，而在跋文中說：

> 五濁惡世，為善未必福，為惡未必禍，非佛何所歸哉？護法論宜其盛行於世也。

從此得知此本在高麗崇佛政策的影響下刊行的。臺灣中央圖書館臺灣分館藏「清光緒二年（1876）常熟刻經刻本」，中國國家圖書館藏「日本寬文九年（1669）至延寶六年（1678）刊本」，

---

[35] 傅剛：〈關於現存幾種五臣注《文選》〉，《中國典籍與文化》編輯部：《中國典籍與文化論叢（第五輯）》（北京：中華書局，2000 年），頁 89～90。另外，可參看金學主：〈關於朝鮮刊本《五臣注文選》〉，《第三屆中國域外漢籍國際學術會議論文集》，頁 385～404。

由此可知現存高麗刊本的刊刻年代甚早。

（三）《盛訓演》，（明）許讚（1473～1548）、龔守愚[36]等編。3卷1冊。版框高20.7公分，寬14.9公分，四周單欄。每半葉十二行，每行十九字，版心上下有花紋魚尾，版心中記聖訓演卷次及葉數。書中有嘉靖九年（1530）許讚序文、嘉靖丙申（1536）龔守愚後序、嘉靖丁酉（1537）唐錡序文。扉葉背面墨書「嘉靖二十一年（1542）五月某日／內賜羅州牧使金益壽聖訓演一件」。現藏韓國國立中央圖書館與北京大學圖書館[37]等。此本的內容爲有關明太祖高皇帝的教民榜訓的事例，卷上爲「名卿註贊」與「增錄事類」，卷中爲「察院公移」與「喪約五條」，卷下爲有關婦德的內容。此書《四庫全書》未收，未見其他中國刻本。《臺灣公藏善本書目》與《中國古籍善本書目》均無著錄此本。此書中國久已不傳，幸賴此朝鮮翻刻本而得存於天壤間，且唐錡之序作於嘉靖十六年（1537），而此本嘉靖二十一年即用以頒賜，其翻印時間當相隔不甚久。

（四）《樊山文集夾註》，《正集》4卷《外集》1卷，（唐）

---

[36] 字師顏，號發軒。江西清江人。正德六年（1511）進士，知貴池縣。歷官南京工部營繕郎中、四川左參議、陝西提學副使、湖廣參政。年四十九、卒於官。其文章典勁，尤邃性理之學，著有《發軒文稿》、《發軒筆記》、《臨江先哲言行錄》等。

[37] 北京大學圖書館《北京大學圖書館藏古籍善本書目》（北京：北京大學出版社，1999年）著錄：「《聖訓演》三卷，（明）許讚、龔守愚編，明嘉靖朝鮮活字本」，頁224。《北京大學圖書館藏善本書錄》（北京：北京出版社，1998年）更明確著錄此本為「朝鮮中宗以『甲辰字』排印」本，頁145。

杜牧（803～853）撰，朝鮮舊刊本。[38]現藏韓國高麗大學校中央圖書館與成均館大學校東亞細亞學術院尊經閣等。四周雙邊，版框高 20.2 公分，寬 13.6 公分。半葉八行，行十七字，小註雙行。就杜牧詩集而言，此本非常重要，其價值在於：1. 此本是中國國內現存杜牧集子的最早刻本。從文字來看，此本也有魯魚亥豕之訛化現象，它並不是一個最好的本子，但時代較早，必然使它有長於其他諸本的地方，在校勘上有特殊的功用；2.此本雖然是現存杜牧詩集最早的注本，雖整體而言，略遜於清代馮集梧注本，但有些字句的注釋，此本高於馮注；3. 此本引用了許多現已失傳的書，《十道志》、《春秋後語》、《盾甲開山圖》、《五經通義》、《三輔決錄》、《魏略》、《晉陽秋》等。其中有些書清代雖有輯本，但已遠非原書之舊。此本歷來流傳甚稀，清人的輯佚都沒有用過，因此可成爲古籍輯佚提供新資料。[39]此本在臺灣未見，中國大陸則僅北京圖書館藏一本「朝鮮刊本」，遼寧省圖書館藏「明正統五年（1440）朝鮮全羅道錦山刻本」。[40]

---

[38] 高麗大學校中央圖書館編輯《高麗大學校中央圖書館貴重圖書目錄》（首爾：高麗大學出版部，1980 年）指出此本為朝鮮壬辰倭亂以前全南刊本。

[39] 相關內容可參看韓錫鐸：〈朝鮮刻本樊川文集夾注影印說明〉，《中國公共圖書館古籍文獻珍本匯刊・朝鮮刻本樊川文集夾注》（北京：中華全國圖書館文獻縮微複製中心，1997 年），頁 3～7；吳在慶：〈朝鮮刊本《樊川文集夾注》的文獻價值——從一條稀見的楊貴妃資料談起〉，《中國典籍與文化》第 36 期（2000 年第 1 期），頁 65～70；楊焄：〈論朝鮮刻本《樊川文集夾注》的文獻價值〉，《復旦學報（社會科學版）》2004 年 3 期，頁 135～139。

[40] 此本後來收入《續修四庫全書・集部・別集類》（上海：上海古籍出版社，2002 年）第 1312 冊。

從上述的例子來看，我們不難發現韓國刊本中國古籍文獻價值之一斑，更值得注意的是這種例子並不是少數，故韓國刊本中國古籍值得我們格外關注。

五、韓國刊本中國古籍回流於中國

最後，筆者要說明的是，中、韓兩國在圖書交流的過程中，主要是中國圖書流入韓國，而後來韓國本漢籍也回流於中國。如由於高麗藏有不少異書，所以在宋代，已屢見由高麗輸入異本到宋朝的現象，例如陸游（1125～1209）在〈跋《說苑》〉中說：「高麗進一卷」。[41]《玉海》說：「元祐八年（1093），高麗進書有《京氏周易傳》十卷，疑《隋志・周易占》十二卷是也。」[42]並且受到中國藏書家的重視。因此，南宋以來的不少藏書目錄往往記載韓國本中國古籍，尤袤（1127～1194）《遂初堂書目》的記載可證實這種事實。《遂初堂書目》記載：「高麗本《尚書》」，[43]《遂初堂書目》大約成於南宋光宗年間（1190～1194），[44]則上述高麗本《尚書》肯定在南宋光宗時期以前回

---

41 〈跋《說苑》〉，《渭南文集》，《四部叢刊正編》本（臺北：臺灣商務印書館，1979 年），卷二七，頁 8 下～9 上。

42 《玉海》卷五，「漢京房易傳」，頁 27 下。

43 （宋）尤袤撰：《遂初堂書目》，《書目續編》本（臺北：廣文書局，1968 年），「經總類」，頁 3。

44 張雷則認為《遂初堂書目》創始在淳熙五年（1178），成書於淳熙十三年（1186）前後，定稿似在光宗（1190～1194）時。見張雷：〈尤袤《遂初堂書目》的再認識〉，收入周彥文主編：《文獻學研究的回顧與展望》（臺北：學生書局，2002 年），頁 382～383。

流到中國。又如（清）錢謙益（1562～1664）《絳雲樓書目》著錄：「草堂詩有高麗刻本」；[45]（清）季振宜（1630～？）《季滄葦藏書目》著錄：「高麗板《柳柳州集》四十三卷」；[46]（清）丁丙（1832～1899）《善本書室藏書志》著錄：「高麗刊本《詩經大全》二十卷」，並說：「此爲高麗國刊本，較明官書尤字大紙闊，存之以見東土書林之概。」[47]傅增湘（1872～1949）《雙鑑樓善本書目》著錄：「《後山詩注》十二卷，高麗古活字本，八行十七字」，[48]又《雙鑑樓藏書續記》著錄：「《纂圖互註周禮》十二卷。高麗古刻本，九行十五字……此高麗本，亦爲明時所刊，以禮圖及重言重意證之，亦出宋時坊刻也。」[49]甚至清朝乾隆時編《四庫全書》時，收錄五種韓國人著作。[50]另外，近年來《臺灣公藏韓國古書籍聯合書目》、[51]《北京大學圖書館館藏古代朝鮮文獻解題》、[52]《中國所藏高麗古籍綜錄》[53]等書的

---

[45] （清）錢謙益：《絳雲樓書目》，《書目三編》（臺北：廣文書局，1969 年）第 4 冊，頁 12 上。

[46] （清）季振宜：《季滄葦藏書目》，《書目類編》（臺北：成文出版社，1978 年）第 34 冊，頁 31 下。

[47] （清）丁丙：《善本書室藏書志》，《書目叢編》本，卷二，頁 6 下。

[48] 傅增湘：《雙鑑樓善本書目》，《書目三編》第 10 冊，卷四，「集部」，頁 199。

[49] 傅增湘：《雙鑑樓藏書續記》，《書目三編》第 10 冊，卷上，頁 1 上～1 下。

[50] 這方面的論述可參看吳哲夫：〈《四庫全書》收錄外國人作品之探求〉，《第四屆中國域外漢籍國際學術會議論文集》，頁 61～85；陳東輝：〈《四庫全書》及其存目書收錄外國人著作種數考辨〉，《杭州大學學報》第二十八卷第 3 期（1998 年 7 月），頁 64～67。

[51] 朴現圭：《臺灣公藏韓國古書籍聯合書目》（臺北：文史哲出版社，1991 年）。此書目所錄，包括臺灣公藏善本、普通本線裝中韓國古書籍。

[52] 李仙竹主編：《北京大學圖書館館藏古代朝鮮文獻解題》（北京：北京大學出版社，1997 年）。此解題收錄的朝鮮文獻主要指古代朝鮮所出版的漢籍

編纂均證明中、韓兩國在圖書交流中，不僅是中國古籍流入韓國，大量的韓國本漢籍也回流於中國，對當時中國學術界產生頗爲可觀的影響力。[54]

更值得注意的是，在這種過程當中，有的韓國刊本中國古籍成爲中國刻本的底本，下面舉個例子說明。

在 1911 年，上海刊行了《頻伽精舍板大藏經》，此佛藏以日本《縮別大藏經》爲底本。值得注意的是，日本在 1881 至 1885 年間刊印《縮別大藏經》時，以《高麗大藏經》爲底本，以宋、元、明版大藏經來校勘它。在 1922 至 1934 年間所刊行的《大正新修大藏經》也如此。[55]可見，《頻伽精舍板大藏經》

及古代中國所出版的內容有關古代朝鮮的書籍，共蒐集三百餘種古籍，刻本及抄本約占百分之九十，其中不乏有稀世珍本，如明景泰六年（1455）的《聖宋名賢五百家播芳大全文粹》（銅活字本），自宋紹興以後，從未覆刻，傳本絕少。

[53] 黃建國、金初昇主編：《中國所藏高麗古籍綜錄》（上海：漢語大詞典出版社，1998 年）。此書共收錄臺灣與中國大陸五十一個單位所藏的有關高麗古籍資料 2,754 種。其中最主要的部分是 1911 年以前出版於韓國的古籍，有 2,028 種；其次為 1911 年以後的韓國出版物和中國、日本出版的有關資料，前者有 426 種，後者有 300 種。以版刻類型來分，1911 年以前出版的 2,028 種書分為刊本 1,193 種、木活字本 397 種、銅活字本 86 種、稿抄本 288 種、石印本 10 種、鉛印本 36 種。

[54] 吳哲夫在〈中韓古代印刷交互影響探討〉一文中指出：「韓國刊本，隨著彼此交往，再回到中國，對中國學林又產生頗為可觀的影響力，諸如韓國刊本精美，為藏書家所喜愛；韓國刊本中保存了許多異本，使得中土佚書得以再現；韓國刊本往往翻刻原本，不擅自刪改，可以訂正中土後世許多的傳本；韓國刊本往往保持原書款式，足以窺知古書的原貌等等，都是韓國刊本對中國書林的影響及貢獻明顯的地方。」《韓國學報》第 2 期（1982 年 10 月），頁 40。

[55] 千惠鳳：《韓國書志學》，頁 26。

在版本源流上是屬於《高麗大藏經》系統的。

（元）朱世傑撰《新編算學啓蒙》是一本算學的入門書。這本書在中國失傳將近五百多年，阮元（1764～1849）在《四庫未收書提要》中曾說：「今《啓蒙》一書不可復見」。[56]後來，道光間羅士琳（1784～1853）在北京琉璃廠獲得一本朝鮮重刊元大德己亥年（1299）本，後來道光十九年（1839）以它爲底本重刊。[57]羅士琳指出《算學啓蒙》一書在中土「不可復得」，並說：「不知何時流入彼中，足見遠人嚮學，知重是書，重爲刊梓。歷五百餘歲，而得以復歸故土。」[58]如今我們最常見的《算學啓蒙》的版本就是羅士琳所刊道光十九年重刊朝鮮本，[59]則可知在《算學啓蒙》一書的流傳中朝鮮刊本的特殊價值。

其次，韓國刊本中國古籍往往收入中國人所編的叢書中。如民國八年（1919）上海商務印書館出版的《四部叢刊初編》共收錄三種韓國刊本古籍。《四部叢刊初編》初印時，原本共

---

56 （清）阮元：《揅經室集・外集》（北京：中華書局，1993 年），卷四，頁 1270。

57 此本現藏北京大學圖書館。左右雙欄，版框高 19.7 公分，寬 27.6 分。半葉十行，行十九字。版心上下有黑魚尾，中間記書名、卷次（上、中、下）」與葉次。書前有朝鮮金始振〈重刊算學啟蒙序〉，次有道光十九年己亥（1839）揚州所寫的阮元〈序〉，次有元大德己亥（1299）七月既望淮揚學算趙城元鎮〈算學啟蒙序〉。次有〈新編算學啟蒙總括〉，次有〈算學啟蒙識誤〉，次有〈算學啟蒙後記〉。本文前有「新編算學啟蒙目錄」。書末附出自楊輝算法的〈望海島術〉一文。

58 （清）羅士琳：〈算學啟蒙後記〉，《算學啟蒙》，《續修四庫全書・子部・天文算法類》（上海：上海古籍出版社，1995 年），第 1043 冊，頁 3 上。

59 如在臺灣地區，國立中央圖書館與臺灣大學圖書館各藏一部《算學啟蒙》，都是「清道光十九年（1839）重刊朝鮮本」。

收錄四種「高麗舊刻本」，[60]後來重印時，因爲把高麗刻本《寒山子詩》[61]改用景宋刻本，[62]所以如今我們常見的《四部叢刊初編》共收錄《桂苑筆耕集》20 卷，（新羅）崔致遠，無錫孫氏小綠天藏高麗刊本《后山詩註》12 卷，（宋）任淵注，江安傅氏雙鑑樓藏高麗活字本《皇元風雅前集》6 卷，《後集》6 卷，上海涵芬樓高麗翻元刻本等三種韓國刊本古籍。

黎庶昌（1837～1897）所刻《古逸叢書》是另一個例子。《古逸叢書》在光緒十年（1884），刻印於日本使署。其所收錄的均爲中土久佚或稀見的，流傳海外之希世祕笈。黎庶昌在《集註草堂杜工部詩外集》後「記文」說：

> 予所收《草堂詩箋》，有南宋、高麗兩本。宋本闕《補遺》、《外集》十一卷。今據以覆木者，前四十卷南宋本；後十一卷高麗本。兩本俱多模糊，而高麗本刻尤粗率，

---

[60] 張元濟〈四部叢刊刊成記〉說：「採用底本，涵芬樓所藏外，宋本三十九，金本二，元本十八，影宋寫本十六，影元寫本五，校本十八，明活字本八，高麗舊刻本四，釋、道藏本二，餘亦皆出明、清精刻。」《涉園序跋集錄》（臺北：臺灣商務印書館，1979 年），頁 178。

[61] 此高麗刻本《寒山子詩》是指黃丕烈、瞿鏞所藏明正德九年甲戌（1514）朝鮮刊本。有關此版本的內容，可參看瞿鏞編纂、瞿果行標點、瞿鳳起覆校：《鐵琴銅劍樓藏書目錄》（上海：上海古籍出版社，2000 年）卷十九〈寒山詩一卷豐刊拾得詩一卷附慈受擬寒山詩一卷〉「明刻本」條，頁 490；陳耀東：〈唐代詩僧《寒山子詩集》傳本研究〉，《人文中國學報》（香港浸會大學）第 6 期，1999 年 4 月，頁 15～18。

[62] 張元濟〈重印四部叢刊刊成記〉說：「輯印初意，惟求善本，比歲涵芬樓續收之書，不下數十萬卷；藏弆之家，聲應氣求，時復以祕笈相餉，所得見珍，不憚更易。……《寒山子詩》前用高麗本，今改景宋刻本……凡諸改易，悉皆後勝於前。」《涉園序跋集錄》，頁 180。

> 然頗有校正宋本處，即如陳景雲所指「何假將年佩」，「佩」字，宋本原作「蓋」，是其一也，今從高麗本正之。[63]

在引文中所說的「《補遺》、《外集》十一卷」，是指《黃氏集千家註杜工部詩史補遺》10 卷，和《集註草堂杜工部詩外集》1 卷。[64]有趣的是，《古逸叢書》的編者爲中國人，刊刻地點與刊工者爲日本和日本人，所用底本中也有高麗本，則此叢書的成書可說是中、韓、日三國印刷文化的結合。

以上以《頻伽精舍板大藏經》、《算學啓蒙》、《四部叢刊》、《古逸叢書》的例子說明韓國刊本中國古籍回流中土的情況，這也是韓國刊本中國古籍的另外一種文獻價值。

---

63 黎庶昌：《古逸叢書》，《百部叢書集成》本（臺北：藝文印書館，1965 年），「跋五」部分，頁 5 上。

64 需要說明的是，《古逸叢書》中的《草堂詩箋》的版本是有問題的。傅增湘〈校宋殘本草堂詩箋跋〉說：「取黎氏翻本勘之，卷第淩亂，注文脫失，不可勝計。茲舉其最大者言之，宋刻原為五十卷，無所謂補遺也。黎刻本書四十卷後，別出補遺十卷，於是魯氏編年之意全失，此一異也。宋刻與黎刻自卷一至十九次第相符，下此則顛倒混淆……今黎氏所藏高麗本亦入涵芬樓，實只四十卷，並無補遺，又不知其號南宋刊本者究為何本也？」詳看《藏園群書題記》，《書目叢編》第 13 冊，卷三，頁 32～34。其他論者的看法與傅氏並無二致。參看萬曼：《唐集敘錄》（北京：中華書局，1980 年），頁 129～131；鄭慶篤、焦裕銀、張忠綱、馮建國編著：《杜集書目提要》（濟南：齊魯書社，1986 年），頁 26～28；周采泉：《杜集書錄》（上海：上海古籍出版社，1986 年），頁 75～77。

六、結語

本文主要介紹在韓國國寶中五種韓國刊本中國古籍，並說明其文獻價值。另外，文中說明目前韓國存藏中國古籍（包括韓國本、中國本）整理與研究的現況，同時舉個例子來說明目前韓國存藏中國古籍（韓國本與中國本）確實具有很高的文獻價值。這批古籍不僅是在中、韓兩國圖書交流研究上的珍貴資料，對於我們研究東亞文明的形成和發展也有助益。

國家圖書館出版品預行編目資料

東亞文獻研究資源論集

潘美月、鄭吉雄主編. – 初版. – 臺北市：臺灣學生，2007[民 96]
面；公分

ISBN 978-957-15-1382-9(精裝)
ISBN 978-957-15-1381-2(平裝)

1. 漢學研究 2. 文獻學 3. 文集 4. 東亞

033.07 96021642

東亞文獻研究資源論集（全一冊）

主編：潘美月・鄭吉雄
出版者：臺灣學生書局有限公司
發行人：盧保宏
發行所：臺灣學生書局有限公司
臺北市和平東路一段一九八號
郵政劃撥帳號：00024668
電話：(02)23634156
傳眞：(02)23636334
E-mail：student.book@msa.hinet.net
http：//www.studentbooks.com.tw
本書局登記證字號：行政院新聞局局版北市業字第玖捌壹號
印刷所：長欣印刷企業社
中和市永和路三六三巷四二號
電話：(02)22268853

定價：精裝新臺幣五八〇元
平裝新臺幣四八〇元

西元二〇〇七年十二月初版

03302

ISBN 978-957-15-1382-9(精裝)
ISBN 978-957-15-1381-2(平裝)